JOHANNES PAULUS II

Eerder verschenen boeken van John Cornwell bij Uitgeverij Balans:

Hitlers paus
De paus en het lot van de gelovigen

JOHN CORNWELL

Johannes Paulus II

De nadagen van de paus

Vertaald door Frans van Delft

UITGEVERIJ BALANS
2005

Voor JGM en JS,
uit liefde en dankbaarheid

Oorspronkelijke titel *The Pope in Winter. The Dark Face of John Paul II's Papacy*
Uitgegeven door Viking, Londen

Vertaald uit het Engels door Frans van Delft

Omslagontwerp Sjef Nix
Omslagfoto Gabriel Bouys/AFP/Getty Images
Redactie en boekverzorging Frans T. Stoks en Jos Bruystens, Maastricht
Druk Wilco Amersfoort

ISBN 90 5018 6882
NUR 680

www.uitgeverijbalans.nl

Inhoud

PROLOOG Johannes Paulus de Grote 7

DEEL I HEILIG THEATER 1920–1999 *15*

1 *Persoonlijke ontmoetingen 17*
2 *Theaterdier 23*
3 *De Eeuwige Stad 36*
4 *Professor en pastor 42*
5 *Bisschop en kardinaal 49*
6 *Gevecht tegen het communisme 57*
7 *Tekenen van tegenstrijdigheid 61*
8 *'Weest niet bang!' 70*
9 *De universele herder 82*
10 *Moordaanslag en Fátima 94*
11 *Terug van weggeweest 100*
12 *Polen en de val van het communisme 108*
13 *Johannes Paulus, heiligen en wetenschappers 114*
14 *Conflicten met de democratie 121*
15 *Pausen en pluralisme 129*
16 *Vrouwen 133*
17 *Seksuologie en het leven 140*

DEEL II OP ZOEK NAAR HET MILLENNIUM 2000–2004 *151*

18 *Millenniumkoorts 153*
19 Ufficioso *en* Ufficiale *161*

20 *De paus als patiënt* *169*
21 *Naar het Heilige Land* *174*
22 *Het derde geheim van Fátima* *179*
23 *Jubileumvoorstellingen* *186*
24 *Het berouw en de joden* *192*
25 *Bent u gered?* *199*
26 *Wie runt de Kerk?* *207*
27 *11 september 2001* *214*
28 *Klerikale seksschandalen* *224*
29 *Johannes Paulus en aids* *239*
30 *Lichtend voorbeeld* *251*
31 *Johannes Paulus en de oorlog in Irak* *259*
32 *Johannes Paulus' neergang* *267*
33 The passion *van Mel Gibson* *275*
34 *George W. Bush en Johannes Paulus* *280*
35 *Johannes Paulus' grote plan* *287*

EPILOOG De nalatenschap van paus Johannes Paulus II *300*

Verantwoording *305*

Keuze uit het werk van Johannes Paulus II *306*

Literatuur *309*

Register *313*

Proloog:
Johannes Paulus de Grote

Karol Wojtyła, paus Johannes Paulus II, heeft zich laten kennen als een man met zeldzaam veel diepgang, als een onvermoeibaar energieke evangelist die alle uithoeken van de wereld afreist om het christelijk evangelie te verspreiden. Als priester en profeet heeft hij zich ingezet voor het behoud van de tradities binnen de katholieke Kerk, maar pleitte hij tevens voor verandering in de voorbereidingen op een spirituele lente van het nieuwe millennium.

Hij maakte zijn Poolse landgenoten bewust van de steriliteit van het totalitaire sovjetregime. Hij pleitte voor vrijheid als iets wat de mens eigen is. Maar hij waarschuwde tegen het gevaar in kapitalistische democratieën van vrijheid zonder morele cultuur. Hij legde de wereld een oorspronkelijke visie voor van het christelijk humanisme en hij beschouwde seks binnen het huwelijk als een afspiegeling van de drie-enige God. Hij streefde naar christelijke eenheid, deed handreikingen naar de oosters-orthodoxe kerken en naar de kerken en gemeenschappen die sinds de hervorming van Rome zijn afgescheiden. En ondertussen bleef hij, ondanks ziekte, pijn en ouderdom, zich tot het uiterste inzetten om de eenheid en continuïteit van het katholieke geloof te bewaren. Zoals Shakespeare Kent laat zeggen bij de dood van koning Lear: 'Het was al bijzonder dat hij het zo lang uithield. / Zijn hele leven was één groot gevecht.' Hartstochtelijke aanhangers onder de gelovigen lijken hem terecht Karol de Grote te noemen.

Maar er bestaat nog een andere, niet eens een alternatieve, katholieke versie, die zelden publiekelijk wordt geuit uit respect voor het taboe dat kritiek op levende en zelfs ook dode pausen verbiedt. Een zeer grote groep katholieken, mannen en vrouwen, leken en bisschoppen, overal ter wereld, is ervan overtuigd dat Johannes Paulus de teugels van zijn universeel gezag zo strak heeft aangetrokken, dat hij de deskundigheid, het gezag, de integriteit en de kracht van de plaatselijke, bisschoppelijke kerk heeft verzwakt en onderuitgehaald. Zij menen dat hoewel hij op wereldschaal lijkt te triomferen, hij een kerk nalaat in een verzwakte en conflictueuze staat.

Deze centraliserende pauselijke macht die meer dan een kwarteeuw heeft geduurd, heeft diepgaande gevolgen gehad, waarvan de complexe gang van zaken rond het priesterlijk seksueel misbruik in de Verenigde Staten maar een voorbeeld is. De systematische corruptie in het klerikale seksschandaal heeft laten zien hoe verlamd en schroomvallig de plaatselijke bisschoppen en hogere clerus waren, die het misbruik probeerden te verdoezelen en ontkennen. Nadat ze door jarenlang centraal pauselijk gezag waren gedemotiveerd, hadden plaatselijke kerkleiders de neiging gekregen naar Rome om te kijken, van waaruit alle initiatieven en het gezag altijd kwamen, waar het ook over ging. En toch kwam er ditmaal geen actie vanuit het pauselijke torentje. Onverschilligheid en zelfgenoegzaamheid trof men aan, zelfs bij Johannes Paulus, totdat de verontwaardiging wereldwijd zo hoog opliep dat Rome de crisis wel moest erkennen.

Zijn onvermogen om meteen bij het begin een ingewikkelde opeenvolging van crises binnen het priesterschap te erkennen en die adequaat aan te pakken, staat in schril contrast met zijn harde oordeel over leken die niet kunnen voldoen aan de hoge eisen op het gebied van de seksuele moraal die hij aan katholieke gelovigen stelde. Johannes Paulus pleitte ervoor katholieken die gescheiden en hertrouwd zijn (ongeveer veertig percent van alle katholieke huwelijken in het Westen eindigt in een scheiding), en katholieken die ongetrouwd samenwonen of een homoseksuele relatie hebben, uit te sluiten van het leven van genade.

Zijn onwrikbare standpunt inzake alle vormen van anticonceptie onder alle omstandigheden heeft generaties gelovigen van de Kerk vervreemd. In Afrika nam hij een extreem standpunt in, ook al waarschuwden organisaties in dat continent terecht dat gratis verstrekking van condooms geen stimulering van promiscuïteit mocht inhouden. Zijn eis dat condooms onder geen enkele omstandigheid mogen worden gebruikt, heeft ongekende aantallen katholieken veroordeeld tot het risico een HIV-besmetting op te lopen of tot een wisse dood. Voor vrouwen sloeg hij alle hoop op mogelijke toelating tot het priesterschap de bodem in, niet alleen voor de duur van zijn eigen gezag, maar tot in de eeuwen der eeuwen door zijn pauselijke opvolgers de wet voor te schrijven. Hij heeft niet geluisterd naar het pleidooi getrouwde mannen tot het priesterschap toe te laten en verzoeken afgewezen voor laïcisering van priesters die getrouwd zijn en een gezin hebben – door hen de sacramenten te weigeren.

Hoewel hij voor de buitenwereld gunstig tegenover een interreligieuze dialoog en de oecumene staat, karakteriseerde hij andere godsdiensten (dat wil zeggen, niet-christelijke religies) als 'onvolmaakt', toen hij beweerde dat vele christelijke denominaties, waaronder de anglicaanse, geen echte kerken zijn en hun priesters en bisschoppen, geen echte priesters en bisschoppen. Ondanks zijn vurige verlangen tot een akkoord te komen met de Russisch-orthodoxe Kerk stichtte hij in Rusland rooms-katholieke bisdommen zonder zich iets aan te trekken van de belangen van de oosterse Kerk als geheel.

De zwakke gezondheid van de paus in zijn nadagen heeft de gevolgen op de lange termijn aan het licht gebracht van zijn autocratische gezag. Hij is een levende preek geworden van geduld en vastberadenheid die dingt naar de sympathie van de hele wereld; maar de miljardenkoppige Kerk wordt in toenemende mate gerund door zijn Poolse secretaris en een handjevol stokoude reactionaire kardinalen. We zitten met een pauselijk bestuur waarin de paus zich praktisch ketters uitlaat, waarin het bisschoppen en gelovigen verboden wordt te praten over vrouwelijke priesters, waarin een curiekardinaal predikt dat condooms dodelijk zijn, waarin prelaten worden geëerd die pedofielen hebben beschermd, en een Amerikaanse president de paus exploiteert als een leuke tussenstop op zijn verkiezingstournee.

Wie Johannes Paulus wil begrijpen, moet door de buitenkant van de man heen dringen. 'Ze proberen me vanaf de buitenkant te begrijpen,' zei hij eens. 'Maar ik kan alleen van binnenuit worden begrepen.' Desondanks laat Johannes Paulus, anders dan zijn voorganger Johannes XXIII, die voortdurend vanuit zijn hart sprak, zijn persoonlijkheid zien met veel theatraal vertoon waarmee hij een enorm publiek heeft verleid en in vervoering gebracht. Door volledig gebruik te maken van de moderne communicatiemiddelen heeft hij met zijn alomtegenwoordigheid en zijn alleenrecht op de spotlights alle andere autoriteiten, alle andere heiligen (die nog in leven zijn tenminste), alle andere vergelijkingen, stemmen, beelden, talenten en deugden binnen zijn Kerk in zijn schaduw gesteld. Hij bepaalt de wet en is de enige bron van zegeningen, goedheid en wijsheid; er is geen verborgen hoekje in de Kerk waar hij niet wordt gezien, gehoord of gelezen, waar hij geen absolute macht heeft.

Het gaat hier om een veelomvattend pontificaat dat moeilijk zo niet onmogelijk buiten zijn context te doorgronden is. Het verhaal van Johannes Paulus is al op vele verschillende wijzen verteld. Toen de paus zich in februari 1998 voorbereidde op zijn reis naar Cuba om Fidel Castro te ontmoeten, schreef de Britse *Times* dat hij in de daaraan voorafgaande twintig jaar de meest invloedrijke politieke figuur was ter wereld. En tot op zekere hoogte had de krant gelijk. Zijn aanmoediging van het Poolse volk om het sovjetcommunisme af te wijzen, vond haar weerklank in heel Oost-Europa en daarbuiten. Een hele familie boosaardige dictators – Marcos op de Filippijnen, Baby Doc in Haïti, Pinochet in Chili, Jaruzelski in Polen, Stroessner in Paraguay – kwam ten val nadat hij de bodem van hun landen had gekust.

De eerbetuigingen aan Johannes Paulus' intellectuele status zijn niet minder hartstochtelijk. Hij wordt gefêteerd als de enige paus-filosoof in de geschiedenis. Zijn biograaf George Weigel beweert dat Johannes Paulus door zijn leerstellingen op eenzame hoogte staat in 'de geschiedenis van het moderne denken'. Een van de vele grote verdiensten van Johannes Paulus is volgens Weigel dat hij 'het grandioze humanistische project weer op het juiste spoor heeft gezet, dat rechtstreeks leidde, zo betoogde hij, naar de Heilige Drie-eenheid'. Johannes Paulus heeft volgens dit oordeel de wereld op de goede weg gezet naar het nieuwe millennium.

Terwijl het pauselijk gezag van Johannes Paulus voortduurde en necrologen herhaaldelijk hun lofspraak moesten updaten, is er een breed scala aan flatterende perspectieven op zijn leven en werken opgedoken die de cultus omtrent zijn persoon versterken. Johannes Paulus de atleet, dichter, toneelschrijver, herder, theoloog, profeet, politicus, biechtvader, denker, priester, oecumenist, raadgever, wijze, verzoener, moralist, levende heilige.

Tussen 1994 en 1999 is een aantal biografieën en portretten verschenen in afwachting van Johannes Paulus' aanstaande dood, waaronder de levensbeschrijvingen van Michael Walsh, wijlen Jonathan Kwitny, wijlen Tad Szulc, Carl Bernstein en Marco Politi, en George Weigel. Iedereen die een nieuwe biografie over Johannes Paulus wil schrijven, is deze auteurs veel dank verschuldigd, ook als men het niet eens is met hun conclusies. Ze hebben zeeën van documentatie en exclusieve interviews ontsloten in hun biografieën. Maar door de weigering van Johannes Paulus te sterven op een door anderen gesteld tijdstip (Vaticaankenners voorspellen zijn naderende dood al minstens sinds 1994) zijn ze verouderd.

Dit nieuwe portret van Johannes Paulus is geen uitgebreid gedocumenteerde biografie. Ik doe geen poging de grondigheid van andere biografieën te evenaren, een grondigheid die louter door de overdaad aan details ertoe neigt zijn bijzondere onderwerp te verzwaren als een in lood gevatte diamant. Ik heb geprobeerd selectief te zijn en wil die verbanden onderstrepen die zijn karakter en zijn tegenstellingen tot een levend verhaal brengen, vanaf zijn kinderjaren tot aan het jaar van het nieuwe millennium. Vanaf dat punt ga ik verder waar de laatste biografieën eindigden en vertel ik het verhaal van zijn pontificaat in de eerste jaren van dit decennium: een periode die het jubeljaar omvat, de pausbezoeken aan Jeruzalem en de voormalige sovjetrepublieken, de aanslagen van 11 september 2001 in de Verenigde Staten, de oorlog tegen het terrorisme, de oorlog in Irak, zijn betrekkingen met Amerika, de voortdurende conflicten binnen de katholieke Kerk over het gezag en respect voor andere godsdiensten en de crisis naar aanleiding van het seksueel misbruik door priesters, die de Kerk op haar fundamenten heeft doen wankelen.

In de kritieke periode na 1999 openbaarden zich de laatste stadia van de ziekte van Parkinson bij de Heilige Vader, invaliditeit, het vaak niet kunnen spreken, perioden van concentratie- en geheugenverlies. In de laatste jaren van de vorige eeuw kwam de urgente kwestie over de mogelijkheid tot aftreden aan de orde. In het eerste jaar van het millennium heeft de paus deze suggestie publiekelijk terzijde geschoven door de mystieke aard van zijn persoonlijke pontificaat te belijden.

In de bloei van zijn volwassen jaren definieerde Johannes Paulus het begrip 'mystiek' op een subtiele en orthodoxe manier – als de geestelijke ontmoeting tussen twee vrijheden: die van de handelende mens en die van de persoon Jezus Christus, die niet ontmoet werd als object in de wereld, maar als het Al. In zijn beginjaren als academicus en ook als bisschop wilde hij bovendien de aard van het individu definiëren als 'excentrisch' tegenover egocentrisch. Hij beweerde dat we meer naar onszelf toe groeien en naar Jezus, die model staat voor de mensheid, door onszelf te geven.

Toen hij begin zestig was, kreeg hij steeds meer de neiging een volkser en meer egocentrische variant aan te hangen van het mystieke element in zijn leven, met verstrekkende gevolgen voor zijn verantwoordelijkheidsbesef, zijn uitleg van de geschiedenis, zijn zelfopgelegde goddelijke status als paus en zijn uitzonderlijke stelligheid. Tegelijk was zijn neiging naar het populaire mysticisme in tegenspraak met en een ontkenning van de christelijk-humanistische gedachten die hij tot in zijn laatste jaren bleef prediken.

Na de aanslag op zijn leven op 13 mei 1981 begon hij te zinspelen op het belang van het komende millennium. Hij was steeds meer geneigd zijn vertrouwen te stellen in de hemelse bestiering van de geschiedenis en niet in menselijke, aardse verantwoordelijkheden. Ondertussen heeft hij in de loop der jaren het vooruitzicht op collegialiteit steeds verder ondergraven door de status van zijn bisschoppen te verkleinen. ('Ze behandelen ons als misdienaartjes,' merkte wijlen kardinaal Joseph Bernardin uit Chicago eens op over Johannes Paulus en de Romeinse curie.) Johannes Paulus, de voormalige kampioen van de politieke en religieuze vrijheid, ging grenzen stellen aan de vrijheid: grenzen die alleen hij kon vaststellen: 'Authentieke vrijheid,' schreef hij in zijn belangrijke encycliek, ofwel brief aan de wereld, *Veritatis splendor* (De schittering van de waarheid, 1993), 'is nooit vrijheid "van" de waarheid, maar altijd vrijheid "in" waarheid.' Het katholieke geloof had de volheid van, het monopolie op de waarheid, stelde hij in de door hem goedgekeurde Vaticaanse verklaring *Dominus Jesus* (De Heer Jezus, 2000).

Tegelijkertijd leken zijn piramidale voorstelling over de werking van het pauselijk gezag en de cultus omtrent zijn pauselijke persoonlijkheid een episch egocentrisme aan te moedigen. En hoe centraler, heiliger en absolutistischer het pauselijk gezag werd, hoe onbelangrijker de bisschoppen, de clerus en het lekendom werden. Een voorbeeld van zijn toenemende persoonlijkheidscultus: de meeste kerken in zijn geboorteland Polen hebben prominent een meer dan levensgroot beeld van Johannes Paulus uitgestald. Zoals een correspondent in Polen voor het internationale katholieke weekblad *The Tablet* met Kerstmis 2003 schreef: 'Voor zover mij bekend zijn er voor geen andere openbare figuur zo veel standbeelden tijdens zijn leven gericht, behalve voor Jozef Stalin.'

Doordat hij zichzelf zag als iemand die tegen een aanhoudende, zich almaar uitbreidende wereldstorm inging, heeft zijn mystieke visie ongetwijfeld een grote eenvoud gegeven aan wat complex en gefragmenteerd is. 'In de plannen van de voorzienigheid bestaat het toeval niet,' verklaarde hij in 1982 tijdens een massabijeenkomst in het Portugese Fátima. Later, in het millenniumjaar 2000, onthulde hij de rest van de bij Fátima gedane voorspelling, het zogenaamde Derde Geheim, dat een bijna honderd jaar oude voorspelling bleek te zijn over hém, Karol Wojtyła. Het was zo bedoeld. Het stond geschreven. Net als zijn overleving van kogels, zijn parkinson en zijn glijpartijen onder de douche, en net als al zijn grootse initiatieven, verklaringen, uitspraken en oordelen.

Pausbiograaf Weigel heeft gezegd dat Johannes Paulus 'de man is met aantoonbaar de meest coherente en alomvattende visie op de menselijke mogelijkheden in de wereld van morgen'. Kardinaal Avery Dulles, een bekende jezuïtische theoloog en auteur van *The splendor of faith*, schrijft dat

Johannes Paulus' visie 'alle tegenoverstaande ideologieën en geestelijke bewegingen kan weerstaan en met respect uitdaagt'. Dit soort lofzangen laat weinig ruimte voor de coherente en alomvattende visie van Jezus Christus, laat staan voor al die andere spirituele leraren binnen en buiten het christendom door de eeuwen heen.

Dit nieuwe portret van Johannes Paulus, geschreven in het onheilspellende licht van het postmillennium waarin het religieuze fundamentalisme de grootste bedreiging vormt voor de wereldvrede, en de problemen van armoede en honger toenemen, is het verhaal van een paus die opvallende talenten heeft gepaard aan corresponderende zwakheden en grillen. Zijn pontificaat kende kansen die met succes zijn bekroond, en kansen die zijn mislukt. De kracht en timing van zijn initiatieven in Polen waren weergaloos. Maar in een tijd waarin fundamentalistische religies zich vijandig opstellen tegenover het Westen, is zijn meest tragische verzuim zijn weigering te erkennen dat men in het christendom de basis kan ontdekken van pluralistische samenlevingen.

De indruk bovendien dat Johannes Paulus de hoofdattractie is binnen de katholieke Kerk, heeft het katholicisme de kant op geduwd van pauselijk fundamentalisme – het idee dat katholieke normen en waarden van bovenaf worden opgelegd. Hij heeft de stemmen gesmoord van de talloze heiligen, theologen, bisschoppen, mannelijke en vrouwelijke gelovigen binnen de Kerk die de katholieke wijsheid vormen van voorbije tijden en het heden. Nu men geconfronteerd wordt met zijn onvermijdelijke heengaan, proberen zijn aanhangers uit alle macht zijn gezag door te trekken naar toekomstige generaties.

Onder Johannes Paulus is de katholieke Kerk de stem geworden van een man in een witte jurk die vanuit een torentje van het apostolische paleis spreekt, in plaats van een dialoog op gang brengt tussen verleden, heden en toekomst; tussen verschillende culturen, etnische groepen en spiritualiteiten; tussen de universele en de lokale Kerk – waar ter wereld mensen ook samenkomen voor de eucharistie. De vraag is: waardoor en waarom heeft het zo ver kunnen komen? En wat betekent deze situatie voor de toekomst van het katholicisme?

Johannes Paulus is menselijk: hij is op een verheven, superieure en indrukwekkende wijze menselijk. Maar als reactie op de lasten en verleidingen van zijn oude en onmogelijke ambt, de crises in de wereld en de overtuigingen van zijn volgelingen, heeft hij het pauselijk bestuur gerund alsof hij een supermens was. Maar voor een supermens is geen plaats in een Kerk van gemeenschappen die volledig zichzelf moeten zijn tot in de kleinste groepjes; die floreren en kracht putten zowel uit hun eigen plaatselijke bronnen als uit het Romeinse centrum. Een nieuwe superman op de troon van de Sint-Pieter betekent alleen maar een voortzetting van het tragische proces waarin men afstand doet van verantwoordelijkheid, volwassenheid en plaatselijke deskundigheid zoals we dat de afgelopen 25 jaar binnen de katholieke Kerk hebben gezien.

DEEL I

Heilig theater

1920–1999

'"Heilig theater" impliceert dat er iets meer is in het bestaan,
onder, rondom of boven ons, een zone die nóg onzichtbaarder is,
nóg verder af staat van de vormen die we kunnen lezen of registreren,
die buitengewoon krachtige energiebronnen bevatten.'

Peter Brook, There are no secrets. Thoughts on acting and the theatre

I

Persoonlijke ontmoetingen

Er gaat niets boven de aanwezigheid in eigen persoon, het neigen van het hoofd, het ontmoeten van de ogen, het typerende gebaar, de klank van de stem. Mijn eerste privé-ontmoeting met paus Johannes Paulus II vond plaats in zijn hoogtijdagen. Het was op een grijze ochtend in december 1987 en ik had een mis bijgewoond in zijn privé-kapel.

In gezelschap van zijn secretaris Stanisław Dziwisz, een Poolse priester met sierlijke gebaren en een zwierige tred, verscheen Johannes Paulus in de bibliotheek van het pauselijk appartement alsof hij alle tijd van de wereld had. Hij leek helemaal in zichzelf verzonken.

Het viel me op dat zijn soutane een beetje versleten en niet meer zo wit was, een comfortabel veel gedragen kledingstuk voor de vroege ochtend: hij wekte de indruk dat het pausschap net zo goed bij hem paste als die soutane. Hij droeg een blinkend gouden horloge, dat net als het kruis aan zijn borst schitterde in de felle booglampen. Hij liep op stijve, glanzende, moderne leren slippers; aanvankelijk vond ik die nogal uit de toon vallen, onkerkelijk. Zijn voorgangers in de recente geschiedenis hadden gesloft op paarse slippers met vilten zolen.

Met toegeknepen ogen keek hij me vorsend aan, terwijl hij met die stevige stappers over de marmeren vloer sjokte, zijn tenen wat naar binnen gekromd. 'Stas' Dziwisz, de 'fluwelen macht' in het pauselijk appartement, fluisterde iets in zijn oor. Toen stond hij naast me met zijn brede schouders diep naar voren gebogen, zijn benen een beetje uit elkaar als een bergwandelaar die zichzelf in evenwicht brengt. Er hing een kies vleugje pepermunt en aftershave om hem heen: ik maakte op dat hij Fisherman's

Friends slikte voor zijn keel en zijn gladgeschoren kaken besprenkelde met eau de cologne van Penhaligon. Zijn zilvergrijze haar was amateuristisch geknipt en zat licht in de war. Zijn bekende gezicht, het bekendste gezicht ter wereld, zag er bleek en moe uit, alsof hij niet had geslapen. Hoewel hij van veraf een knappe filmster was, leek hij van dichtbij een heel gewoon mens. Als hij al een mysticus was, zoals veel van zijn biografen beweren, bespeurde ik nergens een bovennatuurlijk aura.

Hij neigde een groot, Slavisch linkeroor naar me toe om me uit te nodigen te spreken. Hij stak mij zijn hand toe; terwijl ik die aannam en me afvroeg of ik zijn ring moest kussen, slaagde hij erin mijn arm zowel vast te pakken als weg te duwen. Zijn grote vierkante hoofd zakte neer totdat zijn kin zich in zijn borst groef; toen ging dat oog open, een staalhard, wetend oog dat me zijdelings gadesloeg. Hij wachtte tot ik iets ging zeggen. Plotseling kreeg ik een idee van de vloedgolf aan vleierijen, overtuigingen en verzoeken die dat oor dag in dag uit teisterde. Toen draaide hij zijn gezicht naar mij toe: breed, vaderlijk, open. Hij begon te praten, terwijl hij naar me wees.

Mijn eerste indruk was die van een beheerste, maar tegelijk angstaanjagend oplettende man; vriendelijk, maar in staat tot streng gezag. Ik bespeurde een onwrikbare integriteit, en openheid, maar ook iets sluws, een boerenslimheid in de manier waarop hij je met dat oog zijdelings aan de grond nagelde wanneer je daar het minst op bedacht was. Hij viel vooral op in dat Vaticaans milieu van mollige celibatairen in hun fluweelzacht gecapitonneerde werkkamers en zware bidstoelen, als een gewone man die niet veel waarde hecht aan plichtmatige voorkomendheden; een ongekunsteld, volwaardig, ongedwongen, door en door menselijk persoon.

Zijn ongedwongenheid, die hem onderscheidde van generaties prelaten die op ceremoniële en kerkelijke waardigheid stonden, viel ook op bij een andere kennismaking waar ik over had gehoord.

Wijlen Derek Worlock, de aartsbisschop van Liverpool, maakte deel uit van een bisschoppelijke commissie in Rome, waar ook kardinaal Wojtyła uit Kraków in zat, zoals Johannes Paulus begin jaren zeventig nog heette. Op een ochtend, aldus Worlock, kwam Wojtyła te laat en totaal doorweekt binnen nadat hij in de stromende regen te voet door Rome was gegaan, omdat hij geen gebruik wilde maken van de auto met chauffeur die hij tot zijn beschikking had. Zonder enige schaamte trok hij onder het oog van de verzamelde bisschoppen en kardinalen eerst zijn schoenen en daarna zijn doornatte sokken uit. Op blote voeten wrong hij zijn sokken uit boven de vloer en legde die te drogen op een radiator. Daarna draaide hij zich om en zei hij tot de verbijsterde prelaten: 'Welaan, heren! Aan de slag dan maar.'

Er hangt een sfeer van peilloze ernst rondom zijn aanwezigheid, een zweem zelfs van ontroostbare melancholie. En toch zie je in die intelligente, waakzame blik een wakker besef van het absurde, dat stevig in toom wordt gehouden. In de algehele sfeer van verering om hem heen wordt ingehouden om zijn grapjes gelachen, zoals toen hij tegen burgemeester Ed Koch van New York zei: 'U bent de burgemeester, ik moet mijn best doen een goed burger te zijn!' Zelden memoreert men zijn gewaagdere grappen, die door zijn acteertalent aan kracht wonnen. Een Vaticaanse monseigneur die een aantal jaren bij de paus in dienst was geweest, vertelde me deze onthullende anekdote.

Op een ochtend verleende Johannes Paulus audiëntie aan een schare Duitse bezoekers, theologen, bisschoppen en andere vooraanstaande personen. Het was een buitengewoon formeel en stijf gezelschap – typisch Duits. Nadat ik hun uitgeleide had gedaan, ging ik terug om de paus gedag te zeggen. Hij keek me scherp aan, ging kaarsrecht staan, klakte met zijn hakken en gaf nauwelijks zichtbaar, maar onmiskenbaar met een uiterst subtiel handgebaartje de Hitlergroet. Het was hilarisch: de Poolse pontifex die de moffen de deur wijst! Ik schoot bijna in een bulderende lach. In plaats daarvan kende ik mijn plaats niet en wilde ik, in een vlaag van verstandsverbijstering, inhaken op zijn grap. Dus keek ik hem ontzet aan met mijn handen tegen mijn wangen, alsof ik hem een standje gaf, zo van: 'O, jij stoute Heilige Vader! Wat zouden die Duitsers wel niet zeggen van deze malle grappenmakerij?' Hij reageerde met een furieuze blik. Zijn ogen spuugden vuur. Op dat moment kwam Ratzinger binnenstormen, ook een Duitser, en moest ik de deur achter hen dicht doen, vanbinnen nog zenuwachtig nagniffelend. Later die dag kwamen Johannes Paulus en ik weer bij elkaar. Hij keek me woedend aan en gaf me een harde tik op mijn arm. Het deed echt pijn. *'I was just trying to encourage you!'* [Ik probeerde je alleen maar aan te moedigen] zei hij. 'Snap je dat niet? *I was encouraging you!'* Het klonk wat vreemd in het Engels. Maar ik begreep wat hij bedoelde. Hij bedoelde dat hij me wilde amuseren of opvrolijken die dag. Daar stond ik dan, ik kon wel huilen, want ik hield zo veel van hem en ik begreep dat ik hem diep beledigd had. Maar hoe kon ik hem uitleggen dat ik natuurlijk *'encouraged'* was, dat ik hooguit probeerde op mijn beurt een beetje grappig te zijn? Maar dat moest ik gewoon opgeven, zodat ik bij hem de indruk naliet van een schijnheilige, humorloze idioot.

Welk karakter de man die paus wordt ook heeft, na verloop van tijd begint de pauselijke rol de overhand te krijgen op de mens, op de persoonlijkheid van de man met de gekste, meest onmogelijke en eenzaam makende baan ter wereld. Paulus VI, paus in de jaren zestig en zeventig, omschreef dat isolement eens als volgt: 'Vroeger was ik ook eenzaam, maar nu is mijn eenzaamheid totaal en ontzagwekkend. Vandaar de duizeligheid, de desoriëntatie. Als een standbeeld op een sokkel – zo leef ik nu.'

Wij zullen de eenzaamheid nooit kennen, de psychologische versplintering, het innerlijk lijden waaronder Johannes Paulus als gevolg van het pauselijk ambt gebukt gaat. Maar er zijn aanwijzingen. Eamon Duffy, kerkhistoricus in Cambridge, vertelt een verhaal dat hij gehoord heeft van een bevriende theoloog die ooit was uitgenodigd om met Johannes Paulus II de avondmaaltijd te gebruiken in de tijd dat er nog regelmatig jonge priesters aan de pauselijke tafel werden genodigd. Deze vriend kwam naast Johannes Paulus te zitten en besloot een persoonlijk getinte conversatie te beginnen in plaats van te proberen iets opvallends of belangrijks te zeggen.

Hij zei: 'Heilige Vader, ik ben een liefhebber van poëzie en heb al uw gedichten gelezen. Heeft u nog veel poëzie geschreven sinds u paus werd?' De paus antwoordde: 'Ik heb helemaal geen poëzie meer geschreven sinds ik paus ben.' De theoloog vroeg daarop: 'Maar hoe komt dat, Heilige Vader?' De paus scheepte hem af en wendde zich tot de persoon aan zijn andere zijde.

Twintig minuten later draaide de paus zich weer om naar de theoloog en antwoordde kortaf: 'Geen context!' Dat was alles.

Toen het diner ten einde liep en de gasten vertrokken, zei Duffy's vriend enigszins gewaagd bij het afscheid: 'Heilige Vader, als ik nu voor u bid, zal ik bidden voor een dichter zonder context.' De paus reageerde niet. Hij werd alleen maar ijskoud.

Johannes Paulus besefte duidelijk dat hij iets heel persoonlijks over zijn leven had blootgelegd. Maar misschien had hij een tragische waarheid onthuld. Het pauselijk ambt neemt iemand volledig in beslag. Dat vereist het werk. Toen hij zei dat er geen 'context' was voor zijn poëzie, leek hij te erkennen dat in de diepte van zijn ziel, ergens heel diep vanbinnen waar poëzie geschreven wordt, hem een verschrikkelijke, duizelingwekkende eenzaamheid aangaapt.

Miljoenen mensen hebben de paus weliswaar nooit in eigen persoon, maar wel in hun dromen ontmoet. Graham Greene, op het eind van zijn leven de beroemdste katholieke schrijver ter wereld, was bevriend met paus Paulus VI, die al zijn boeken had gelezen en bewonderd. Maar van Johannes

Paulus II heeft Greene nooit een uitnodiging ontvangen. Toen ik Greene vlak voor zijn dood sprak, vertelde hij:

> Ik droom over Johannes Paulus II. Het is een terugkerende droom. Ik sta op het Sint-Pietersplein met tienduizenden andere mensen, nonnen, priesters, leken. Iedereen valt op zijn knieën, aanbidt hem op de meest weerzinwekkende manier. En in hun midden deelt hij vanuit een enorme hostiekelk de communie uit. Het zijn echter geen hosties die hij uitdeelt, maar zwaar versierde, overdadige Italiaanse chocolaatjes.

Greene had nog een andere droom: 'Ik zit te ontbijten op mijn balkon in Antibes. Ik sla de krant open en lees deze kop: "Johannes Paulus verklaart Jezus Christus heilig". Ik blijf verbijsterd zitten om de arrogantie van een paus die het bestaat onze Verlosser heilig te verklaren.' Toen zei Greene, alsof hij tot de kern kwam van Johannes Paulus' persoonlijkheid: 'Hij had veel gemeen met Ronald Reagan. Ze waren beiden wereldleiders, maar in feite gewoon acteurs.'

Greenes antipathie tegen Johannes Paulus waar deze dromen van getuigen, is een veelvoorkomende reactie onder intellectuele, liberale katholieken: zij zien Johannes Paulus als arrogant en autocratisch, iemand die schouderklopjes uitdeelt onder de gelovigen, geobsedeerd is door heiligenverklaringen, acteert. Men vraagt zich af hoe Greene met zijn schrijversantenne over Johannes Paulus had geoordeeld als hij hem ooit in levenden lijve had ontmoet.

Niet iedereen is onder de indruk van Johannes Paulus; en Johannes Paulus kan ook, zo is bekend, iemand totaal negeren als hij meent dat zijn gesprekspartner zich niet correct gedraagt. Toen ik hem voor de tweede keer ontmoette, had ook ik het lef hem te vragen naar zijn literaire schrijverschap. Hij hield zich doof. Ik vroeg het nog een keer waarop hij een nadrukkelijk niet terzake doende observatie deed om van gespreksonderwerp te veranderen.

Maar de onmiskenbare eerste indruk van iedereen die hem ooit persoonlijk heeft ontmoet, en dat was zeker ook mijn impressie, is er een van een man vol tegenstrijdigheden. De filosofe Anna-Teresa Tymieniecka werkte in de jaren zeventig met hem samen aan zijn boek *The acting person.* Deze aantrekkelijke, intelligente en temperamentvolle vrouw bracht honderden uren door met de paus, soms in aanwezigheid van diens secretaris, vaak alleen. Ze maakte zich geen illusies over Johannes Paulus' zwakheden; de scherpzinnige karakteromschrijving die ze gaf in een interview met Carl Bernstein en Marco Politi is even memorabel als ontroerend:

> Hij heeft zichzelf een bescheiden houding aangemeten, treedt mensen met veel interesse tegemoet. Hij geeft iemand het gevoel dat hij niets anders aan zijn hoofd heeft, dat hij bereid is alles voor die ander te doen [...]. Dankzij zijn aangeboren persoonlijke charme – een van zijn sterkste punten – en bovendien een poëtisch karakter, neemt hij mensen gemakkelijk voor zich in. Dit zijn allemaal aspecten van zijn charisma – zoals ook zijn manier van bewegen dat is, hoewel dat verleden tijd is, nu hij een oude man is. Hij had een bepaalde motoriek, een bepaalde glimlach, een bepaalde manier van om zich heen kijken die anders was en heel persoonlijk. Het had iets moois.

Toch zegt doctor Tymieniecka verder nog: 'Als er één karaktertrek is die ik in hem zie, is het zijn gespletenheid.' Ze zegt: 'De mensen om hem heen zien een alleraardigst, heel bescheiden mens.' Dan vervolgt ze: 'Maar hij is lang niet zo nederig als hij lijkt. Bescheiden is hij evenmin. Hij heeft een zeer hoge, gepaste dunk van zichzelf [...]. Hij is een buitengewoon veelzijdig mens, buitengewoon kleurrijk.'

2

Theaterdier

De jonge Karol Wojtyła voelde zich als een mot tot een vlam aangetrokken tot het toneel. Sinds zijn achtste was hij ondanks zijn lengte en zijn plompe gezicht verknocht aan het theater: hij verleende hand- en spandiensten aan een amateurtoneelgezelschap, hielp mee met decors opbouwen, wilde graag souffleren. In de beslotenheid van zijn slaapkamer voerde hij thuis heel andere toneelstukjes op: priesterlijke rituelen in geïmproviseerde misgewaden die zijn moeder Emilia, naaister van beroep, in elkaar had gezet. Toen zijn veertien jaar oudere broer Edmund arts werd, speelde Karol in zijn eentje scènes voor de patiënten op zaal. Hij had tien producties geregisseerd toen hij zijn school verliet, waarin hij onveranderlijk zelf de hoofdrol speelde.

Hij had een voorkeur voor vaderlandslievend drama, met statige poses en hoogdravende, dichterlijke monologen. Jaren later zou Wojtyła zeggen dat het traditionele Poolse drama Shakespeare in de schaduw zou stellen. Het Pools theater, legde hij uit, hield de natie in stand ondanks alle annexaties en bezettingen door barbaarse naburige naties. Het katholieke geloof en het Poolse theater gingen naadloos in elkaar over: liturgie, processies en het theater waren reëler en krachtiger dan de golfbeweging van legers en dictators. En de bron en oorsprong van de Poolse natie was het moederschap van de Maagd Maria. De geschiedenis van het katholieke Polen werd niet gevormd door de ijdelheid van menselijke ambities, maar door de interventies en miraculeuze initiatieven van Maria.

En toch loopt er door het patriottisme en nationalisme een rode draad van xenofobie en etnische haat, wat Poolse joden kunnen bevestigen. Men twijfelt niet aan het gemak waarmee Karol Wojtyła omging met de joodse gemeenschap in zijn geboorteplaats. Zijn huis in Wadowice was van joden, zijn beste vriend, Jerzy Kluger, was een jood; en Karol kon in het Jiddisch ruziemaken met de joodse kinderen in de straat. Maar kardinaal August Hlond, de katholieke primaat van Polen, zei in 1936, toen Karol Wojtyła zestien was en Hitlers rijk nog maar drie jaar bestond: 'Het joodse probleem blijft bestaan zolang er joden zijn.'

Ook waren de Polen al vroeg vertrouwd met het verschijnsel van de preventieve militaire aanval. In 1920, drie maanden na de geboorte van Karol Wojtyła, nam Polen, in een poging één groot rijk te worden dat de Oekraïne, Wit-Rusland en Litouwen omvatte, het op tegen het Rode Leger. Voor de goede orde: Polen had veel te vrezen van Rusland en zijn satellieten. Lenin had verklaard: 'De weg naar de wereldbrand gaat over het lijk van Polen.' Nadat de Poolse militaire dictator Józef Piłsudski in de nasleep van de Eerste Wereldoorlog het verdrag van Versailles had verscheurd, veroverde hij de belangrijke stad Kiev op de bolsjewieken. Als wraak kondigde Lenin de invasie af op Polen en stuurde hij vier enorme legers naar de poorten van Warschau, die getalsmatig driemaal groter waren dan het Poolse leger. Vanaf elke preekstoel werden Poolse mannen opgeroepen hun geboortegrond te verdedigen. De Polen waren uitgeput en veel soldaten waren nog kinderen en hadden geen schoeisel. Maar het bloed van de natie kookte. De dag na Maria Hemelvaart, 16 augustus 1920, werd het Rode Leger naar een bloedbad geleid bij de oevers van de Weichsel. Zo'n 15.000 Russen werden afgeslacht en 65.000 werden krijgsgevangen gemaakt. Nog eens dertigduizend vluchtten over de dichtstbijzijnde grens naar Pruisen en werden ontwapend. Het volk schreef de overwinning niet toe aan de moed van het burgerleger, noch aan Piłsudski's krijgstactieken, die even briljant als moedig waren, maar aan de rechtstreekse interventie van de Maagd Maria. Zij kreeg alle krediet, want zij had voorkomen dat het atheïstische communisme naar het westen oversloeg. De slag zou later het Wonder aan de Weichsel worden genoemd. Het was een hoogtepunt van patriottisme en religieuze ijver, vroomheid en geweld.

Karol Wojtyła werd geboren op 18 mei 1920 in Wadowice, een grauw provinciestadje zo'n dertig kilometer ten zuidwesten van Kraków, niet ver van de Tsjechoslowaakse grens. Karol senior, zijn vader, was onderofficier, eerst bij het Oostenrijks-Hongaarse leger, later werd hij kwartiermeester bij het Poolse militieleger; zijn moeder Emilia, die het merendeel van haar volwassen leven invalide was en ontroostbaar bleef na het verlies van haar babydochter Olga, werkte als naaister om de eindjes aan elkaar te kunnen knopen.

Karol senior, die zelden zijn uniform niet droeg, was een gedisciplineerde drilsergeant met een zorgvuldig gecoiffeerde snor. Hij deelde de dagen in van zijn zonen, roosterde zelfs hun vrije tijd in. Hij was vroom en heerszuchtig. De opvoeding van Karol junior door een strenge vader ('Hij was zo hard voor zichzelf dat hij dat voor zijn zoon niet meer hoefde te zijn,' merkte Wojtyła eens liefdevol vergoelijkend op) werd bezield door devotie aan Maria, haar feestdagen, cultus, heiligdommen, privileges en haar altijddurende bijstand. Polen is het land, zou Wojtyła later eens zeggen, waar 'men het hart van de natie kan horen kloppen in het hart van de Moeder'. Elke ochtend knielde hij neer voor het standbeeld van de Maagd in de parochiekerk, als hij naar school liep, waar hij les kreeg van een reeks verschillende toegewijde priesters.

Boven op een heuvel in de buurt woonde een groep ongeschoeide karmelieten, een strenge monnikenorde die zowel het contemplatieve als het actieve missionarisleven in de praktijk wilden brengen. Al op jonge leeftijd werd Karol drager van de karmelieter scapulier, het uit twee lappen stof bestaande, over de borst en rug gedragen schouderkleed dat symbool staat voor de bescherming van Maria. Men geloofde dat degenen die de scapulier tot aan hun dood bleven dragen, het vagevuur mochten overslaan en op de eerste vrijdag na hun overlijden rechtstreeks naar de hemel gingen.

Het bekendste Poolse heiligdom was het klooster op Jasna Góra, de 'Stralende Berg', in de stad Częstochowa, waar de wonderbaarlijke icoon van de Zwarte Madonna wordt bewaard. Het hout waarop deze icoon is geschilderd, zou afkomstig zijn van het blad van een door Jozef gemaakte tafel waaraan de heilige familie had gegeten; de evangelist Lucas zou het portret hebben geschilderd. In 1382 bracht prins Ladislaus van Opole het naar Częstochowa, en prins Jagiello bouwde het klooster met kerk voor de monniken van de orde van Paulus de Eremiet, die de eeuwige taak kregen het heilige voorwerp te vereren en te beschermen. Nadat het klooster in 1656 een aanval afsloeg van antipaapse Zweden, werd Onze Lieve Vrouwe van Częstochowa uitgeroepen tot Koningin van Polen. De icoon werd het symbool van het Pools nationalisme. Tijdens een bezoek aan Jasna Góra op 6 juni 1979 zou Wojtyła als paus zijn gehoor vertellen dat hij als schooljongen 'bijzondere gesprekken' had mogen voeren met Onze Lieve Vrouwe in het heiligdom. De icoon zou later Henryk Górecki inspireren tot zijn *Opus 36, Symphonie van de droevige liederen*, dat net als Benjamin Brittens *War Requiem* en Dmitri Sjostakovitsj' *Zevende symphonie (Leningrad)* een eerbetuiging is aan de slachtoffers van de Tweede Wereldoorlog.

Verder waren er nog de heiligdommen van de Christus en de Maagd van

Kalwaria, diep in de bossen gelegen tussen Wadowice en Kraków – kapellen en grotten ter herinnering aan het Huis in Nazareth, de Olijfberg, de Calvarieberg, de beek Kedron, het graf van Maria: in totaal 24 heiligdommen. Elk jaar bezocht de jonge Wojtyła met zijn vader aan de vooravond van Maria Hemelvaart het Spartaans sobere Mariafeest, 'De begrafenis en triomf van de Moeder Gods'. De hele avond liep Karol samen met vele andere lantaarndragende pelgrims over de steile heuvels achter een open doodskist waarin een beeld lag van de overleden Moeder van God. Refererend aan de kruisweg, die elk jaar op Goede Vrijdag wordt herdacht, werd Maria naar haar begraafplaats gedragen, waar de volgende ochtend haar lichaam en geest ten hemel zouden worden opgenomen. Deze rituele afmatting ter nagedachtenis aan de dood van Maria was geen vrijblijvende kwestie in het grensgebied waar de Latijnse cultus vijandig de confrontatie aanging met schismatici van de oosterse orthodoxe Kerk, die volhielden dat Maria nog sliep en niet was overleden toen ze door een engel naar de hemel werd geleid.

Naar het altaar van de basiliek in Kalwaria nam Wojtyła's vader in 1929 zijn twee zoons mee om te bidden voor het zielenheil van Emilia, Karols moeder. Ze was alleen gestorven, ver van huis, op 45-jarige leeftijd. Karol was amper negen jaar. Het enige wat we zeker weten, is dat ze leed aan een nierziekte en een hartkwaal, waarvoor ze in behandeling was. Toen vader Wojtyła vernam dat ze overleden was, was hij te voet naar Karols school gegaan, had daar het nieuws aan een aanwezige leraar verteld en was toen meteen weer vertrokken, zodat de jongen het bericht van zijn moeders dood zonder vaderlijke troost te horen kreeg. Een getuige herinnerde zich nog dat Karol met droge ogen tegen de onderwijzer zei: 'Het is de wil van God.' Tien jaar later zou Karol Wojtyła, dichter, dramaturg en acteur een gedicht aan haar opdragen:

Op uw witte graf
Bloeien de witte bloemen van het leven.
Ach, hoeveel jaren zijn er weer verstreken
Zonder u – hoeveel jaren?
Op uw witte graf
Al jarenlang gesloten
Lijkt iets te ontstaan:
Onontkoombaar als de dood.
Op uw witte graf
Moeder, mijn levenloze liefde...

Karol groeide op tot een aandachtige jongen, maar hij was niet bedeesd. Een van zijn toneelvrienden, Danuta Michałowska , vertelt dat wanneer alles goed was gegaan tijdens de repetities, hij een radslag maakte over het toneel. Drie jaar na de dood van zijn moeder overleed Edmund, zijn geliefde oudere broer en arts die hem overal op zijn schouders had meegenomen, aan roodvonk, opgelopen bij een van zijn patiënten. Edmunds dood maakte meer indruk op Karol dan de dood van zijn moeder, zou hij zich later herinneren, 'vanwege de dramatische omstandigheden waaronder zijn overlijden plaatsvond en omdat ik meer volwassen was'. Zijn broer stierf in pijn en woede. De ziekenhuisarts die aan zijn bed stond, vertelde dat Edmund het regelmatig uitschreeuwde in zijn doodsstrijd: 'Waarom ik? Waarom nú?'

Karol Wojtyła wist het antwoord. Plechtig herinnerde hij de mensen die hun medeleven kwamen betuigen eraan dat het 'de wil van God' was. Gedurende zijn hele pontificaat bewaarde Johannes Paulus de stethoscoop van zijn broer in een bureaula.

De dood, het lijden en het afscheid waren onlosmakelijk met elkaar verbonden, zoals het gedicht suggereert dat hij aan zijn moeder schreef. Maar het moederschap van Onze Lieve Vrouwe stond voor een lijden dat troost bracht en bijstand beloofde. Ook háár hart was doorboord van smarten. Ook zij was gestorven, maar zij liet zich niet door de dood van haar kinderen scheiden. Dat haar moederlijke zorg na haar dood bleef voortbestaan, toonde ze aan met haar regelmatige verschijningen, haar reële aanwezigheid op deze aarde, alsof ze op pelgrimstocht was naar de beloofde era van het derde millennium.

Dit waren de gedachten over Maria die werden gevormd in de geest van Karol Wojtyła op zijn bijzondere en veelbewogen pad naar het priesterschap, dat uiteindelijk leidde naar het hoogste ambt binnen de katholieke Kerk. Later zou hij zijn gedachten op papier zetten over haar verschijningen op aarde 'door ruimte en tijd, en meer nog door de geschiedenis der zielen'. Peinzend over de fantastische heiligdommen die gewijd zijn aan haar verschijningen, zou hij in zijn encycliek *Redemptoris Mater* (Moeder van de Verlosser, 1987) Guadalupe (Onze Vrouwe van Amerika, nabij Mexico-stad), Lourdes, Fátima en zijn eigen Poolse Jasna Góra met name noemen, plaatsen die in zijn woorden een 'specifieke geografie van het geloof' vormen, waarbij hij 'al die [andere] pelgrimsoorden' niet vergat, 'waar het volk Gods de Moeder van God wil ontmoeten om binnen de straal van haar moederlijke aanwezigheid zijn geloof te versterken'.

In augustus 1938 kwam Karol op achttienjarige leeftijd met zijn vader aan in Kraków. Ze hadden een kelderverdieping geërfd van een huis waar zijn moeder ooit een aandeel in had gehad. 'Dag in dag uit,' zou Wojtyła later over zijn vader schrijven, 'was ik getuige van zijn sobere levenswijze. Na de dood van mijn moeder werd zijn leven één permanent gebed. Als ik soms 's nachts wakker werd, zag ik mijn vader op zijn knieën.' Geen wonder dat hij zijn huiselijk leven in Kraków omschreef als 'een soort thuisseminarie'. Voor de ernstige, jonge dramakoning Karol was deze vergelijking echter wat flatterend.

Hij viel op onder de eerstejaarsstudenten aan de universiteit. Met zijn lange haren, zijn overhemd met open hals en wufte gebaartjes leek hij op en top een artiest. Het minimalisme waarmee hij later zulke grote successen oogstte, moest hij nog onder de knie krijgen. Zijn voorkomen was 'vol waardigheid'; een bron vertelt dat hij modieuze knickerbockers droeg en eigentijdse bruine enkellaarsjes. Hij bleef verknocht aan het theater en toen hij zich inschreef aan de Jagiełło-universiteit, volgde hij dan ook colleges Poolse taalgeschiedenis, letterkunde en toneelkunde. Hij oefende zijn stem en sloot zich weer aan bij een plaatselijk amateurtoneelgezelschap. Halina Kwiatkowska-Krolikiewicz, de Poolse actrice met wie hij samenwerkte in het universiteitstheater en daarna ook nog, vertelde: 'Hij analyseerde alles, dacht overal goed over na. Maar zijn ogen fonkelden, fonkelden ironisch.'

Het onheil, dat leidde tot een wereldramp, sloeg toe toen Karol Wojtyła aan zijn tweede universitaire jaar begon. Op 1 september 1939 viel Hitler Polen binnen met een overweldigende legersuperioriteit, en testte hij de nieuwe militaire strategie van de Wehrmacht, de *Blitzkrieg*. Op 17 september zwermde het Rode Leger, daartoe verplicht door de tiranniek tot stand gekomen bittere overeenkomst met Hitler, het oosten van Polen binnen en versnelde zo de bloedige nederlaag van het land. Dat was nog maar het begin van alle ellende in Polen, met name voor de Poolse joden, van wie er miljoenen naar de concentratiekampen in Polen zouden worden afgevoerd. Aan het einde van de oorlog zouden er als gevolg van uitroeiing van bevolkingsgroepen, honger en onderdrukking ongeveer zes miljoen Polen zijn omgekomen of lichamelijk letsel hebben opgelopen. De nazi Hans Frank, de gouverneur-generaal van Polen, wilde van dat land een slavenstaat maken, de Poolse cultuur vernietigen, de hele intellectuele en academische klasse liquideren, benevens de priesters. Denkend aan Karol Wojtyła's diepe afkeer van anticonceptie en abortus, is het belangrijk eraan te herinneren dat hij als jongeman, na het verlies van zijn moeder, zijn zusje en zijn broer, getuige was geweest van een haatgolf die een heel volk wilde uitroeien. Geen wonder dat hij in iedere vorm van verijdeld leven een voorbeeld zag van de vernietigingsdrift die hij later de 'cultuur des doods' zou noemen.

Wojtyła's universitaire docenten werden net als de meeste studenten opgepakt en naar werkkampen gestuurd. De wreedheid van de bezetting gaf Wojtyła's passie voor het theater een extra impuls. Omdat hij overdag werkte in een mineralengroeve voor de chemische fabriek Solvay, die explosieven produceerde voor de nazi's, kreeg hij een vergunning om in Kraków te blijven wonen. In de avonduren hielp hij mee aan de oprichting van een illegaal toneelgezelschap, dat voorleesavonden hield van patriottische poëzie en moderne literatuur. Het gezelschap beschouwde deze voordrachten en clandestiene improvisaties als een effectievere vorm van verzet dan de gewelddadige tactieken van de partizanen, die zich schuilhielden in de bossen en 's nachts Duitsers en collaborateurs om het leven brachten. Op het theaterrepertoire prijkte onder andere een genre dat bekendstond als het 'Pools messianisme', werken van traditionele, 'profetische' dichters die het lijden en de wederopstanding van Polen vergeleken met het offer van Christus aan de mensheid. Polen was als Christus gegeseld en genageld aan het kruis.

Te midden van doodslag, wreedheid, armoede en onderdrukking en terwijl later achter het prikkeldraad van Auschwitz, zo'n 45 kilometer van Kraków, het bewijs van genocide uit de schoorsteenpijpen kringelde, nam het geheim theater van Wojtyła de proporties aan van een andere wereld, een andere realiteit. En hun dromen bleven niet beperkt tot Polen. De Poolse messianisten droomden van een Slavische paus die ooit het pausschap zou hervormen en die het katholicisme naar het oosten van de wereldbol zou verspreiden. De jonge Wojtyła moet de regels van de patriottische toneelschrijver Juliusz Słowacki (1809–1849) goed hebben gekend:

Ondanks gewapende strijd luidt God
Een immense klok,
Voor een Slavische paus.
Hij opende de troon...
Ziet, daar komt de Slavische paus,
Een broeder van het volk.

In 1940, het tweede oorlogsjaar, beleefde het geestelijk leven van Karol een opbloei en raakte het onlosmakelijk verbonden met zijn liefde voor het theater. Hij ging geloven dat in het contrast tussen wat iemand is en wat iemand wil zijn, het spannende drama van de mensheid school. Bovendien ging hij geloven dat onze persoonlijke religieuze drama's deel uitmaken van het ultieme drama dat vanuit de eeuwigheid geschreven en geregisseerd wordt door God, die op het centrale podium van de kosmos troont.

Het was alsof de vlammen van twee kaarsen in elkaar opgingen, elkaar voedden en steeds feller gingen branden. Als vrome jongeman met een serieus karakter, in diepe rouw en onderdrukt door de nazi's, voelde hij zich onweerstaanbaar aangetrokken tot een diepe, alomvattende religieuze wijding. Terwijl hij overdag stenen sjouwde in de mijngroeve (wat zal hij daarbij vaak gedacht hebben aan de pelgrimstocht op Goede Vrijdag in Kalwaria, waar jonge mannen stenen sjouwend achter een Christusfiguur de kruisweg aflegden) en 's avonds in het illegaal theater werkte, vond hij geestelijke steun door te bidden in de parochie van de heilige Stanisław Kostka in Kraków. De nazi's hadden priesters gearresteerd, gemarteld en vermoord; terwijl het aantal geestelijken afnam, werden leken aangemoedigd om in te treden. Een van die nieuwe pastorale medewerkers was de vrome vrijgezel Jan Tyranowski, veertig jaar oud toen Wojtyła hem in het tweede oorlogsjaar ontmoette.

Op sommigen maakte Tyranowski een geestelijk labiele indruk. Als autodidact drukte hij zich met zijn hoge piepstem wat pompeus uit. Een opvallende noot bij zijn vrijgezellendom vermeldt dat hij in zijn jeugd de avances van verschillende vrouwen had afgewezen. Af en toe werd er gezinspeeld op openlijke homoseksualiteit. Op een foto van hem uit de tijd dat hij Wojtyła leerde kennen, draagt hij een wit nachthemd en zit hij kaarsrecht onder de gesteven katoenen lakens op bed als de verrezen Christus met opengesperde ogen in de camera te kijken. Wojtyła beschouwde hem als een van die 'onbekende heiligen die verborgen tussen de anderen schitteren als een licht aan de onderkant van het leven, op een diepte waar doorgaans de nacht regeert', waarmee hij blijk gaf van een hang naar spiritueel *chiaroscuro.*

Tyranowski, die als kleermaker werkte met zijn vader en broer, leefde tussen stapels boeken en drie naaimachines. Nadat hij de gelofte van het celibaat had afgelegd, probeerde hij vastberaden de status van heilige te bereiken. Hij had het werk verslonden van de priester Adolphe Alfred Tanquerey, auteur van het geduchte *Précies de théologie ascétique et mystigue*, dat veel gelezen werd op seminaries overal ter wereld. Maar zijn doorslaggevende mentor in mystieke sferen was de heilige Johannes van het Kruis, de zeventiende-eeuwse karmelieter dichtermysticus. Het werk van Tanquerey, dat prozaïsch en systematisch was, was aan het eind van de negentiende eeuw geschreven tijdens de scholastieke opleving onder Leo XIII – die gekenmerkt werd door abstract denken, logica, vraagstellingen en tegenwerpingen, zorgvuldig opgebouwde thesen. Tanquerey hield niet van visioenen, stemmen, levitaties en troostrijke gedachten in gebed, of wees die op zijn minst streng naar hun plaats. Zijn aanbevelingen voor geestelijke groei hadden veel weg van de gedisciplineerde oefeningen van een atletische training. Johannes van het Kruis daarentegen beklemtoonde het lijden op het pad naar de mystieke eenwording, en uitte zich in de poëtische beeldspraak van romantiek en seksuele passie, van verloving en het huwelijk – de evocatieve beelden van onbeantwoorde minnaars die vol liefdesverdriet door de nacht dwalen: het gekwelde geestelijke melodrama van de schaduwzijde van de ziel.

Vaak wordt in vrome levensbeschrijvingen van Karol Wojtyła gezegd dat hij een mysticus was en dat hij zich door Jan Tyranowski heeft laten inspireren. Geestelijke leiders in de eerste helft van de twintigste eeuw waren zich bewust van de wolligheid die doorging voor mystiek, het gevaar van narcisme en het opgaan in zichzelf bij het najagen van een staat die wel 'gebed van contemplatie' of 'gebed van godservaring' wordt genoemd. Wie wordt er ter contemplatie geroepen? Kan het door eigen inspanningen worden bereikt? Of is het een gave van de Heilige Geest? Is men zich bewust van deze gave? In de kern van deze vragen lag een merkwaardige paradox waarover veel gedebatteerd werd in mystieke kringen: men mag zich alleen maar als ontvanger van goddelijk ingegoten kennis beschouwen indien men zich absoluut niet bewust is van die gave. Een goed voorteken, hoewel zeker geen garantie, was een voortdurende hang naar mystieke eenwording met God ondanks de afwezigheid van 'lichtjes', ofwel revelaties, tijdens het gebed.

Wojtyła begon het werk van Johannes van het Kruis te lezen onder de ernstige begeleiding van Tyranowski en volgde een cursus Spaans om de dichter-mysticus in zijn oorspronkelijke taal te kunnen lezen. Werd Wojtyła door Tyranowski gelokt naar de bedwelmende hoogten der mystieke wolligheid? Tyranowski moet hoe dan ook een betrouwbare gids zijn geweest in deze hachelijke regionen van de geest. Wojtyła zou onder zijn invloed hebben geleerd dat het hoogtepunt van contemplatie de ontmoeting is van twee vrijheden, van een dubbele persoonlijke wil: de wil van het individu en de wil van de persoon Jezus Christus.

Maar er zat nog een ander belangrijk aspect aan. Toen Wojtyła in Kraków aankwam, wilde hij, in een poging onafhankelijk en volwassen te worden, zijn verering aan de Maagd Maria wat terugschroeven en zich uitsluitend richten op de persoon van Jezus. Dat was totdat Tyranowski hem een exemplaar gaf van het werk van de heilige Louis-Marie Grignion de Montfort, de zeventiende-eeuwse Franse zwerver-missionaris, oprichter van de orde der montfortanen (*Societas Mariae Montfortana*) en schrijver van *Traité de la vraie dévotion à la Ste. Vierge* en *Le secret de Marie.* Montfort had een enthousiasme voor Mariadevotie ontwikkeld die velen extravagant vonden, en verwoordde zijn gebeden tot Maria in een barokke stijl die erop gericht was gelijkgestemde aanbidders aan te trekken (en tegelijk de grote groep minder gelijkgestemde geesten af te schrikken). Aan Montfort zou Wojtyła later zijn pauselijke motto ontlenen, 'Totus tuus', 'Geheel de uwe', waarmee bedoeld wordt de volledige overgave, niet aan het volk van God, maar aan de Maagd, om aldus háár overgave aan haar kinderen te overtreffen. Want het is Maria, altijd Maria, zo zou Wojtyła ondanks zijn korte aarzeling, of misschien wel juist daardoor leren, die ons de weg wijst naar de Heer. Zoals het in het gebed van Montfort wordt verwoord:

> Mijn Machtige Koningin, U bent door Uw genade geheel de mijne, en ik geheel de Uwe. Neem alles van mij weg wat God kan ontrieven en cultiveer in mij alles wat Hem behaagt.

Nu viel Tyranowski's invloed toevallig samen met een intensief beoefende Mariadevotie in de parochie. Hij had Wojtyła opgenomen in een gebedsgroepje dat de Levende Rozenkrans werd genoemd. Bij de bijeenkomsten in de kerk of in de huiselijke beslotenheid bij een van de groepsleden waren vijftien mensen aanwezig, overeenkomend met de vijftien meditaties van de rozenkrans, waarbij het weesgegroet in totaal honderdvijftig keer wordt herhaald, geteld op de kralen van de rozenkrans. Door een 'levende' rozenkrans op te zetten had de Stanisław-Kostkaparochie een bijzondere vorm gevonden van spirituele en sociale solidariteit in die moeilijke en gevaarlijke tijden.

De invloed van Tyranowski zou tijdens de oorlogsjaren toenemen. Vooral na februari 1941, toen Karol Wojtyła senior op 62-jarige leeftijd zonder dat iemand erbij was stierf aan een hartaanval in de souterrainwoning. Hij werd gevonden door Wojtyła en een vriend toen die op een avond thuiskwamen met eten en medicijnen. Wojtyła huilde verschrikkelijk, vond het vreselijk dat hij er niet bij was geweest toen zijn vader overleed. Hij bracht de nacht al biddend door naast het dode lichaam van zijn vader. Meer dan vijftig jaar later zou hij opmerken: 'Ik had me nog nooit zo alleen gevoeld...' Jaren later zou hij prijsgeven dat al zijn herinneringen aan zijn jeugd en adolescentiejaren verbonden waren met zijn vader. 'De zware tegenslagen die hij te verwerken kreeg, openden immense diepten in hem; zijn verdriet vond in het gebed een uitlaatklep. Het enkele feit dat ik hem op zijn knieën zag, was van beslissende invloed op mijn eerste jaren.'

Radeloos van verdriet en helemaal alleen op de wereld liep Wojtyła na gedane arbeid in de groeve elke dag de enkele kilometers lange weg naar de militaire begraafplaats van Kraków om in de modder bij het graf van zijn vader neer te knielen, te huilen en te bidden. Mieczysław Maliński, Wojtyła's jaargenoot in die tijd, die later priester zou worden, zei jaren later dat hij vreesde dat Wojtyła krankzinnig zou worden. Maliński bevestigde dat Jan Tyranowski hem steunde. En het was onder de hoede van de 'mystieke' kleermaker dat Wojtyła's priesterroeping sterker werd en tot wasdom kwam. Toen hij als jonge bisschop twintig jaar later in Kraków seminaristen toesprak, zei hij over Tyranowski: 'Ik weet niet of ik aan hem mijn roeping heb te danken, maar wel dat die in zijn sfeer is ontstaan, een mysterieuze sfeer van het bovennatuurlijke.'

Karol Wojtyła was aanvankelijk geneigd zich helemaal te geven aan en zich te storten op een roeping als karmeliet, een spiritualiteit die bekendstaat om haar contrasten: meditatief gebed op de bergtop, afgewisseld door evangelisatie op het marktplein. Karol Wojtyła aarzelde en besloot toen tot het seculiere ofwel diocese priesterschap: pastores die midden in de wereld staan, maar niet ván de wereld zijn. Misschien, dacht hij, was het hoogste ideaal om tegelijk op de berg en het marktplein te wonen. Was dat niet dé manier om Christus na te volgen?

In 1942 had hij zich ingeschreven aan een clandestien seminarie dat was gevestigd in het paleis van kardinaal Adam Sapieha te Kraków. Hij bleef werken in de Solvay-fabriek, maar vanaf nu had hij altijd een inleiding tot de thomistische metafysica bij zich. Zijn studiegenoot Maliński herinnert zich hoe Wojtyła in zijn blauwe overal en op blote voeten in zijn klompen zich het hoofd brak over abstracte verhandelingen. 'Het valt niet mee,' zei hij vaak. 'Ik zit naast de stoomketel en probeer het allemaal te begrijpen – ik heb het gevoel dat het heel belangrijk voor me zou moeten zijn.' Er zijn verhalen volgens welke Wojtyła soms van frustratie zat te huilen terwijl hij filosofische teksten bestudeerde te midden van chemische gassen, mijnexplosies en kletterende machines. En ongetwijfeld besefte hij hoe gevaarlijk het was om clandestien een priesteropleiding te volgen. Sapieha had connecties met het Poolse verzet, dat instructies kreeg van de Poolse regering in ballingschap in Londen. De nazi's zouden aan het einde van de oorlog 2500 Poolse priesters en vijf bisschoppen ombrengen. Sapieha geloofde dat de beste vergelding niet in het gewapend verzet lag, maar in de opleiding tot priesters die de Poolse Kerk uit de as van de oorlog zouden doen herrijzen. Zijn leven lang zou Wojtyła vinden dat het katholieke priesterschap moed, discipline en totale zelfopoffering vereiste. Als paus toonde hij geen medeleven met priesters die de gelofte van het celibaat hadden geschonden om te kunnen trouwen.

Karol kwam fysiek ongedeerd uit de oorlog, al was een verkeersongeluk hem bijna fataal geworden: hij werd aangereden door een vrachtwagen en men liet hem bijna dood op straat liggen. Een vrouwelijke kennis in een passerende tram sprong de weg op en zorgde ervoor dat hij in een voorbijkomend legervoertuig naar het ziekenhuis werd gebracht. In het ziekenhuisbed was hij ervan overtuigd dat zijn roeping tot het priesterschap bovennatuurlijk werd bevestigd door zijn overleving. En hoeveel bovennatuurlijke bevestiging had hij nog nodig van de bijzondere voorzienigheid in het licht van al die tijdgenoten, vrienden, kennissen en docenten die waren omgekomen?

Tot op de dag van vandaag is niet precies duidelijk wat Karol Wojtyła deed en naliet om joodse slachtoffers tijdens de oorlog te helpen. Eén ding weten we zeker. Edith Tzirer, een vrouw die op het moment van schrijven nog steeds in leven is, heeft verklaard dat ze haar leven aan hem heeft te danken. Als tiener had ze in het werkkamp Sakrzysko-Kammiena gezeten. Toen ze aan het eind van de oorlog vrijkwam, kon ze van uitputting niet meer lopen. Karol Wojtyła gaf haar brood en thee en droeg haar drie kilometer lang op zijn rug naar een spoorwegstation. Op 23 maart 2000 in Jeruzalem brak ze in tranen uit toen ze hem bedankte bij het holocaust-herdenkingscentrum Yad Vashem.

Op 1 november 1946, op Allerheiligen, werd Karol Wojtyła op 26-jarige leeftijd tot priester gewijd: een plechtigheid die niet zonder treurnis was, aangezien zijn vader er op deze grote dag uit zijn leven niet bij kon zijn en ook de ernstig zieke Jan Tyranowski verstek liet gaan. Hij droeg zijn eerste drie missen op in een zwarte kazuifel, het gewaad dat gedragen wordt tijdens de dodenmis, in de Sint-Leonardkapel in de crypte van de Wawelkathedraal. Dat was op Allerzielen, de enige dag in het jaar waarop het dankzij een oude vrijstelling mogelijk was drie keer de mis op te dragen. Ter gelegenheid van zijn gouden priesterjubileum dacht hij in een uitgebreide meditatie op die eerste missen terug aan de tomben in die crypte: 'Al die mensen zijn "grote geesten" die het land door de geschiedenis heen hebben geloodst. In hun rangen zijn niet alleen koningen en consorten te vinden, of bisschoppen en kardinalen, maar ook dichters, de grote meesters van de taal, die uiterst belangrijk zijn geweest voor mijn vorming tot christen en patriot.' Hij droeg zijn eerste missen op aan zijn gestorven familieleden: zijn moeder, vader en zijn broer, maar terwijl de wijdingsoliën op zijn handen nog niet droog waren, was hij zich al bewust van zijn relatie met het grootse en het goede uit de geschiedenis, cultuur en het openbare leven van zijn land.

3
De Eeuwige Stad

Twee weken nadat hij tot priester was gewijd, reisde de jonge geestelijke Wojtyła per trein door Europa, via Parijs naar Rome. Op foto's vangen we een glimp op van de jonge-priester-met-bril (later zou hij lenzen nemen), met zijn brede, licht voorovergebogen schouders en krachtige kaaklijn, volwassen voor zijn leeftijd.

Hij had amper achttien maanden de tijd gekregen om een doctoraat in de godgeleerdheid af te ronden, al had het Romeinse doctoraat in die tijd meer weg van een proefschrift voor een gewone doctoraalstudie. Niet elke priester kon een beurs krijgen voor een postdoctorale Romeinse opleiding, vooral niet in arme landen als Polen, waar men iedere priester kon gebruiken. Kardinaal Sapieha zag duidelijk een potentiële ecclesiastische hoogvlieger in Wojtyła en op traditionele wijze gaf hij zijn toekomstige klerikale carrière een duwtje door hem kennis te laten maken met de *Romanità* – alles wat Romeins is.

Kardinaal Sapieha had Wojtyła ingeschreven aan de dominicaner faculteit Theologische Studies die bekendstaat als het Angelicum, waar hij werd begeleid door de bekende Franse dominicaner geleerde Réginald Garrigou-Lagrange, ook wel 'de Rigide' genoemd. Garrigou-Lagrange was deskundige op het gebied van spiritualiteit, schrijver van een driedelige studie over de heilige Johannes van het Kruis en een vooraanstaand verdediger van de conservatieve interpretaties van Thomas van Aquino, wiens filosofie en theologie praktisch tot dogma waren verheven na paus Leo XIII in het laatste decennium van de negentiende eeuw. De dissidente theoloog Hans Küng heeft ooit beschreven hoe hij eens samen met slechts één andere student college liep bij 'de Rigide', waarin die de *Summa theologiae* van Aquino regel voor regel opdreunde. Küng was zich gaan ergeren aan de conservatieven van de jezuïtische Gregoriaanse Universiteit en overgestapt naar het Angelicum voor progressiever onderwijs. 'In vergelijking met het Angelicum,' merkt Küng echter op, 'leken de uitgangspunten op de Gregoriana zelfs voor ons modern.' Door Wojtyła onder het mentorschap te plaatsen van de grote Garrigou-Lagrange scheen zijn bisschop hem te willen afschermen van progressieve invloeden.

Toch bood Rome voor de jonge priester die nog nooit buiten Polen was geweest, de kans zijn horizon te verbreden. Studenten en wetenschappers uit alle hoeken van de wereld woonden op kamers in een van de meer dan honderd nationale seminaries in Rome. Wojtyła maakte wandelingen door de Eeuwige Stad, bezocht de kerken, catacomben en historische gebouwen. Hij leerde Italiaans, wat hij vloeiend zou gaan spreken, zij het met een zwaar Pools accent. Ook bracht hij zijn Latijn op een hoog niveau van bekwaamheid, wat hem in de jaren zestig goed van pas zou komen tijdens de beraadslagingen van het Tweede Vaticaans Concilie. Als paus zou hij worden onthaald als 'de man van verre'; weinigen wisten hoezeer hij thuis was in Rome, het centrum van het kerkelijk bestuur.

Ondertussen oefende Garrigou-Lagrange een grote invloed uit. 'De Rigide' was in die tijd verwikkeld in een hevig theologisch debat, dat nog jaren zou duren. In de jaren dertig van de vorige eeuw was een groep Franse theologen onder aanvoering van de jezuïet Henri de Lubac (1896–1991) uit op theologische vernieuwing. Zij wilden een einde maken aan een periode in Frankrijk waarin veel katholieke vooroordelen bestonden tegen de moderniteit en het protestantisme, en een dam opwerpen tegen het nieuwe heidendom en antisemitisme van de nazi's. Op die manier dachten zij terug te keren naar de wortels van het christelijk geloof. Lubac geloofde dat de katholieke Kerk het contact met de samenleving dreigde te verliezen, de solidariteit door middel van God die door Jezus Christus mens was geworden. In zijn vooroorlogse geschriften probeerde de Lubac de katholieken ervan te overtuigen dat het christendom een sociale religie was.

Precies in het jaar waarin Wojtyła in Rome aankwam, had Garrigou-Lagrange een opvallend ongenuanceerde aanval tegen de Lubac en consorten gelanceerd. 'Wie denken zij in de plaats te kunnen stellen van Thomas?' fulmineerde Garrigou-Lagrange in een artikel in het orgaan van het Angelicum. 'Waar leiden de nieuwe theologie en de nieuwe leraren die haar bezielen naar toe? Waar leidt het anders naar toe dan naar de wegen van scepsis, fantasie en ketterij?' Er bestond duidelijk geen zwaardere belediging dan 'nieuw', 'nieuwigheid' en 'het nieuwe'. Het wekt geen verbazing dat Garrigou-Lagrange de jonge Poolse priester, voordat die aan zijn dissertatie mocht beginnen, eerst zijn kennis van de heilige Thomas liet vergroten en uitdiepen volgens de heersende zienswijzen van het Angelicum.

Garrigou-Lagrange maakte diepe indruk op veel studenten die met hem in contact kwamen. Hij had een hoogstaande, mystieke visie op het priesterschap, dat een transcendent, onuitwisbaar merkteken aanbracht op de ziel van degene die de wijding ontving. Deze visie toont aan hoe ver hij afstond van het 'sociale christendom' van de Lubac en diens broeders. Toen Wojtyła paus werd, zou zijn visie op het priesterschap die van zijn mentor weerspiegelen: een priester bezit bovennatuurlijke gaven die hem privilegiëren en onderscheiden van de rest van de mensheid. In zijn boek *De priester in verbondenheid met Christus* betoogde Garrigou-Lagrange dat het priesterschap een roeping is van de hoogste orde op aarde, hoger dan die van de aartsengelen, en verbonden is met de Allerhoogste, met Jezus Christus zelf, wiens stedehouder de Heilige Vader was. Latere generaties progressieve priesterbegeleiders vonden dat deze zienswijze een onoverbrugbare kloof vormde tussen de clerus en het lekendom, vooral de vrouwelijke leken. Men wees de hoge priesterstatus af omdat die mannen zou privilegiëren die verknipt en onkundig konden zijn en een gevaarlijk hoge dunk van zichzelf kregen, wat hun onrijpheid maar erger maakte.

Maar er bestonden in die tijd ook andere visies op het priesterschap. Kardinaal Sapieha stond erop dat Wojtyła en zijn Poolse medestudent uit het bisdom Kraków, Stanisław Starowieyski, kennis zouden maken met de socialistische priesterbeweging in Frankrijk, waar tijdens de Tweede Wereldoorlog priesters door de nazi's gedwongen waren geweest in fabrieken en kampen te werken. Als voormalige werkstudent was Wojtyła wel in dit project geïnteresseerd. Dus reisde hij in zijn vakantie door Frankrijk en België om er priesterarbeiders te ontmoeten. De vraag bleef echter, hoe te leven in de wereld en daar tegelijk buiten te blijven staan. Karol Wojtyła, zo is bekend, vond de metro van Parijs uitstekend geschikt om spirituele meditaties uit te voeren (jaren later zouden leden van Opus Dei, een door paus Johannes Paulus gekoesterde organisatie, eraan herinneren dat hun stichter, Josemaría Escrivá de Balaguer, zijn diepste mystieke ervaring in een tram beleefde). In die jaren op de Solvay-fabriek had Karol Wojtyła de kunst leren verstaan om lichamelijk op de ene plek te zijn en geestelijk elders te vertoeven. Maar ging daar het apostolaat van de priesterarbeider over: om fysiek aanwezig te zijn maar geestelijk onthecht? De Franse priesterarbeiders waren iets te onbehouwen en grofbesnaard voor Wojtyła's hang naar mystiek in de metro. Aan het bestaan van priesterarbeiders zou inderdaad snel een einde komen omdat zij een bedreiging vormden voor de traditionele visie op het priesterschap – het in de wereld staan maar er niet toe behoren – die door Garrigou-Lagrange en paus Pius XII werden uitgedragen.

Na 1950 eiste Pius XII van de priesterarbeiders dat ze hun werkplaatsen verlieten en zich vestigden in een parochie of religieuze gemeenschap. Zij mochten hooguit in deeltijd werken en moesten hun lidmaatschap van de vakbond opzeggen. Met de geleidelijke afschaffing van het arbeiderspostulaat ging volgens de aanhangers ervan een meer sociale, menselijke Kerk verloren, die toenadering zocht tot het postchristelijke Frankrijk. De visie van een verheven, heilige, aparte priesterkaste won met de dag aan kracht. In de toekomst zou duidelijk blijken dat het zaad dat door Garrigou-Lagrange was gezaaid, en de cultuur van Pius XII in voor- en tegenspoed zouden overleven en gedijen in de ziel van Karol Wojtyła.

Het onderwerp van Wojtyła's dissertatie toen hij er eindelijk aan begon onder de nauwgezette begeleiding van zijn eminente thomistische supervisor, was 'De geloofsleer bij de heilige Johannes van het Kruis'.

Johannes van het Kruis werd in die tijd door Pius XII kritisch onderzocht om tot kerkleraar te worden verheven. Wojtyła leek in zijn dissertatie te willen aantonen dat de mystieke heilige hetzelfde dacht over de geloofsleer als de doctor angelicus, Thomas van Aquino. Garrigou-Lagrange bleek echter niet helemaal tevreden te zijn met Wojtyła's dissertatie. De kwestie tussen hen betrof een technisch aspect van het contemplatief gebed, ofwel het gebed van godservaring; ook laat Wojtyła al vroeg een diepe interesse blijken in de betekenis van de persoonlijkheid, het individu. Wojtyła volhardde dat men in het gebed van godservaring niet doelbewust tot Christus komt zoals men in het dagelijks leven een doel nastreeft (want hoe zou God louter een doel op zichzelf kunnen zijn?), maar uit vrije wil – als vrij mens die de persoon en wil ontmoet van Christus als het Al. Het persoonlijke en vrije karakter van het individueel vermogen om Christus te ontmoeten, is de kern van het menszijn, betoogde hij. Garrigou-Lagrange daarentegen bleef, in navolging van Thomas van Aquino, zoals hij zelf meende, wijzen op de objectieve aard van het menselijk begrip, zelfs wanneer men het over God had. Wojtyła groef zich in en wilde niets terugnemen of herschrijven. Hoewel de eerwaarde Wojtyła hoge cijfers kreeg, heeft hij het Romeinse doctoraat niet gekregen voor zijn dissertatie. Terug in Polen zou hij het werkstuk presenteren aan de Jagiełło-universiteit, waar hij wel promoveerde tot doctor in de godgeleerdheid.

Maar terwijl hij zijn Romeinse studie afrondde, werd de basis gevormd van zijn ideeën over het 'personalisme', waar Wojtyła de rest van zijn leven op zou bouwen: dat de mens in essentie een uniek individu is met het vermogen zich verbonden te voelen met God. Het drama van het menselijk bestaan bestaat uit de strijd in ieder mens om dat contact met Hem tot stand te brengen. God uit het systeem van de mensheid halen, zoals het sovjetregime in zijn thuisland probeerde te doen, was niet alleen een ontkenning van het geloof in God, maar ook van de essentie van het menszijn. Het werk van Johannes van het Kruis zou een diepgaande en blijvende invloed hebben op Wojtyła die verder reikte dan de groei van zijn eigen persoonlijke spiritualiteit. Maar het had nog een aspect. Wojtyła geloofde net als Johannes van het Kruis dat pijn, twijfel en gebed kunnen leiden tot een infusie van goddelijke kennis. Zoals wijlen kardinaal John Krol van Philadelphia vol bewondering voor Johannes Paulus II zou zeggen, 'studeerde hij theologie op zijn knieën'.

Over knielen gesproken, studenten van het Belgische college waar hij overnachtte, hadden gezien dat Wojtyła uren in de kapel op zijn knieën doorbracht, waarbij werd opgemerkt dat hij een typische gebedshouding had: anders dan zijn metgezellen knielde Wojtyła op de kale vloer van de kapel, hij maakte geen gebruik van de aanwezige comfortabele knielkussentjes.

In 1947, het eerste jaar dat Wojtyła in Rome woonde, verdiepte hij zich in heel andere soort mystiek, die minder intellectueel was dan de esoterische redeneringen op het Angelicum, maar waar de jonge Poolse priester niet minder ontvankelijk voor was. Met een reisbeurs van kardinaal Sapieha begon Wojtyła en zijn metgezel Stanisław een reis langs heiligdommen en heilige curiositeiten. Een belangrijke bestemming was San Giovanni Rotondo in Zuidwest-Italië, een blijk van zijn vroege interesse in de tastbare fenomenen van de volksmystiek.

Kort na de Tweede Wereldoorlog had zich de cultus verspreid van de franciscaner monnik padre Pio, die bovennatuurlijke gaven zou bezitten: hij kon genezen, voorspellen, op twee plaatsen tegelijk zijn (bilocatie), hij had een ongewoon onderscheidingsvermogen, de stigmata openbaarden zich in hem en hij kreeg paranormale duivelse aanvallen, die hij dapper afsloeg. Padre Pio werd in 1877 bij Napels geboren als Francesco Porgione. Op vijftienjarige leeftijd ging hij naar een franciscaner seminarie en op zijn drieëntwintigste werd hij gewijd. Vrij kort na zijn wijding begon hij de wonden van Christus te voelen in zijn handen, voeten en zij. Zijn status en reputatie waren echter controversieel. Ecclesiastische lasteraars beschuldigden hem ervan dat hij de stigmata zelf zou hebben aangebracht met carbolzuur, dat ze volgens hen gevonden hadden onder zijn bed, naast een fles eau de cologne.

Aangezien padre Pio zijn kloostergemeenschap in San Giovanni Rotondo op het schiereiland Cargano nooit had verlaten, leek hij meer dan alle andere katholieke heiligen in de twintigste eeuw het tastbare en overvloedige bewijs dat God soms op een directe en zichtbare manier ingrijpt in het aards gewoel. Er werd beweerd dat hij vanaf grote afstanden over de hele wereld wonderen kon verrichten, waarbij hij een opvallend aroma naliet. Hij zou zelfs tijdens luchtslagen zijn verschenen aan geallieerde piloten en gevechtsvliegtuigen van de Luftwaffe hebben afgeweerd.

Het hoogtepunt van de dag was de viering van zijn mis. Er deden verhalen de ronde van pelgrims die werden gebeten, op de grond geslagen en vertrapt in hun haast zo dicht mogelijk bij het altaar te komen. Als hij niet tegen demonen vocht of in extase bad, kon padre Pio wel twaalf uur lang de biecht afnemen. Hij kon biechtelingen over hun zonden vertellen die zij zelf waren vergeten of voor hem verzwegen.

In de paasvakantie van het Angelicum in 1947 vertrokken Wojtyła en Starowieyski naar het klooster van padre Pio. Misschien moest hij tijdens deze tocht naar het zuiden wel aan die andere mysticus hebben gedacht, zijn vriend Jan Tyranowski, die de maand daarvoor in een ziekenhuis in Kraków een pijnlijke dood was gestorven. Tyranowski leed aan een systemische infectie, mogelijk als gevolg van kanker, en had een arm moeten laten amputeren om uitzaaiingen tegen te gaan.

In San Giovanni ging Wojtyła bij padre Pio te biecht. De eerwaarde Andrzej Bardecki, hoofdredacteur van de *Tygodnik Powszechny*, een semionafhankelijk katholiek tijdschrift in het naoorlogse Polen, heeft gezegd dat Wojtyła 'met de hoogste achting over hem sprak – hij geloofde dat padre Pio [ooit] heilig zou [worden verklaard]'. Kardinaal-aartsbisschop Alfons Stickler, de Oostenrijkse prins der Kerk, heeft echter beweerd dat 'padre Pio [Wojtyła] had verteld dat hij het hoogste ambt binnen de Kerk zou krijgen'. Stickler voegde daaraan toe: 'Toen Wojtyła kardinaal werd, dacht hij dat deze voorspelling was uitgekomen.' Maar padre Pio, zo zou Wojtyła later ontdekken, hield niet van half werk. Wojtyła zou op zijn beurt de andere helft van de voorspelling in vervulling laten gaan toen hij in mei 1999 de franciscaner monnik zalig verklaarde, aan de vooravond van de millenniumwende.

4
Professor en pastor

Na zijn studie in Rome keerde de eerwaarde Wojtyła terug naar een verarmd en onderworpen Polen, waar de Communistische Partij de eigen, eeuwenoude nationale culturele identiteit probeerde te vervangen door een totalitaire staat gebaseerd op angst en een steriele ideologie. Polen was een hels achterland geworden waar het verraad welig tierde, het enige theater het showproces was en honderdduizenden burgers in werkkampen verkommerden. Polen was een bureaucratisch satellietland geworden van de Sovjet-Unie, waarvan de grauwe, ontmenselijkte naoorlogse architectuur de culturele en esthetische leegte verbeeldde waarin het land zich toentertijd bevond.

Voor de jonge geestelijke Wojtyła doemde de vijand dreigend en reusachtig op, de macht van het kwaad in al zijn manifeste leugens en onwil. De koers van de priester was eenvoudig. Aanpassing aan het communisme was uitgesloten: dat zou voor menigeen een bikkelharde strijd opleveren in elke denkbare context en bij elke gelegenheid: niet alleen in de kerk, maar ook op scholen, in fabrieken en zelfs bij sportevenementen en vrijetijdsbezigheden.

Adam Sapieha was toen nog de bisschop van Kraków, maar er was een nieuwe primaat benoemd voor heel Polen – Stefan Wyszyński, een in 1946 gewijde voormalige seminariedocent die inmiddels was bevorderd tot aartsbisschop van Warschau. Aartsbisschop Wyszyński, patriot, voormalig verzetsleider en Mariavereerder, zou de basis leggen voor een energieke, nationale pastorale missie. Hij zou een krachtig alternatief vormen voor het sovjetatheïsme, een alternatief voor de gewone man en geïnspireerd op toegankelijke Mariaverering.

Wojtyła werd eerst aangesteld als kapelaan in een rustiek gehucht zo'n twintig kilometer ten oosten van Kraków. Hij legde de afstand te voet af. Toen hij zijn nieuwe parochie betrad, knielde hij neer en kuste de bodem. Dit door parochianen waargenomen gebaar zou later het handelsmerk worden van zijn reizen als paus. Hij deed dit in navolging van de pastoor van Ars – de heilige Jean-Baptiste Marie Vianney, de Franse patroonheilige van de parochiepriesters, die telkens als hij weer terugkwam in zijn parochie, de grond kuste. Op zijn reizen door Frankrijk had Wojtyła het dorpje Ars bezocht, waar hij had gehoord dat Jean Vianney zich erop beriep dat hij de 'gevangene van zijn biechtstoel' was en wel achttien uur per dag naar de bekentenissen van zijn kudde luisterde. De vrome *curé* was een toonbeeld van zelfopoffering.

De jonge kapelaan Wojtyła imiteerde de sobere levenswijze van de Franse pastoor. Onder alle weersomstandigheden liep hij op versleten schoenen en in een rafelige soutane door zijn parochie, bracht hij uren door in de biechtstoel, knielde hij 's avonds neer op de kerkvloer en sliep hij op de kale planken van zijn slaapkamer. Zijn enige hoofdkussen gaf hij weg aan een vrouw die van het hare was beroofd. Zijn vriend en collega-kapelaan Maliński vertelde dat hij er als een armoedzaaier uitzag. Omdat hij altijd druk in de weer was met zijn herderstaken had hij de neiging te laat op afspraken te verschijnen.

Al na bijna acht maanden haalde Sapieha hem terug naar Kraków om hem te laten werken in een drukke stadsparochie, waar een van zijn pastorale verplichtingen de zorg behelsde aan studenten van de Jagiełło-universiteit en de technische hogeschool. Men zag de voorovergebogen, uitgemergelde en bebrilde gestalte van de jonge pastoor met de pas erin van heiligdom naar biechtstoel gaan, en dan van de pensions en zolderkamertjes van zijn studerende kudde weer terug naar zijn biechtstoel. Soms hield hij een biechteling wel langer dan een uur vast. Men zei dat hij een 'veeleisende' biechtvader was. De biechtstoel was een omgeving waarin het drama van het zielenleven – wie ben ik, en hoe zou ik moeten zijn? – ten volle kon worden opgevoerd, met pastoor Wojtyła in de duisternis van de biechtstoel als regisseur van dit één-op-één theater van de ziel.

Kapelaan Wojtyła was een onvermoeibaar adviseur van tieners als het ging om verliefdheden en liefdesrelaties. Hij pleitte voor zelfbeheersing en oefening in zelfopoffering met een intensiteit die sommigen onder zijn gehoor hun leven lang zou bijblijven. Hij deinsde er niet voor terug zich direct te bemoeien met de levens van zijn jonge parochianen. Volgens een van zijn biechtelingen, Marie Tornowska, stimuleerde pastoor Wojtyła haar om een bepaalde jongeman te versieren. Toen zij aarzelde en de goede herder vertelde dat de jongeman niet in haar geïnteresseerd was, vond hij dat zij de knul moest léren om haar partner te zijn. Gelukkig zag zij het komische ervan in.

In de weekends ontpopte hij zich als theaterimpresario en vernieuwde hij zijn contacten met het Rapsodisch Theater, waarvoor hij middeleeuwse mysteriespelen produceerde. En dan waren er nog de repetities van het koor dat hij begeleidde om de gregoriaanse engelenmis te zingen. Bovendien waren er avonden waarop hij, ondanks een zware, achttienurige pastorale werkdag, met zijn speciale filosofiegroepje bijeenkwam om net als zijn voormalige mentor Garrigou-Lagrange de *Summa theologiae* van Thomas van Aquino regel voor regel door te ploegen.

Hij wekte van alle kanten bewondering, al viel ook op dat hij op de preekstoel wel eens warrig kon zijn. Er gaan geruchten dat hij deze kritiek nederig aanhoorde en zijn uiterste best deed om wat toegankelijker te worden. Eén hebbelijkheid behield hij in zijn pastorale werk. Hij kwam 'altijd' te laat. Een van zijn parochianen merkte op dat hij sociaal onhandig was. Maar zijn aantrekkingskracht was zo groot dat een heel netwerk van jonge mensen om hem heen ontstond, dat gretig luisterde naar ideeën die een alternatief boden voor de eenvormige totalitaire staatsbescherming.

Zoals zo veel priesters in de naoorlogse periode begeleidde hij groepen jonge mensen op zomerkampen. In de heuvels, bossen of aan meren – waar ze wandelden, kanoden of skieden – begon hij de dag met een mis in de buitenlucht of een schuur. 's Avonds bij het kampvuur begon hij serieuze gesprekken. Minstens één lid van zijn jongerengroep merkte op dat hij goed kon luisteren; en toch bleef hij altijd bevoogdend. 'Nooit begon hij in onze groep een intellectuele discussie in kritische zin,' herinnerde zich iemand uit zijn jongerengroep, Karol Tarnowski.

Hij ontmoedigde een al te vertrouwelijke omgang, maar werd nooit moe vragen te stellen over de romantische verhoudingen van zijn jonge vrienden: hoe ze zich voelden, wat ze deden, wat hen zo in die ander aantrok, hoe ver ze gingen. Vreemd genoeg kreeg niemand de indruk dat hij een voyeur was.

Ook vermaakte hij de jongeren die hij onder zijn hoede had met voordrachten van lange gedichten en literair proza en met patriottische liederen die hij met zijn welluidende stem ten gehore bracht. Een wat rijper publiek had hem misschien een tikje saai gevonden. Vaak citeerde hij enkele regels die hij uit een enorm literair repertoire vanbuiten had geleerd en vroeg dan: 'Van wie is dat?'

Ondanks het niet-aflatende parochiewerk en zijn herderlijke verplichtingen koesterde Wojtyła academische en literaire ambities. Toen hij terug uit Rome kwam, wandelde hij eens binnen bij de redactie van *Tygodnik Powszechny* en leverde een artikel in over de Franse priesterarbeiders. Vanaf toen werd het blad, dat een luis in de communistische pels was en soms ook in die van de kerkelijke hiërarchie, een belangrijk podium voor zijn essays en gedichten. Aartsbisschop Eugeniusz Baziak, zijn nieuwe bisschop na de dood van Sapieha, gaf pastoor Wojtyła studieverlof voor een tweede promotieonderzoek, waarmee hij zich zou kwalificeren voor een universitair docentschap in de filosofie.

Hij verliet zijn parochie en ging wonen op een zolderkamertje in de oude stad met slechts een paar kleren, zijn boeken en zijn ski's. Het was moeilijk voor een bisschop om het zonder de volledige inzet te stellen van zo'n getalenteerde en energieke pastoor; maar de Kerk in Polen had intellectuele pastoors nodig om de degens te kruisen met partij-ideologen die katholieke gemeenschappen en universiteiten infiltreerden. De Communistische Partij probeerde zelfs bekendheid te geven aan priesters en bisschoppen die achter de ideologie van het regime stonden. Mannen als Wojtyła konden dienen als een krachtig tegengif.

Wojtyła's nieuwe onderzoeksonderwerp ging over ethiek. Hij zocht een basis voor zijn filosofische meditaties over het geweten en de wil: het mysterie van de mens. Zijn gids bij deze poging, om niet te zeggen zijn goeroe, was de Duitse filosoof Max Scheler, die in 1928 was gestorven. In al die jaren dat Wojtyła filosofie studeerde en doceerde, had hij het werk van Scheler bij de hand.

Scheler behoorde tot de filosofische school van de fenomenologie. Fenomenologen probeerden de aard te bestuderen van kennis, de geest, de wil, het bewustzijn en het individu door middel van aandachtige bestudering van de individuele subjectieve ervaring, en niet langs scholastieke lijnen, die strikt logisch, lineair en abstract waren, en uiterst objectief. Scheler, zoon van een protestantse vader en een joodse moeder, bekeerde zich als tienerjongen tot het katholicisme, maar zijn persoonlijke leven verliep chaotisch en hij was een rokkenjager. Nadat hij van zijn eerste vrouw was gescheiden en opnieuw ging trouwen, verliet hij de Kerk. Wojtyła, streng in de leer, zal Schelers levenswijze hebben afgekeurd; toch voelde hij zich aangetrokken tot de bijzonder subjectieve denktrant van de filosoof, die de neiging had om een bepaald onderwerp heen te cirkelen en het vanuit verschillende standpunten te bekijken.

Wojtyła worstelde met Schelers teksten, worstelde met zijn eigen filosofische bedenkingen en worstelde met zijn geweten – want was niet Thomas van Aquino, de 'engelachtige leraar', per decreet van paus Leo XIII de eerste, definitieve en magistrale gids van het katholieke denken? Hij weifelde en stelde zich tot taak de inzichten van Thomas van Aquino te combineren met die van Scheler. De orde van de zeer logische, aloude grondslagen van Thomas van Aquino zou de kronkelige, niet zo gedisciplineerde gedachten van Scheler vast en zeker goeddoen.

Het conflict tussen twee zeer verschillende filosofische krachtenvelden leidde tot een stroom van tegenstellingen die levenslang door het denken van Wojtyła zou blijven lopen. Stilistisch gezien leverde de combinatie Scheler-Aquino een ternauwernood bereikt compromis op tussen enerzijds fenomenologisch wijken en meanderen en anderzijds scholastiek marcheren. Wojtyła's volgelingen zouden door de jaren heen beweren dat hij de onbuigzaamheid en gestrengheid van de scholastiek had versoepeld en verlevendigd. Maar anderen vonden dat het slechtste uit twee werelden bij elkaar was gekomen. Zoals een jezuïtische geleerde, de eerwaarde John Conley, met een venijnige felheid opmerkte over de filosofische geschriften van Johannes Paulus: 'Vaak heb ik het gevoel alsof ik dwalend door fenomenologische mist tegen scholastiek staal aanloop.'

Ook zijn gedichten, die hij onder pseudoniem vanaf de jaren vijftig begon te publiceren, hebben te lijden onder warrigheid en de tartende syntactische vernieuwingen die toentertijd in de mode waren onder modernisten en de experimentalisten. De neiging om zijn bedoeling te verduisteren, werd misschien veroorzaakt door de noodzaak zijn materialistische tegenstanders op het verkeerde been te zetten; maar toch, de literaire criticus die een aantal van Wojtyła's probeersels hooguit geaffecteerd vindt, zij vergeven.

Zijn toneelstukken zijn transparanter, al ontbreekt het aan interactie tussen de personages uit het traditionele drama. Zijn bekendste stuk, *De juwelierswinkel* uit de jaren vijftig, bestaat uit monologen die worden uitgesproken in de aanwezigheid van versteende, apathische medespelers, met een enkel terzijde van een koor naast het podium of soms van een naamloze buitenstaander. De personages spreken onophoudelijk tegen zichzelf. Ze komen elkaar tegen voor de etalage van een juwelierszaak waarin trouwringen liggen, om platitudes te debiteren over hun hoop en angst voor toekomstige en voorbije huwelijken. Het is een knullig stuk zonder dramatische spanning of ontknoping. Als het niet door een paus was geschreven, zou het zonder meer in vergetelheid zijn geraakt.

Er huist een autodidact in Wojtyła die niet kritisch reflecteert op het eigen denken, een autodidact die zijn tijd in Rome had overleefd. Daar werd hij weliswaar door niemand minder dan Reginald 'de Rigide' onderwezen, maar hij had er geen onderwijs in seminariestijl genoten, in een groep van gelijken. Wojtyła heeft in zijn studentenleven geen aaneensluitende periode gekend waarin hij kon leren van werkelijke, dagelijkse uitdagingen. Zijn seminarietijd kende onderbrekingen en vond plaats onder nooddruftige omstandigheden. Hij werkte alleen en wierp zich al vanaf het begin op als een volleerde goeroe. Hij had de neiging met jongeren om te gaan die tegen hem opzagen. Maar ook onder gelijken zou hij naar verluidt aandachtig, wijs en vriendelijk luisteren om daarna zijn eigen conclusies te trekken zonder in te gaan op wat er was gezegd. Bekend is dat hij een conceptversie van zijn boek over de seksuele moraal, *Liefde en verantwoordelijkheid*, mee de bergen in had genomen en had voorgelegd aan geneeskunde- en filosofiestudenten, die per hoofdstuk op het materiaal reageerden. Er bestaat echter geen bewijs dat hij op basis van hun opmerkingen ook maar een zin heeft veranderd.

Wel is bekend dat hij zijn denkbeelden over seksuologie deelde met op zijn minst nog iemand in die tijd – doctor Wanda Półtawska , een opmerkelijke psychiater die tijdens de Tweede Wereldoorlog slachtoffer was geweest van medische experimenten in het concentratiekamp Ravensbrück. Toen zij in 1956 Wojtyła behandelde voor een griep, ontdekte ze dat zij beiden stellige tegenstanders waren van seks buiten het huwelijk en anticonceptie. Półtawska meende dat anticonceptie neurosen veroorzaakte en was bezig met empirisch onderzoek om haar stelling te bewijzen. Ook geloofde ze dat er een rechtstreeks verband bestaat tussen anticonceptie en abortus, in de zin dat de anticonceptieve mentaliteit tot abortus leidt wanneer de anticonceptie is mislukt. Ze vonden beiden dat kuisheid werd verkregen door ascese, zelfdiscipline en oefeningen in zelfverloochening.

Hun vriendschap zou bezegeld worden door een staaltje religieuze paranormaliteit. Een paar jaar na hun eerste ontmoeting werd doctor Półtawska gediagnosticeerd met terminale kanker. Pater Wojtyła schreef onmiddellijk een brief aan padre Pio in zijn klooster in San Giovanni Rotondo en vroeg dringend of hij voor haar wilde bidden. Vlak voordat de tumor chirurgisch zou worden verwijderd, maakten de artsen nog een röntgenfoto en ontdekten daarbij dat de wildgroei was verdwenen. Wojtyła, die in die tijd inmiddels bisschop was en op het punt stond te vertrekken voor het Tweede Vaticaans Concilie, was ervan overtuigd dat er een wonder was gebeurd dankzij de tussenkomst van de heilige gestigmatiseerde.

Ondertussen waren de docentenjaren aan de universiteiten in Kraków en Lublin en onder het juk van het sovjetregime buitengewoon veeleisend geweest voor de jonge geestelijke; hij raakte tot aan de rand van uitputting. We zien hem in een lorrige soutane en een oude groene overjas altijd te laat verschijnen op college, altijd op reis, 's morgens vroeg in de trein van Lubliń naar Kraków, een afstand van driehonderd kilometer, in een poging zijn onderzoek te combineren met het docentschap en zijn parochiewerk. Hij was niet iemand van een gezellig praatje. Zijn studenten noemden hem 'oom'. Hij was altijd afwezig. Op een keer ging hij met een groep studenten zo op in een werkgroepdiscussie nadat de universiteit 's avond haar poorten al had gesloten, dat het gezelschap langs een regenpijp naar buiten moest klimmen, waar het door een argwanende politieagent op straat staande werd gehouden.

Maar zijn zomers werden zoals altijd wandelend en kanovarend in de bergen doorgebracht. Hij was op vakantie ver weg op de Mazurische meren toen hij het nieuws kreeg dat hij benoemd was tot hulpbisschop van het bisdom Kraków. Op 38-jarige leeftijd werd hij de jongste bisschop van het land.

5
Bisschop en kardinaal

Het verhaal gaat dat toen kardinaal Wyszyński de eerwaarde Wojtyła bij zich liet komen met de vraag of hij de benoeming van de paus aanvaardde, hij niet in de verleiding kwam een van de gebruikelijke bescheiden bedenkingen te uiten, zoals om tijd vragen voor gebed en reflectie. Zonder aarzeling zou Wojtyła hebben geantwoord: 'Waar moet ik tekenen?' Volgens een ander verhaal had Wojtyła opgemerkt dat hij misschien wat jong was om bisschop te worden, waarop Wyszyński snedig opmerkte: 'Dat is een minpunt waarvan we snel genezen.'

Later die dag ging hij naar de kapel van het ursulinenklooster in Warschau aan de oever van de Weichsel. Volgens de nonnen bad hij acht uur aan een stuk, helemaal uitgestrekt over de kapelvloer voor het altaar, zonder te eten of te drinken. Toen een non hem aanspoorde wat te eten, antwoordde hij dat hij 'veel met de Heer te bespreken' had en alleen gelaten wilde worden. Dit optreden was in lijn met zijn persoonlijkheid – hij hield van actieve contemplatie; alleen een cynicus zou kunnen tegenwerpen dat het stichtende spektakel werd opgevoerd onder het oog van getuigen die hiervan moeiteloos onder de indruk raakten.

Het lijkt dat Wojtyła eerder een keuze was van zijn eigen bisschop Eugeniusz Baziak dan van kardinaal Wyszyński. Wyszyński had zo zijn twijfels over Wojtyła's pastorale stijl, zag meer een dromer dan een doener in hem; Baziak, die oorspronkelijk uit de Oekraïne kwam en drie jaar huisarrest had gehad, zag duidelijk andere kanten in de man. Wojtyła, die inmiddels zijn neiging tot afdwalen onder controle had, had zich ontpopt tot een bijzonder goed prediker, zowel in de kerk als voor verschillende beroepsgroepen en werknemers. Voor een gezelschap artsen zei hij een jaar voordat hij tot bisschop zou worden gewijd: 'De verlossing van de mensheid betekent de mens helpen bij het vinden van de grootsheid die hij behoort te hebben.' Hij predikte over vrijheid en de best mogelijke wereld aller mogelijke werelden binnen het communistische regime. Hij beloofde de uitgehongerde landen regen.

Hij werd tot bisschop gewijd in de kathedraal van Wawel, waar hij twaalf jaar daarvoor in 1946 zijn eerste drie missen had opgedragen. Een oud-collega uit de chemische fabriek Solvay riep tijdens de mis uit: 'Lolek! Laat je nooit en te nimmer kisten!' Lolek, ofwel 'Kareltje', koos als motto de woorden van de Montfort, 'Totus tuus' – 'Geheel de uwe'.

Aan het begin van het nieuwe academiejaar ging Wojtyła lesgeven op basis van een beperkt rooster terwijl hij zijn pastorale verplichtingen drastisch uitbreidde. Om het aantal bezoeken aan Lublin te beperken, zou hij nog maar zes uur college geven, wat hem de vrijheid gaf door het bisdom te reizen en vormsels en wijdingen toe te dienen, retraites te leiden en parochies en instituten te bezoeken. Een voortdurend terugkerend thema was vernieuwing in het leven van Christus. Vernieuwing hing in de lucht: in Polen en ver daarbuiten.

Een maand nadat Wojtyła tot bisschop was gewijd, overleed paus Pius XII, Eugenio Pacelli, de oorlogspaus na een pontificaat van bijna twintig jaar. Zijn opvolger was Johannes XXIII. Deze bejaarde, dikbuikige en vriendelijke prelaat was gekozen als tussenpersoon, maar zou de Kerk op haar grondvesten doen schudden. Pacelli liet een gecentraliseerd gezag na, met de paus als enige leider – de eeuwige ultieme en initiërende autoriteit, communicerend alleen met God. Maar deze monolithische, triomfalistische Kerk liep niet in de pas met de rest van de wereld waarin zij stond. Pacelli had geen onderscheid kunnen maken tussen sociaal-democratie en bolsjewisme, tussen pluralisme en relativisme. Hij was bekritiseerd omdat hij gunstiger tegenover het nazisme en fascisme stond dan tegenover het communisme. Een fan van Hitler en het nazisme was hij niet. Maar begin jaren dertig had hij namens Pius XI zijn voordeel gedaan met de tiran, terwijl hij zich afzijdig hield van Hitlers plannen. Hoe dan ook, hij liet nooit na te zeggen dat de communisten kerken in brand hadden gestoken en veel meer priesters hadden vermoord dan de nazi's. Slechts schoorvoetend erkende hij in de jaren vijftig dat de christelijke kerken hun vrijheid en groei hadden te danken aan het pluralisme van min of meer democratische samenlevingen in het westen. Spanje onder Franco en Portugal onder Salazar zag hij als ideale samenlevingen voor allianties met de Heilige Moederkerk. Na de dood van

Pacelli ontstond er een niet te stuiten hang naar verandering onder gelovigen. Katholieken verlangden naar een ander type Kerk; ze wilden af van de legalistische, gecentraliseerde Kerk die was gevormd en werd bestuurd door de ontzagwekkende Piussen in de eerste helft van de twintigste eeuw.

Angelo Giuseppe Roncalli, de oorspronkelijke naam van Johannes XXIII, was een boerenzoon uit Bergamo. Een groot deel van zijn priesterleven was hij nuntius geweest en hij kende de oosterse Kerk goed. Tijdens de oorlog had hij joden geholpen. Een van zijn eerste daden als paus was vergeving vragen aan de joden voor het christelijk anti-judaïsme. Amper drie maanden na zijn verkiezing op 25 januari 1959 riep hij een algemeen concilie bijeen met als doel pastorale vernieuwing en stimulering van de christelijke eenheid.

Vanuit het Vaticaan kwam verzet. Toen hogere beambten binnen de curie, het ambtelijke apparaat van het Vaticaan, het initiatief niet konden tegenhouden, probeerden ze het debat en de beslissingen van het concilie in een wurggreep te houden. De oude wacht wilde een concilie dat moderne ketterij veroordeelde. Paus Johannes kwam tussenbeide om te verzekeren dat er geen sprake zou zijn van anathema's of excommunicaties, dat er vertegenwoordigers bij zouden zijn van andere christelijke kerken. Zijn nadruk op *aggiornamento* (het bij de tijd brengen van de Kerk) wees op mogelijk radicale hervormingen. De kwestie die al vanaf het begin torenhoog oprees, was welk standpunt de concilievaders zouden innemen ten opzichte van het sovjetcommunisme. De Poolse bisschoppen, die de Kerk achter het IJzeren Gordijn vertegenwoordigden, stonden kritisch tegenover de *Ostpolitik* van het concilie, dat neigde naar een dialoog. Bisschop Wojtyła was net zo gekant tegen elk compromisvoorstel, zo niet nog sterker, als de anderen.

De voorbereidingen op het Tweede Vaticaans Concilie begonnen meteen. De 2400 bisschoppen die de wereld telde, moesten een vragenlijst invullen waarop ze in volgorde van belangrijkheid de kwesties aangaven die zij tijdens de zittingen wilden bespreken. Wojtyła's commentaren waren ingegeven vanuit zijn filosofische preoccupatie met het 'personalisme': hoe kan de individuele menselijke ziel transcendentie ontdekken; hoe kon de mens, die God als eindbestemming had, Auschwitz en de Goelag voortbrengen? Hij wilde een grotere rol voor het lekendom; hij wilde het hebben over discipline binnen het priesterschap en liturgische hervorming. Het is geen verrassing dat hij de voorbereiders van het concilie vroeg of ze de nadruk wilden leggen op de pastorale mogelijkheden voor theatrale en sportieve vorming. In het licht van de enorme buitenkans om de Kerk van de toekomst te hervormen, leek de bijdrage van bisschop Wojtyła in dat stadium misschien wat bescheiden, maar achteraf gezien was die dat helemaal niet – denk maar aan de enorme opbloei van het christelijk humanisme tijdens zijn pontificaat. Hij was pas 39 toen hij zijn vragenlijst terugzond; maar vergeleken bij vele andere bisschoppelijke formulieren was zijn bijdrage indrukwekkend. Patrick O'Boyle bijvoorbeeld, de aartsbisschop van Washington, wilde dat het concilie onder andere nadacht over de vraag of het mogelijk was dat er intelligent leven bestond op andere planeten. Zoals op zijn minst één grappenmaker zou opmerken: misschien kon de goede man beter nadenken over de mogelijkheid van intelligent leven binnen zijn eigen bisdom.

Toen bisschop Wojtyła vertrok voor de eerste bijeenkomst van het concilie, dat op 11 oktober 1962 begon, noteerde hij: 'Ik ben zeer geëmotioneerd aan deze reis begonnen, al houd ik mijn hart vast.' Hij werd zelfs geïnspireerd tot het schrijven van een gedicht dat boordevol emoties stond, ondanks de onbeholpen verwatenheid:

We zullen arm zijn en naakt
Transparant als glas
Dat niet alleen weerspiegelt maar ook snijdt
En moge zo de wereld opensplijten
Zichzelf herstellen onder de geseling
Der gewetensvollen die het fond van deze tempel kozen

Toen hij in Rome aankwam met de andere Poolse bisschoppen, die gewend waren aan de opgelegde discretie in de omgang met het communistische regime, was Wojtyła verbijsterd door de onverhulde anarchie en chaos tijdens die eerste bijeenkomsten van het concilie. Wat kregen we nou? Bisschoppen die ruziemaakten, lobbyden, kritiek uitten, elkaar zelfs verbaal aanvielen! Wojtyła zou hen zeker niet navolgen. Hij betreurde vooral het lekken naar de pers, de roddel en achterklap, de verdraaiingen en de verwarring. Dit was niet de manier waarop de Kerk in Polen zich staande hield tegenover haar totalitaire vijand. Hier stond een Kerk die wilde overleven als een stekelvarken tegenover haar bezoekers. En waar was het gevoel van eerbied voor het magisterium, het kerkelijk leergezag? De onfeilbaarheid van de Kerk door de eeuwen heen? Jaren later zou hij zich als paus sterk maken voor een verbod op vrije discussie onder bisschoppen op reguliere synoden die bedoeld waren om de lokale Kerk meer zeggenschap te geven in het bestuur van de curie. En hij zou hoge curiebeambten verbieden zonder nadrukkelijke toestemming met de pers te praten. Meer dan veertig jaar later, op een speciale conferentie waar de effecten van het Tweede Vaticaans Concilie werden geëvalueerd, mocht de pers niet worden toegelaten. De Poolse bisschoppen konden de drang tot vernieuwing niet tegenhouden: maar misschien konden ze het debat wel ruggengraat geven.

Van 1962 tot 1965 kwam elk jaar tussen oktober en december het concilie bijeen. Bisschop Wojtyła, uitgerust van zijn inspannende zomervakanties, woonde elke bijeenkomst bij, maakte uitgebreid aantekeningen, luisterde aandachtig als het om iets belangrijks ging, schreef kladversies van gedichten als hij zich verveelde. Buiten de bijeenkomsten om wilde hij graag persoonlijk kennismaken met de belangrijkste figuren. Zijn gids was zijn oude vriend en voormalige medeseminarist Andrzej Maria Deskur, toentertijd een sluwe curiebeambte en voorzitter van de Commissie voor Maatschappelijke Communicatie. Deskur vroeg elke week aan Wojtyła wie hij wilde ontmoeten, waarop de bisschop hem zijn lijstje gaf.

In 1964 was Wojtyła zelf een belangrijke figuur geworden, toen hij een paar altaren oversloeg en rechtstreeks aartsbisschop werd van zijn eigen bisdom na de dood van aartsbisschop Baziak. Hij was niet de eerste keuze van de Poolse primaat Wyszyński, niet eens zijn zesde. De kardinaal had duidelijk geen vertrouwen in Wojtyła, vond hem te berekenend. Uiteindelijk zwichtte de primaat voor de wensen van de domheren binnen het diocees, die Wojtyła graag wilden hebben, en werd zijn naam in Rome voorgedragen. Zo veel lokale oordeelkundigheid zou hij later zelf als paus niet gedogen. De communisten waren blij met deze keuze, want ze vermoedden dat ze Wojtyła zo ver konden krijgen de primaat te ondermijnen. Wat hadden zij zich hierin vergist!

Nu werd er aandachtig naar hem geluisterd op het concilie, vooral als het ging om godsdienstvrijheid: vijf van de vierentwintig conciliaire interventies van Wojtyła gingen over gewetensvrijheid. Het was koorddansen. De traditionalisten vonden het belangrijk om indifferentisme te voorkomen: het idee dat de ene religie net zo goed zou zijn als de andere. Een bisschop uit een communistisch land zag dat mensen vasthielden aan hun geloof ondanks het risico op foltering en martelaarschap. Wojtyła verminderde de angst van de conservatieven, maar hij bleef staan op het onschendbare recht van het individu zijn eigen geweten te volgen.

Hij betoogde: 'Het is niet de taak van de Kerk om ongelovigen de les te lezen. Samen met onze medemensen zijn wij allemaal op zoek [...]. We moeten niet moraliseren of suggereren dat wij de waarheid in pacht hebben.'

Zo'n veertig jaar later zou hij deze verklaring drastisch bijstellen. Ondertussen zag hij geen reden om met het kamp van de atheïsten te praten, hoewel hij een veroordeling van het communisme evenmin ondersteunde. Ook geloofde hij niet dat de Kerk iets zou winnen bij een dialoog met de oppositie. 'Er valt niet te praten in de taal die men hanteert jegens gelovigen, met mensen die buiten de Kerk staan, die ertegen vechten en die niet in God geloven.' Maar wat betekende dat 'buiten' de Kerk staan? En over wiens God ging het? En wiens taal? Met zijn Poolse broeders en de Duitsers stemde hij tegen de laatste conceptversie van het document *Gaudium et spes* (Vreugde en hoop), dat adviseerde een handreiking naar de wereld te doen, gezamenlijke grond te zoeken met degenen die een ander dan katholiek wereldbeeld aanhingen; maar de tegenstanders van de dialoog werden weggevaagd: 2333 concilieleden waren vóór en 251 tegen. Paulus VI was enthousiast: 'Geen mens ter wereld is een vreemdeling, geen mens wordt buitengesloten, geen mens is ver weg.'

Dat was wel anders bij het vraagstuk van de anticonceptie, de allerneteligste kwestie binnen de katholieke Kerk met betrekking tot het lekendom, die toen al een enorme kloof tussen praktijk en leergezag liet zien. De kwestie was per pauselijk decreet buiten de competentie van het concilie geplaatst. Een jaar na afloop van het concilie bracht een speciaal voor deze kwestie aangestelde commissie verslag uit aan Paulus VI en betoogde dat de opstelling van de Kerk tegen anticonceptie 'niet met redelijke argumenten kan worden volgehouden' en dat anticonceptie niet 'intrinsiek slecht' was. Negen bisschoppen stemden voor, drie tegen en drie onthielden zich van stemming. Aartsbisschop Wojtyła zat in die commissie, maar vreemd genoeg was hij er op de dag van de stemming niet bij, zodat hij met voor- noch tegenstanders kon worden geïdentificeerd. Hij ontkwam echter niet aan het oordeel dat hij zijn verantwoordelijkheid niet had genomen of die op zijn minst had omzeild. Uiteindelijk ging Paulus, aangespoord door de reactionaire, in Rome gebaseerde curiebeambten, zijn eigen gang en schreef hij in 1968 zijn encycliek *Humanae Vitae* (Van het menselijk leven), waarin hij het verbod op anticonceptie bevestigde in overeenstemming met zijn voorgangers.

Wojtyła's standpunt stond echter al vast. Hij had zijn visie duidelijk en onverbiddelijk uitgedrukt in zijn boek *Liefde en verantwoordelijkheid*. In zijn bekende weinig elegante terminologie dacht hij daarin na over 'de personalistische norm': we mogen niet genieten van seks zonder onszelf helemaal te geven. Vreemd genoeg legde hij de nadruk op het 'plezier-object' in de liefde tussen man en vrouw geheel bij het mannelijk gebruik van de vrouw.

Zijn 'antropologische' visie van 'zelfgave', het zichzelf zonder reserves geven aan een ander, die is afgeleid van de theologie van de Drie-eenheid, is opvallend, zij het idealistisch, maar tegelijk ook een veel antropologischer interpretatie van de lichamelijke liefde dan de aristotelisch-thomistische biologische visie van middel-naar-doel die werd omhelsd door Pius XI en Paulus VI. En toch, hoewel zijn proza een verwrongen indruk maakte en losstond van doorleefde ervaring, leek zijn onwrikbare standpunt tegen anticonceptie onder alle omstandigheden, een reactie op de perverse sovjetpropaganda in zijn geboorteland Polen voor vrije liefde en abortus.

Weinigen zijn zo diep tot de geest en het hart van Wojtyła doorgedrongen voordat hij paus werd, als de fenomenoloog Anna-Teresa Tymieniecka. Zij was een levendige, zeer intelligente en getrouwde Poolse, maar ook kosmopolitisch. In de jaren zeventig werkte ze met hem samen en bracht drie jaar lang honderden uren in zijn aanwezigheid door om hem te assisteren bij zijn belangrijkste filosofische werk, *The acting person.* Aan het begin van hun kennismaking had ze *Liefde en verantwoordelijkheid* grondig bestudeerd. Aan Carl Bernstein en Marco Politi beschreef ze haar reactie op dat werk. 'Hij is een man die zichzelf helemaal onder controle heeft, die een prachtige, harmonieuze persoonlijkheid heeft ontwikkeld,' had ze gezegd. En daarin lag volgens haar het probleem. 'Wie zó over liefde en seks schrijft [zoals hij], weet er heel weinig van af. Het is volgens mij duidelijk dat hij niet weet waar hij het over heeft. Hoe kan hij over zulke dingen schrijven? Het probleem is dat hij geen ervaring heeft op dit gebied.' Het boek, dat voor het eerst in 1960 werd gepubliceerd, leest bij vlagen als de veldnotities uit een studie over de menselijke seksualiteit, geschreven door een antropoloog van Mars. Een mengelmoes van ethiek, anatomie, fysiologie, vruchtbaarheidsgrafieken, klinische beschrijvingen van het vrouwelijke geslachtsorgaan, abstracte analyses van relaties en emoties, bijeengesprokkeld tijdens zijn contacten met jongeren. Het is een essay over het fenomeen kleur, geschreven door een natuurkundige die kleurenblind is. De onderliggende boodschap – dat we elkaar niet mogen gebruiken als objecten – is niet bepaald schokkend. Het idee van zelfgave zit theologisch gesproken goed, maar houdt geen rekening met doorleefde ervaring in de tijd, voorbijgaande emoties, zwakheden, machtsverhoudingen en dwangmatigheden.

Doctor Tymieniecka wilde niet zeggen dat de Poolse aartsbisschop naïef was. 'Seksueel gesproken is hij onschuldig, maar op andere vlakken niet. Om kardinaal te kunnen zijn onder de communisten, moest hij buitengewoon listig zijn. Hij heeft niets naïefs. Hij is een zeer intelligente man die weet waar hij mee bezig is.' Zijn theologische fantasieën over seks zouden echter verstrekkende gevolgen hebben voor het individueel geweten van miljoenen katholieken, ook van katholieken in Afrika en Zuid-Amerika die met het aids-virus besmet waren geraakt. Want als we de eerwaarde Bardecki, de hoofdredacteur van de Poolse krant *Tygodnik Powszechny*, mogen geloven, zou zestig procent van *Humanae vitae* gebaseerd zijn op de ideeën van aartsbisschop Wojtyła (vrijwel zeker een overdrijving, maar met een kern van waarheid). Wojtyła's steun aan Paulus VI in zijn verbod op anticonceptie, dat voor het eerst door Pius XI werd voorgesteld in de jaren dertig in zijn encycliek *Casti connubii* (Het zuivere huwelijksleven), was in wezen een handvest van celibataire mannen, waarin een gezaghebbende visie werd herhaald waar niet aan kon worden getornd zonder aantasting van de integriteit van het pauselijk leergezag.

6
Gevecht tegen het communisme

Ondanks Wyszyński's twijfels en de aanvankelijke ingenomenheid met hem van het communistisch regime ontpopte Wojtyła zich in Polen als een geduchte tegenstander van de communistische leiders. De directe aanleiding was het duizendjarig jubileum van het Poolse christendom in 1966. Met liturgieën, pelgrimstochten en bijzondere missen werd dit jubileumjaar één doorlopende viering van het katholicisme en van spirituele vernieuwing. Toen 34 jaar later het grote tweeduizendjarige jubileum van het christendom werd herdacht, zou Wojtyła vast nog hebben teruggedacht aan dit Poolse millennium, dat de aanzet vormde tot een geweldloze morele opstand die na verloop van tijd, in combinatie met andere ontwikkelingen en invloeden, zowel binnen als buiten Polen zou leiden tot de val van het sovjetregime.

Alles draaide om de icoon van de Madonna van Częstochowa, de 'Koningin van Polen', waarvan een replica langs de parochies van het platteland ging en overal een emotioneel onthaal kreeg. Ondertussen maakten talloze pelgrims de tocht naar de schrijn met het origineel in Jasna Góra. Het communistisch regime probeerde de opgewonden massabijeenkomsten te saboteren door sportevenementen te organiseren die het volk moesten trekken. Maar aartsbisschop Wojtyła droeg maar liefst 53 missen op waarin hij ten overstaan van grote menigten Maria's privileges verheerlijkte. Uiteindelijk eiste het regime dat de icoon terugkeerde naar het klooster. Als protest knielde men overal in het land neer voor lege lijsten die de afwezige icoon symboliseerden.

De regering onder partijleider Władysław Gomułka had een wig willen drijven tussen Wojtyła en Wyszyński. Ze hadden in Wojtyła iemand gezien die zich afzijdig hield van politiek en maatschappelijke acties. In een memorandum van de geheime politie uit 1967 werd opgemerkt dat Wojtyła 'nog niet heeft meegedaan aan openlijke, staatsgevaarlijke politieke activiteiten. Politiek lijkt niet zijn sterke punt: hij is er te intellectueel voor. Het ontbreekt hem aan organisatietalent en leiderschapskwaliteiten, en dat is zijn zwakte in zijn rivaliteit met Wyszyński.' Wat zou hij hen op de lange termijn teleurstellen! De urgente realiteit in 1967 was echter dat Wyszyński geen visum kreeg om een bisschoppensynode in Rome bij te wonen, terwijl Wojtyła wel mocht gaan. Wojtyła weigerde het land te verlaten en liet daarmee onvoorwaardelijke solidariteit zien met zijn primaat. Wel reisde hij in dat jaar naar Rome om zijn kardinaalshoed in ontvangst te nemen. Nadat hij aan Paulus VI zijn sympathie had getoond, raakten de twee mannen steeds meer bevriend. De ogen werden steeds meer op de Poolse aartsbisschop gericht, die op zijn zevenenveertigste al een prins der Kerk werd.

Eind jaren zestig brak in Polen een hernieuwde periode van strijd aan toen het tijdperk van de jeugdcultuur en de welvaart in het Westen ook voelbaar werd in de aspiraties van de jeugd achter het IJzeren Gordijn. Tegelijk begonnen de arbeiders, vooral mijnwerkers en havenarbeiders, de pijn te voelen van de lagere lonen en het tekort aan basisbehoeften; vooral vlees, het hoofdvoedsel van de Poolse arbeiders, was duur. Ondertussen lazen studenten dagelijks over de kracht van de grote demonstraties in het Westen. De spanningen liepen hoog op, vooral toen de overheid het toneelstuk *Dziady* (De voorouders) van de negentiende-eeuwse dichter Adam Mickiewicz verbood omdat het anti-Sovjet zou zijn. Dat leidde tot grote straatdemonstraties. Studenten werden in elkaar geslagen, universiteiten gesloten. Alsof de represailles al niet hard genoeg waren, gaf het regime joodse facties overal de schuld van en werden alle joden in de ambtenarij en het onderwijs ontslagen. De toestand verslechterde snel nadat Poolse troepen meededen aan de inval van Tsjechoslowakije om daar de Praagse Lente neer te slaan. Maar weer was het een verhoging van de voedselprijzen die massale onlust wekte. Overal in het land, maar vooral in de haven van Gdańsk, werd gestaakt en gedemonstreerd, wat leidde tot gewelddadigheden en de dood van honderden arbeiders.

Aartsbisschop Wojtyła begon aan een angstvallige evenwichtstoer. Hoewel hij provocatie en confrontatie meed, omdat die tot nog meer uitbraken van geweld en meer onderdrukking konden leiden, vond hij manieren om het moreel van het volk te verheffen, door verontwaardiging te wekken op basis van mensenrechten en vrijheid. Het woord vrijheid lag altijd op zijn lippen: 'het recht op vrijheid [...] een sfeer van ware vrijheid; een sfeer van innerlijke vrijheid, van vrijheid van angst voor wat mij zou kunnen overkomen als ik zo handel of naar die plek ga.'

Toen Edward Gierek aan de macht kwam, draaide Wojtyła de schroeven harder aan. In een tijd waarin Paulus VI en het Vaticaan nadachten over een dialoog met het onderdrukkende regime, liet Wojtyła zien dat een compromis zoals in Italië het *compromesso storico* met de communisten eind jaren zestig, in Polen onacceptabel was. Geconfronteerd met tegenstand op nationaal niveau leek het regime van Gierek in te binden. Hij deed een poging het volk te geven waar het om vroeg. Hij verhoogde de lonen. Maar hoe dieper het land in de schulden raakte, hoe hoger Wojtyła de druk opvoerde, door verzoeken om dure plannen in te dienen bij de overheid: nieuwe scholen, nieuwe seminaries, nieuwe kerken. Tegelijk viel hij de overheid lastig over elke vorm van onderdrukking: over het verbod op godsdienstlessen, het verbod op inschrijving op seminaries, tot aan het papiertekort voor katholieke periodieken toe.

We zien hem in deze tijd als een krachtcentrale van contemplatieve en pastorale energie die nooit gehaast of opgewonden was. Vanaf halfzes in de ochtend, elke ochtend vijfenhalf uur lang, bad en schreef hij in stilte, soms in zijn privé-kapel, soms in de franciscaner kerk aan de overkant, en dan weer in zijn kapel, met slechts een kleine pauze voor een ontbijt. Vanaf elf uur ontving hij in zijn werkkamer een stroom bezoekers; daarna lunchte hij en deed hij een hazenslaap van tien minuten. Vervolgens reisde hij door zijn enorme bisdom met 329 parochies. Tijdens de rit werkte hij volgens zijn chauffeur aan een speciaal ingebouwd bureaublad met een leeslampje. Hij las nooit de krant – een ascetische gewoonte waaraan hij tot op hoge leeftijd vasthield. Aan hem waren de theologische instrumenten van de beroemde theoloog Karl Barth niet besteed: de bijbel in de ene hand, de krant in de andere! Hoofdredacteur Bardecki zou de aartsbisschop op de hoogte houden van het nieuws met een samenvatting van de belangrijkste artikelen en opinies. De avonden bracht hij door met vrienden bij een glas bier of wijn. Maar soms liet hij zich 's avonds door zijn chauffeur naar de heiligdommen in de heuvels van Kalwaria brengen. Nadat hij uit de auto was gestapt, zou hij kilometers lang wandelen en tot in de kleine uurtjes rechtopstaand mediteren.

De moeilijke jaren zeventig bleven gespannen en onrustig tot het rampjaar 1976, toen demonstraties tegen de verhoging van de voedselprijzen tot gewelddadige botsingen leidden in verschillende delen van het land. Nu liet

Wojtyła zijn tot volle wasdom gekomen politieke vaardigheden zien. Toen de vakbondsleiders een algehele staking afkondigden, die onmiskenbaar sovjetinterventie zou uitlokken, haalde Wojtyła de arbeiders over terug naar hun werk te gaan. Tegelijk adviseerde hij het regime de dissidenten en stakingsleiders niet te straffen.

'Mensenrechten kunnen niet in de vorm van concessies worden gegeven,' zei Wojtyła in 1977 tijdens een massale jongerenbijeenkomst op Sacramentsdag. De Poolse kardinalen stonden huiverig tegenover linkse christenen in het Westen met hun modieuze marxistische sympathieën en hun Zuid-Amerikaanse kameraden met hun bevrijdingstheologie. Deze linkse flirts zouden de strijdende Kerk in Oost-Europa wel eens kunnen ondermijnen. Wojtyła was het brein achter de verklaring van de Poolse Bisschoppenconferentie, waarin de 'conformistische houding tegenover het marxisme' in Vaticaanse teksten werd veroordeeld. Want, zo schreef hij, wees de inschikkelijke houding ten opzichte van het marxisme niet op een infiltratie van totalitaire ideeën die 'de mens op een nieuwe manier gevangenhielden'?

Wojtyła raakte nauw betrokken bij het dissidente Comité ter Verdediging van de Arbeiders (KOR). KOR was oorspronkelijk een intellectuele beweging, maar de organisatie hield ook geheime lezingen over mensenrechten voor de arbeider. Wojtyła stimuleerde een synergie tussen parochiale netwerken en arbeidersorganisaties om vanuit de basis tot een massale geweldloze opstand te komen. Hij maakte mensen bewust door de censuur aan te vallen en de vrijheid van meningsuiting te verdedigen; op een ander niveau pleitte hij voor de fundamentele rechten van de mens in de samenleving. Hij hamerde op het feit dat na tientallen jaren van onderdrukking, ontwrichting en lijden Polen recht had op zelfbeschikking en vrijheid.

Hij had iets van Martin Luther King toen hij overal in zijn bisdom preken hield, nu eens het regime aanviel voor zijn gebrek aan moreel leiderschap, dan weer de heilige Stanisław in herinnering riep, de martelaarsbisschop van Polen, die het tegen een tirannieke koning had opgenomen en dat met zijn eigen leven had moeten bekopen.

7
Tekenen van tegenstrijdigheid

In die moeilijke tijden halverwege de Poolse jaren zeventig bleef kardinaal Wojtyła zich als intellectueel ontwikkelen. Sinds het Tweede Vaticaans Concilie had hij in zijn vrije tijd geprobeerd als filosoof te schrijven over de aard van de persoonlijkheid. Dit was niet zomaar een catechetische opgave op basis van het leergezag en de bijbel. Nee, dit was een opvallend ambitieuze poging een oorspronkelijke bijdrage te leveren aan het twintigste-eeuwse denken. Hij wilde de mens verkennen vanuit een filosofisch perspectief dat moderner was dan dat van Thomas van Aquino, en binnen de historische context van een tijdperk dat getuige was geweest van de nazi-barbarij en de onderdrukkende sovjetideologie.

'Thomas van Aquino biedt een uitstekende kijk op het objectieve bestaan en het handelen van de mens,' schreef hij, 'maar het is niet makkelijk vanuit zijn perspectief iets te zeggen over de doorleefde ervaring van de mens.' Wojtyła had zich laten inspireren door de pastorale constitutie *Gaudium et spes* (Vreugde en hoop), die was geschreven in het kader van het Tweede Vaticaans Concilie en een zeer relevante, vernieuwende visie gaf op het menszijn. In *Gaudium et spes* wordt verklaard dat mensen de enige wezens zijn die God autonomie heeft willen geven, en de enigen die alleen door zelfgave tot volledige ontplooiing komen.

Ook was Wojtyła tijdens zijn tweede doctoraat beïnvloed door de fenomenologie van Max Scheler, zoals we hebben gezien. Door het werk van Scheler was Wojtyła het menszijn gaan zien in termen van doorleefde ervaring en niet als een objectief en abstract universeel concept. En nu had hij ondanks zijn drukke pastorale bezigheden als aartsbisschop van Kraków tijd gevonden een manuscript te schrijven voor een boek met oorspronkelijk de titel *Mens en gedrag*, maar dat uiteindelijk de Engelse titel *The acting person* zou krijgen na ingrijpende tekstredactie en intensieve samenwerking.

Het thema van dit werk wordt geschetst in een brief die Wojtyła in 1968 schreef aan de Franse jezuïtische theoloog Henri de Lubac:

> Ik wijd mijn zeer schaarse vrije tijd aan een boek dat mij na aan het hart ligt en gewijd is aan het metafysische belang en het mysterie van het INDIVIDU. Ik heb de indruk dat het hedendaags debat op dat niveau wordt gevoerd. Het kwaad van deze tijd bestaat in de eerste plaats uit een soort degradatie, een afbrokkeling zelfs van de fundamentele uniciteit van de mens.

De fragmentatie van de mens waar Wojtyła aan dacht, had volgens hem haar oorsprong in 'het kwaad van deze tijd': in de hebzucht en het hedonisme van het kapitalistische Westen, in het atheïstisch materialisme van de Sovjets, in reductionistische existentialisten als Jean-Paul Sarte en in de toenemende invloed van de Franse filosofen en literaire theoretici die een nieuwe generatie studenten kennis lieten maken met de deconstructie van het individu en van de betekenis zelf. Hij verwoordde de aard van zijn onderzoek bij verschillende gelegenheden in dat jaar, vooral wanneer hij zijn verklaarde overtuiging ter sprake bracht dat het kwaad in de wereld vaak groter lijkt dan onszelf, alsof hij vreesde dat er een kosmische, mystieke boze macht in de wereld aan het werk was.

Het boek dat hij wilde schrijven moest zijdelings historisch en vanuit een onthecht filosofisch perspectief onderwerpen behandelen als het bewustzijn, de zelfbeschikking of de wil, de mens als eenheid (ofwel, de vleeswording van de ziel, in tegenstelling tot het 'dualisme' van lichaam versus geest) en de sociale aard van de mens. De ambitie van dit enorme werk, dat niet polemisch beoogde te zijn maar waarin Wojtyła het hele mysterie van het individu wilde ontrafelen, was torenhoog. Deze onderwerpen leverden afzonderlijk al geduchte vraagstukken op voor filosofische specialisten, laat staan voor een deeltijdacademicus die een van de grootste bisdommen in Oost-Europa bestierde in een tijd van diepe politieke en economische crises.

In december 1970 was de eerder gedrukte versie van het boek, die in Polen was verschenen, het onderwerp van een symposium op de Universiteit van Lublin, dat twintig deelnemers telde, voor het merendeel hoogleraren met een hogere academische status dan Wojtyła. De kritiek van vijf leden van het symposium was niet mals: iemand beweerde zelfs dat hij het boek na twee keer lezen nog niet had begrepen. Maar er was ook uitbundige lof voor dit werk, van mensen met minder kwalificaties om een filosofisch werk positief of negatief te beoordelen, waaronder het commentaar van Wojtyła's eigen hulpbisschop Jerzy Stroba, die juist vond dat het boek een moeilijk filosofisch probleem toegankelijk maakte voor de eenvoudige gelovige. Toen het boek verplichte kost werd voor de clerici in zijn bisdom (uiteraard!), deed de bebaarde grap de ronde dat aartsbisschop Wojtyła moest hebben geweten dat hij later paus zou worden en de tekst had geschreven als straf voor priesters in het vagevuur.

George Huntston Williams, professor Godsdienstfilosofie aan de Harvard-universiteit en auteur van *The mind of John Paul II*, heeft de commentaren van het symposium bestudeerd en vatte de voornaamste kritiek zo samen: '[dat] het boek noch een afgeronde antropologische studie is, noch een uitgediepte ethiek van het handelen; dat het zonder gepaste zorg om onderscheid te maken, de overlappende vocabularia van twee filosofische talen door elkaar hutselt, het thomistische en de fenomenologische idioom; dat de auteur te gemakkelijk Aristoteles en Thomas van Aquino op één lijn stelt in hun mensvisie'. Er was nog meer kritiek, bijvoorbeeld de klacht over het gebrek aan helderheid, consistentie en precisie in het gebruik van filosofische termen. En bovendien nog deze vernietigende opmerking: hij zou vaker bezig zijn met 'de etymologische hermeneutiek van woorden dan met de hermeneutiek van de aangeduide realiteiten'. Deze genadeloze koude douche van een groep van gelijken gaat niet in op het probleem van Wojtyła als filosoof met aspiraties: dat hij van goede wil, intelligent, ongetwijfeld origineel en moedig was, maar uiteindelijk toch een autodidact was gebleven wie het, academisch gesproken, allemaal boven de pet ging.

Maar alle hoop was nog niet verloren. Net toen de toekomst van het boek er hopeloos begon uit te zien, verscheen er iemand ten tonele die zowel de tijd, de kennis als de wil had hem te helpen bij het realiseren van de ideeën die hij wilde vormen en onder woorden brengen. Doctor Anna-Teresa Tymieniecka stelde zich twee jaar na het afstraffende symposium in Lubli ń aan hem voor.

Tymieniecka was volgens iedereen een seksueel aantrekkelijke, buitengewoon intelligente vrouw, dochter van Poolse landadel. Belangrijker was dat ze een serieuze en bekwame filosofe was die in heel Europa contacten had in filosofische kringen; ze leek iedereen te hebben ontmoet en alles te hebben gelezen. In haar openingsrede op een filosofisch colloquium in Montreal in 1974 lukte het haar om binnen het uurtje dat ze had Samuel

Beckett, Italo Calvino, James Joyce, Franz Kafka, Giacomo Leopardi, Kurt Vonnegut, Sławomir Mrożek en Jean-Paul Sartre te citeren en kort te verwijzen naar een groot aantal filosofen en verschillende historici, in het bijzonder Oswald Spengler, en noemde ze tevens een hele reeks toneelschrijvers, vanaf Aristofanes tot het heden.

Tymieniecka werd in 1925 in Polen geboren op een rijk landgoed in Masovië; het landgoed zou later door de communisten worden geliquideerd. Haar curriculum vitae is een soort rondleiding langs de beste academische instellingen van Europa en Noord-Amerika. Op de Jagiełło-universiteit in Kraków aan het eind van de oorlog studeerde ze bij Roman Ingarden, die student was geweest van Edmund Husserl, de grondlegger van de fenomenologie. Daarna studeerde ze filosofie van de wiskunde aan de Sorbonne, waarna ze een opleidingsplaats kreeg bij de dominicanen aan de Katholieke Universiteit van Fribourg in Zwitserland, waar ze haar promotieonderzoek afrondde. Ze doceerde en bleef onderzoek doen aan Berkeley, Oregon State, Yale, Penn State en de Bryn Mawr-universiteit.

Het onderwerp van haar eerste doctoraat laat zien waar ze zich mee bezighield: de ontologie van de fenomenologische structuralist Roman Ingarden en de Duitse ethicus Nicolai Hartmann. Vervolgens deed ze letterkundig onderzoek naar de fenomenologie van de 'creatieve introvertie' van de dichter Paul Valéry. Over dit soort zaken gingen de onderzoeken en gedachten van doctor Tymieniecka toen ze president werd van het Wereldinstituut voor Voortgezet Fenomenologisch Onderzoek, dat ze combineerde met het hoofdredacteurschap van het tijdschrift *Analecta Husserliana.* Dit fenomenologische wonderkind in minirok en met blonde paardenstaart, met kosmopolitische contacten en een aristocratische achtergrond, raakte gefascineerd door Wojtyła en zijn project – *The acting person.* Dus maakte ze ongevraagd een afspraak met kardinaal Wojtyła om hem te zeggen dat hij een uiterst belangrijk boek had geschreven dat zij graag aan de wereld bekend wilde maken. Ze wilde kortom al haar tijd aan hem en zijn boek wijden totdat het project zijn beslag vond in een Engelstalige publicatie, na de nodige aanpassingen, uiteraard.

Hoe kon hij dit weerstaan!

Gelukkig werd Tymieniecka verwend door een toegeeflijke Amerikaanse echtgenoot, die haar kennelijk zonder bezwaar maandenlang over de hele wereld liet reizen om allerlei projecten in de wereld van de fenomenologie uit te voeren. Ze was net zo thuis in Parijs als in Kraków, Napels, Bologna, Montreal, Washington DC en New York. Halverwege de jaren zeventig zou ze buitenproportioneel veel tijd doorbrengen met Wojtyła, in Polen,

Italië en de Verenigde Staten, waar ze hem vermaakte in haar landelijke optrekje in de bossen van Vermont. Terwijl het crisis was in Polen en de verzoeken vanuit Rome tot deelname aan synoden en commissies binnen bleven stromen, leidde kardinaal Wojtyła het aangename leventje van de Amerikaanse rijken, met picknicks in het gras en een duik in een nabij meer: dit alles in het kader van zijn filosofische magnum opus. Haar bijdrage aan het boek (zelfs de eindversie bleef buitengewoon moeilijk leesbaar) is heel belangrijk geweest, evenals het licht dat die wierp op Wojtyła's karakter. De kern van het herschreven boek bestaat uit suggestieve en verheven gedachten: over de mens die naar Gods evenbeeld is geschapen; over de wil en zelfgave als realisatie van ons complete menszijn; ideeën over de menselijke waardigheid, vrijheid en liefde, afgeleid van op het christendom gebaseerde antropologie en het humanisme. De kernideeën zouden de volgende dertig jaar steeds weer en met toenemende stelligheid in zijn geschriften terugkeren, vooral als het om de seksuele moraal ging. Het is niet te veel gezegd dat doctor Tymieniecka enkele van zijn meest krachtige ideeën als paus heeft helpen scherpstellen en zelfs voor hem heeft verduidelijkt, hoewel dit gegeven, zoals we zullen zien, op geen enkele wijze door het Vaticaan zou worden erkend.

De samenwerking tussen Tymieniecka en Wojtyła begon in 1974 op een conferentie in Napels en zou drie jaar duren. Het ging om een intensieve intellectuele en redactionele bijdrage, aangezien zij *The acting person* in het Engels vertaalde en het hele boek omgooide. Tymieniecka heeft hierover gezegd: 'Van mijn kant was dit liefdewerk, om hem bekendheid te geven en te zorgen dat hij de erkenning kreeg die hij als filosoof verdiende [...]. Mijn voorwaarde was dat we het samen zouden doen. Hij wilde dat ik het alleen deed maar dat weigerde ik. Ik zei: "Alleen als we het samen doen."'

Tymieniecka zegt dat ze drie keer per jaar naar Polen en drie keer per jaar naar Rome ging. De Poolse bezoeken zouden elk vijf weken duren en die aan Rome twee tot drie weken. Wojtyła's secretaris, Stanisław Dziwisz, zou er onveranderlijk bij aanwezig zijn. Vaak zaten ze met z'n drieën in zijn auto als hij door het bisdom of van stad naar stad reisde. Er waren dagen dat het drietal uit wandelen ging in de heuvels en de bossen. De relatie ging duidelijk om meer dan alleen het boek. Tymieniecka heeft toegegeven: 'We voerden voortdurend een dialoog als twee filosofen – het ging om meer dan alleen het boek; dat was nu juist de charme ervan. Als we dat niet deden, had ik me waarschijnlijk niet zo aan het boek kunnen wijden. Hij was een weergaloze filosofische partner.'

Wat hun filosofische uitwisselingen zoveel jeu gaf, was de politieke en maatschappelijke relevantie waardoor ook zijn voormalige filosofische model Max Scheler was geïnspireerd. Wojtyła was in conflict met een totalitair regime waarin de individuele zelfbeschikking werd onderdrukt en ontkend. Samen met Tymieniecka verkende hij de reikwijdte van de zelfbeschikking, maar ook de grenzen ervan. Want ook een samenleving waarin zelfbeschikking wordt benadrukt, zou zonder sociale samenwerking zijn gedoemd. Was de cultuur van Amerika en het kapitalistische Westen een cultuur van boosaardig individualisme? Tymieniecka was degene die Wojtyła in 1976 naar de Verenigde Staten haalde en bezoeken organiseerde aan Washington DC en Harvard. Ze zegt dat het haar moeite kostte hem ervan te overtuigen dat Amerika geen land is van hebzucht, egoïsme en hedonisme. Ze wist niet zeker of ze daarin geslaagd was. Maar afgezien van het bijwonen van de bijzondere, ter ere van hem gehouden dineetjes, werkten ze tot zestien uur per dag aan *The acting person.*

Toen het boek in 1977 werd gepubliceerd, erkende hij dat hij heel veel aan doctor Tymieniecka had te danken en droeg hij de rechten op de Engelse vertaling aan haar over. Toen hij in het jaar daarop paus werd, werd er een commissie ingesteld om het literaire werk dat hij tot dan toe had geschreven te onderzoeken en een plaats te geven. Met toestemming van Johannes Paulus probeerde de commissie de publicatie tegen te gaan van de editie Tymieniecka-Wojtyła. Zij nam op haar beurt juridische stappen tegen de paus wegens schending van het copyright. Een deel van haar arsenaal haalde ze uit de uitgebreide correspondentie met hem, die nu wordt bewaard in een kluis in een archief van de Harvard-universiteit. Uiteindelijk zette ze door en publiceerde ze het boek als een gezamenlijk werk, waarop het Vaticaan terugsloeg met het verwijt dat zij zich gedachten van kardinaal Wojtyła wederrechtelijk had toegeëigend en zijn thomistisch denken had verdoezeld om een fenomenologische interpretatie sterker te doen uitkomen. Een tijdlang waren ze van elkaar vervreemd.

Doctor Williams heeft gezegd: 'Hun samenwerking was buitengewoon belangrijk. En achteraf hebben het Vaticaan en de paus zich behoorlijk misdragen door die samenwerking te ontkennen.' Refererend aan de encycliek *Veritatis splendor*, die volgens hem het 'meesterwerk' is van Johannes Paulus, verklaarde Williams: 'Hij kon zonder die relatie niet hebben gedaan wat hij gedaan heeft. Die mag niet geschrapt worden uit het biografische, intellectuele verhaal.'

In 1976 werd kardinaal Wojtyła door paus Paulus VI gevraagd om de vijfdaagse vastenretraite te leiden in de Sint-Mathildekapel in het Vaticaan.

Onder de aanwezigen bevonden zich de hoogste geestelijken van de Heilige Stoel: kardinaal en staatssecretaris Jean Villot, *sostituto* staatssecretaris Giovanni Benelli, de Amerikaanse voorzitter van de Congregatie voor de Clerus kardinaal John Wright en Franjo Šeper, de Joegoslavische voorzitter van de Congregatie voor de Geloofsleer. Paus Paulus VI, die aan prostaatkanker en een hartziekte leed, zat onzichtbaar voor anderen in een antichambre, dicht bij het altaar. Later werd onthuld dat hij een haren boetekleed droeg en een geselkoord met scherpe punten om zijn lijden te vergroten. De keuze om Wojtyła de preken te laten verzorgen op deze vastenretraite, was verrassend. Normaal gesproken werd daarvoor een eminente theoloog gekozen. Het leek erop dat de curie, zich er ten volle van bewust dat Paulus waarschijnlijk niet lang meer te leven had, deze jonge kardinaal, die men wijd en zijd beschouwde als *papabile*, als mogelijke paus, eens van dichtbij wilde bekijken. Wojtyła's preken op deze retraite zouden later in boekvorm worden uitgebracht onder de titel *Segno di contraddizione* (Tekenen van tegenstrijdigheid).

Het gezelschap moet vreemd hebben opgekeken door wat het te horen kreeg, sommigen moeten zelfs ontzet zijn geweest. Dat de meerderheid onder de indruk was, bewijst het feit dat het college van kardinalen hem achttien maanden later tot paus zou verkiezen.

Er waren in totaal 22 toespraken, die over verschillende met elkaar verband houdende thema's gingen en veelal waren gevat in dubbelzinnige taal, apocalyptisch van toon, vaak duister en doordrongen van Maria. De onderliggende structuur van de gesprekkenreeks was gebaseerd op de vijftien mysteriën van de rozenkrans en de staties van de kruisweg. Hij bezigde een duistere beeldspraak, had het over de aarde als 'eeuwige begraafplaats' en over God die voorwaar niet dood was, maar niet gehoord werd in de kakofonie der eeuwen en door de hysterische doofheid van de mensheid. Hij zette Christus, de God-Mens, neer als de verlosser van de hele mensheid – en niet als de Messias van een selecte groep – en verkondigde daarmee dat de Kerk met de hele wereld samenviel, ook met de werelden van andere religies en van niet-gelovigen. Hij troostte Paulus VI, die verwikkeld was in een controverse over anticonceptie in *Humanae vitae* en heen en weer geslingerd werd door een kerk in conflict, door een opvallend flatterende vergelijking te maken. Na een citaat van Jeremia – 'Een ieder [...] bespot mij [...] het werd in mijn hart als een brandend vuur, besloten in mijn beenderen; en ik vermoeide mij om te verdragen, maar kon niet' – merkte de kardinaal op dat de meeste profeten door hun tijdgenoten niet worden geaccepteerd. Vervolgens sprak hij onomwonden over de verdedigers van anticonceptie, die hij omschreef als 'humanistische kringen die verbonden zijn aan bepaalde christelijke tradities' en als 'voorstanders van abortus'. Tot slot troostte hij de paus met de opmerking dat 'we ons in het heetst van een felle strijd bevinden over de menselijke waardigheid'.

Hij sloot af met een sterk aangezette, melodramatische en theologisch schokkende peroratie over het aanstaande derde millennium van het christendom, zo'n kwarteeuw voor het jaar 2000. In het nieuwe millennium, zei hij, zou 'de Kerk en de mensheid een Nieuwe Advent' beleven, en die zou door twee grootse tekenen worden gekenmerkt. De Christus zelf zou daar zijn, 'het Teken van Tegenstrijdigheid', en de Maagd Maria zou er zijn, omstraald door de zon, 'een groots teken in het uitspansel', als de Tweede Eva die de kop van de Slang zou verbrijzelen.

Strikt genomen kan er geen sprake zijn van een 'Nieuwe Advent' in de christelijke openbaring zonder te verwijzen naar een tweede val van de mens, waar geen bijbelse basis voor is binnen de christelijke leer. De val van Adam en Eva, zoals die in de katholieke leer wordt geïnterpreteerd, was het resultaat van ongeoorloofde verlangens op drie gebieden van het menselijk gedrag: kennisverwerving, het bestieren van de aarde en de seksualiteit. Wojtyła leek te zeggen dat de wederkomst van de Kerk werd gehinderd door een nieuwe val, die hij vervolgens in specifieke termen aangaf.

Er zat duidelijk een ongeoorloofd verlangen naar kennis in het nieuwe 'structuralisme', de Franse filosofische stroming met figuren als Jacques Derrida, 'dat veel verder gaat dan het agnosticisme en zelfs ook het positivisme [...]. Binnen deze stroming verdween God uit het menselijk denken toen het menselijk denken een proces van zelfkritiek onderging.' Vervolgens noemt hij het kapitalisme en het communisme onmenselijk, vooral in de Derde Wereld. Opvallend is dat hij geen alternatief biedt voor deze economische en politieke systemen (ervan uitgaande dat hij geen terugkeer naar het corporatisme voorstelde). Wel grijpt hij de gelegenheid aan om de bevrijdingstheologie aan te vallen, die volgens hem de Derde Wereld niet zou kunnen redden, of ze nu uit het Westen kwam of uit de Tweede Wereld van de Sovjets.

Tot slot spreekt hij over het verlangen van het vlees. De volledige realisatie van onze mensheid, en dus van de wederkomst van de Kerk, werd dwarsgezeten door een 'afrodisische generatie'. Binnen de libertaire samenlevingen van de Eerste Wereld is de mens ziek geworden van alle welvaart en alle vrijheid. 'Het menselijk bestaan,' vervolgde hij, 'biedt een treurige aanblik van allerlei vormen van misbruik en frustrerende situaties [...] waardigheid kan niet betekenen het ongebreideld nemen van de individuele vrijheid [...] de vrijheid waarnaar gestreefd wordt door de voorstanders van abortus, is een vrijheid die volgens standaardnormen in dienst staat van onbeperkt genot.'

Dit was inderdaad zwaar geschut. Zou dit het geschut kunnen zijn van de opvolger van Paulus? Het probleem was dat hij een Pool was en geen Italiaan. Welke extreme omstandigheden konden ertoe leiden dat een Pool de falanx kon omzeilen van Italianen die de macht hadden om de nieuwe paus te kiezen?

8

'Weest niet bang!'

Paulus VI, paus vanaf 1963, stierf op 6 augustus 1978. Drie weken later, na een stemming van slechts één dag, koos het conclaaf Albino Luciani bij de vierde ronde. Het was het kortste conclaaf van de eeuw en bijna het kortste in de geschiedenis. Luciani was patriarch van Venetië geweest, had een innemende glimlach, was 66 jaar en had een groot deel van zijn leven besteed aan pastoraal werk. Hij was geen intellectueel en geen bestuurder. Hij zei over zichzelf: 'Als ik geen bisschop was geweest, had ik waarschijnlijk journalist willen worden.' Zijn favoriete seculiere leesvoer was *Reader's Digest*. Hij noemde zich Johannes Paulus ter herinnering aan zijn twee voorgangers. Hij wilde niet in de ceremoniële pauselijke draagstoel en sprak tot de gelovigen met een pretentieloze eenvoud. In een van zijn eerste toespraken tot een groot publiek zei hij: 'De Almachtige God heeft meer weg van mamma dan van pappa!' De gelovigen waren gecharmeerd, maar de Congregatie voor de Geloofsleer was verbijsterd.

Hoe waren de kardinalen tot deze keuze gekomen? Een van hen, kardinaal Basil Hume zei: 'Toen het eenmaal was gebeurd, leek het helemaal goed. Het gevoel dat hij precies de man was die wij zochten, was zo algemeen... We hadden het gevoel alsof onze handen werden gestuurd toen we zijn naam op het papier zetten!' De kardinaal-kiezers over heel de wereld hadden duidelijk gekozen voor een paus die een sterkere lokale Kerk zou voorstaan: Luciani was niet iemand die zich met zijn volle gewicht in de strijd wierp. Een minder vrome versie van zijn verkiezing wil dat hij werd gebruikt om de sterkere kandidaten van ambitieuze en ervaren kardinalen uit de curie te belemmeren, die de centralistische Kerk wilden herstellen. Maar al in de eerste vreugdevolle dagen waren er tekenen aan de wand. De pauselijke secretaris, John Magee, vertelde dat hij de nieuwe paus eens huilend aantrof nadat die een bundel papieren over de balustrade van het apostolische paleis had laten vallen. Johannes Paulus scheen doodsbang te zijn voor staatssecretaris Villot, die later op de middag de documenten zou ophalen. De secretaris stuurde de paus naar bed om tot rust te komen. Terwijl Zijne Heiligheid in foetushouding zijn rozenkrans bad, liet Magee de Vaticaanse brandweer uitrukken om de over de daken verstrooide papieren bij elkaar te rapen.

Verpletterd door de zware verplichtingen van het ambt begon de nieuwe paus zich uitzonderlijk nederig te gedragen. Op een ochtend wilde hij per se als misdienaar dienen voor Magee toen de secretaris zijn privé-mis opdroeg. Magee vond hem 'een prachtige man'. Derek Worlock, aartsbisschop van Liverpool, raakte een snaar bij veel curiebeambten toen hij opmerkte: 'Ze hebben Peter Sellers tot paus gekozen.'

Luciani was duidelijk een pastorale keuze voor iemand die geen poging zou wagen om de hele Kerk te bestieren, maar volgens een Vaticaanse ambtenaar 'zou dit team het niet redden'. De vraag was: hoe zou hij omgaan met de machtige figuren binnen de curie? Aartsbisschop Paul Casimir Marcinkus, hoofd van de Vaticaanse Bank, vertelde mij in 1987: 'Het was niet alleen dat hij niet wist waar de verschillende afdelingen van de Heilige Stoel waren: hij wist niet eens wat ze deden.'

Maar toen beschikte de voorzienigheid of het lot. Op 28 september 1978 overleed Albino Luciani na een pontificaat van precies drie weken, waarschijnlijk aan een longembolie. De werkelijke oorzaak van zijn dood zullen we nooit te weten komen, want er is geen autopsie gepleegd. Al snel ging het gerucht dat prelaten binnen het Vaticaan met de maffia hadden samengezworen om gif in zijn koffie te strooien. Zie hier de gevolgen van onnodige geheimzinnigheid en onkundig management van de pers en openbare zaken.

In de herfst van 1978 kwamen de kardinalen opnieuw bijeen om een paus te kiezen, waarbij men ongetwijfeld dacht aan de mogelijkheid dat Albino Luciani simpelweg was verpletterd door de werkdruk, drie weken nadat hij aan zijn baan was begonnen. Ze zouden iemand moeten vinden die jong, gezond en ontembaar energiek was, een paus die niet al een machtige figuur binnen de curie was, en iemand die buitengewoon sterk was geweest als leider van de lokale Kerk; een man die zou inzien dat de lokale Kerk een leider nodig had.

Tegelijkertijd wilden ze een paus van het Tweede Vaticaans Concilie, iemand die niet meteen met de progressieven noch met de conservatieven werd geassocieerd. Hoewel geen zinnig mens de verstrekkende voordelen van het concilie zou betwisten, kon niemand ontkennen dat er tweedracht en ellende was ontstaan, die werd gekenmerkt door beschuldigingen over en weer. Sommigen meenden dat de hoogmoed en dwaasheid van een bepaalde groep de Kerk tot de rand van een calamiteit had gebracht; anderen vonden dat de Kerk aan de vooravond van een nog niet gerealiseerd tijdperk van gratie en opbloei werd tegengehouden. De Kerk splitste zich scherp op in een groep die vond dat de ontwikkelingen veel te ver waren gegaan, en een groep die meende dat de ontwikkelingen niet ver genoeg waren doorgevoerd. Zelfs voor sommige prominente progressieve geestelijken werd duidelijk dat de Kerk dreigde af te stevenen op een liturgische, doctrinaire en institutionele chaos. In de laatste jaren van Paulus VI haalden extreme gevallen de krantenkoppen: priesters die aan de salontafel de mis opdroegen, feministische 'nonnen' die door het middenpad dartelden, geestelijken die de overtuigingen en rituelen van de New Age-beweging omhelsden, alsook traditionalisten die van Rome eisten dat het Latijn en de disciplines van vóór het concilie in ere werden hersteld.

Wijlen Peter Hebblethwaite, voormalig hoofdredacteur van het jezuïtische blad *Month*, stond stil bij het nieuwe en verontrustende beeld dat was ontstaan: 'een op hol geslagen Kerk, stuurloos heen en weer slingerend'. Wijdverbreid bestond er een gevoel van angst. Zeer opmerkelijk was het commentaar van Henri de Lubac, die volgens velen verantwoordelijk was voor de strekking van het conciliaire vernieuwingsprogramma. Hij somde de problemen op:

> Het zich openstellen naar de te evangeliseren wereld is verworden tot een mediocre en soms scandaleuze wereldlijkheid [...] de arrogantie van theologen die hun denkbeelden aan de Kerk willen opleggen [...] kleine belangengroepen die de media domineren en hun best doen bisschoppen te intimideren [...] een valse campagne tegen het pauselijk gezag [...] een afwijzing van dogma's, politisering van het evangelie.

Henri de Lubac, een vriend van Wojtyła, was niet de enige prominente vooruitstrevende geestelijke wie de schrik om het hart was geslagen. Ook Hans Urs von Balthasar en Avery Dulles waren ernstig bezorgd. Evenals de eminente filosoof Jacques Maritain, die de conciliaire hervormingen zag verworden tot 'imminente apostasie'. Hadden de kardinalen een kandidaat tot hun beschikking die de toenemende verscheurdheid, de spanningen en vooral het gevoel van angst kon wegnemen en tegelijk kon waarmaken wat de concilievaders voor ogen had gestaan?

De uitslag van de negende stemming van het nieuwe conclaaf was indrukwekkend: 103 van de 109 stemmen gingen naar kardinaal Karol Wojtyła. Op de avond daarvoor, toen duidelijk werd dat hij de meeste stemmen zou krijgen, had men gezien hoe Wojtyła op zijn knieën en snikkend in de armen lag van kardinaal Wyszyński. Na zijn verkiezing zou hij helemaal ontspannen zijn, alsof hij wist dat het zo was voorbestemd. Hij nipte champagne en stond erop dat alle kardinalen die avond bij hem zouden dineren. Wyszyński, aangespoord door de vreugde van het moment, sprak profetische woorden; hij zei tegen Johannes Paulus dat hij de paus was die de wereld het derde millennium in zou leiden. Toen Wyszyński uit eerbetoon voor Wojtyła op zijn knieën viel, viel de paus, die jonger was dan hij, met hem mee op zijn knieën, en zette zo een aangrijpend tableau vivant neer van wederzijdse ootmoed.

Hij was de eerste niet-Italiaanse paus sinds 1522, en met zijn 58 jaar de jongste paus sinds Pius IX in 1846 op 54-jarige leeftijd tot paus was gekozen. Toen Karol Wojtyła op 16 oktober 1978 op het balkon boven het Sint-Pietersplein verscheen, was hij vrijwel een onbekende voor de wereld. De Italianen in de curie die een rang onder de kardinalen stonden, waren verbijsterd. Mijn jarenlange contactpersoon binnen het Vaticaan, een ambtenaar die ik monseigneur Sotto Voce noem, vertelde me:

> Ik zal de dag waarop hij werd gekozen nooit vergeten. Met een groep Italiaanse monseigneurs keek ik vanuit de loggia op het plein neer. Toen zijn naam bekend werd gemaakt, had ik de tegenwoordigheid van geest om me heen te kijken, zodat ik de reacties kon zien. Van pure schrik waren hun gezichten versteend – een buitenlander! Daarna zat de aloude *bella figura*-blik weer in de plooi en stonden ze te grijnzen en te applaudisseren!

Alsof Johannes Paulus II het vertrouwen wilde wekken van iedereen die zijn hart vasthield om de richting die de Kerk na het Tweede Vaticaans Concilie was ingeslagen, waren zijn eerste woorden aan de gelovigen op het Sint-Pietersplein en aan de rest van de wereld: 'Weest niet bang!' In zijn eerste toespraak als paus gebruikte hij wel vijf keer het woord 'collegialiteit'. Maar ook zei hij: 'We vinden het onze voornaamste plicht om, met wijs maar aanmoedigend beleid, de meest exacte uitvoering te stimuleren van de normen van het concilie [...] wat impliciet was, moest expliciet worden gemaakt in het kader van het experiment dat erop volgde, en gezien de nieuwe omstandigheden.' Voor degenen die er oor voor hadden, had deze kenschets heel goed als een waarschuwing kunnen klinken.

Vooruitstrevende geestelijken geloofden aanvankelijk dat dit een paus was die zou handelen in de geest van het concilie en onvoltooide hervormingen zou doorvoeren. De conservatieven daarentegen vertrouwden erop dat een prelaat die was voortgekomen uit het traditionele, door vijanden omringde Poolse katholicisme, vele verloren disciplines en waarden in ere zou herstellen en tegelijk het laatste restje hoop van katholieken met een socialistisch tintje de kop in zou drukken. Weinigen hadden een vermoeden hoezeer hij de progressieve kant van de toenemende kerkelijke tweespalt zou teleurstellen; weinigen vermoedden dat deze man, die samen met Wyszyński onafhankelijk van de diplomatieke aspiraties en het gezag van Rome de Poolse Kerk had bestuurd, een absolutistisch, centralistisch pauselijk gezag zou instellen.

Johannes Paulus was iemand die geloofde in zelfdiscipline en in institutionele discipline. Hij was priester geweest in het tijdperk van Pius XII, opgegroeid met voorbeelden als Vincent de Paul, de pastoor van Ars en de held uit *Le journal d'un curé de campagne* van Georges Bernanos. Kijkend naar de 'op hol geslagen kerk' vanuit de pauselijke pinakel zou hij niet geneigd zijn de zaken op hun beloop te laten. Hij zou de hele verantwoordelijkheid op zich nemen; hij zou de Kerk bij haar lurven pakken en de orde herstellen.

Dat dit een heel ander soort paus was, menselijk gezien dan, zag de secretaris van de vorige paus, de Ier John Magee, meteen. Toen ik hem in 1988 interviewde, vertelde hij me hoe hij hem die eerste dag aantrof in het pauselijk appartement:

> Hij zat aan zijn bureau. Zijn *zucchetto* zat scheef, zijn soutane was tot op zijn borst open geknoopt, hij droeg geen boordje en zat zijdelings aan zijn bureau te schrijven, niet zoals paus Paulus VI dat deed, rechtop en elegant, maar lummelig, met zijn hand onder zijn hoofd, als een man die liever aan sport doet dan studeert. Ik klopte aan en toen hij opkeek, zag ik het postuur van een man van de wereld – het was onpauselijk. Dit was een zeer menselijke, gewone man. Hij stond op en liep naar me toe. Hij liet me zijn ring niet kussen. Hij pakte me vast, legde zijn armen om me heen. 'Welkom thuis,' zei hij. 'Jij moet bij me blijven.' Hij vroeg niet of ik dat wel wilde. Hij zei alleen maar: 'Jij moet bij me blijven!'

Zijn nieuwe huishouden zou Pools worden. Bisschop Andrzej Maria Deskur, voorzitter van de Commissie voor Maatschappelijke Communicatie in het Vaticaan, die tijdens het conclaaf een beroerte had gekregen en de rest van zijn leven invalide zou blijven, werd een naaste vertrouweling die regelmatig bij Johannes Paulus zou dineren. Zijn secretaris uit Kraków, Stanisław Dziwisz, trok nu in het pauselijke appartement naast de eerwaarde John Magee om de secretariële kneepjes van het vak onder de knie te krijgen; een team van Poolse nonnen werd aangesteld om huishoudelijk werk te verrichten binnen de appartementen. Volgens Nigel West, expert op het gebied van geheime inlichtingen, verving Johannes Paulus 'de zogenaamde Ierse maffia, die al zo lang een groot deel van het Vaticaan had bestierd', met veertig Poolse priesters en nonnen die verslag uitbrachten bij Dziwisz.

Dziwisz, die uit een dorp kwam vlak bij het bekende vakantieoord Zakopane in de bergen, was een geoefend skiër. Hij werd geboren in 1939 en in 1963 gewijd. Nadat hij in een parochie had gewerkt, werd hij in 1966 tweede secretaris ofwel kapelaan van Johannes Paulus. Hij was zeer intelligent en had aanleg voor theologie, wat hem van meet af aan tot de perfecte bode maakte: zonder een eigen gezicht, vriendelijk maar streng, geheel gewijd aan het welzijn en de belangen van Karol Wojtyła. Ze waren volgens sommigen 'als vader en zoon'.

De nieuwe paus stelde snel een routine in die onveranderlijk bleef totdat hij op het eind van de eeuw ernstig verzwakt zou raken door de ziekte van Parkinson en artritis. Hij stond om halfzes op en bad in zijn kapel tot de mis van halfacht. Die mis werd bijgewoond door de nonnen uit zijn huishouden en ongeveer twintig bezoekers van buiten, die zorgvuldig door Dziwisz waren geselecteerd uit honderden verzoeken. Curiebeambten zouden na verloop van tijd zuur opmerken dat Dziwisz de neiging had conservatieven te selecteren, vooral leden van Opus Dei, neocatechumenaten en leden van de Legionairs van Christus. Volgens mij is deze kritiek apocrief, want zelf ben ik binnen een tijdsbestek van vier jaar twee keer door de selectie van Dziwisz gekomen om deze privé-missen bij te wonen, en beide keren mocht ik daarna Johannes Paulus privé spreken; niemand heeft mij ooit beschuldigd van conservatisme of van connecties met een van de genoemde groeperingen.

Na de mis en de dankbetuiging verwelkomde hij de bezoekers in zijn bibliotheek, en sommigen van hen werden uitgenodigd voor het ontbijt: broodjes, kaas, worst, koffie, vruchtensap. Rond halfnegen zat hij achter zijn bureau, waar hij ongestoord werkte tot elf uur, wat ook zijn routine was als kardinaal-aartsbisschop. Elke woensdag begroette hij om twaalf uur het publiek, zo'n achtduizend pelgrims, die daarvoor een kaartje bij het Vaticaans bureau hadden moeten bemachtigen. VIP's en zieke en stervende mensen kregen een speciale plaats vlak bij het podium. Andere privé-audiënties werden laat op de ochtend verleend op bijna alle dagen, behalve op dinsdag, die voor diplomaten, regeringsvertegenwoordigers en kerkleiders was gereserveerd, dit alles volgens afspraak met de prefect van het pauselijk huishouden of de staatssecretaris.

Om één uur lunchte hij, vaak met specialisten, om over een bepaald thema of een kwestie te praten, meestal in een taal die door alle aanwezigen werd begrepen. Dit waren werklunches met eenvoudige Italiaanse gerechten en een glas witte wijn; het aantal aanwezigen bleef meestal beperkt tot hooguit tien. Ze aten in een bescheiden eetzaal en werden door zijn butlers bediend. Hij was een aangename, ontspannen gastheer die niet stond op ceremonieel gedoe. Ook al leidde hij de discussie, hij luisterde goed.

Na de lunch hield hij een siësta van twintig minuten, waarna hij weer naar zijn werkkamer ging om nog een uur of twee documenten te bestuderen, voordat hij naar zijn dakterras zou gaan, hoog boven het apostolische paleis, waar hij een half uurtje wandelde terwijl hij de rozenkrans bad. Om halfzeven 's avonds ontving hij hoge ambtenaren van het Vaticaan, ieder op een andere dag van de week: de staatssecretaris op maandag en donderdag, de voor de buitenlandse betrekkingen verantwoordelijke hulpsecretaris op woensdag, Jozef Ratzinger op vrijdag. Johannes Paulus was niet zo dol op dossierwerk zoals Paulus VI, die soms tot twee uur 's nachts doorging voor hij ging rusten; de departementshoofden leerden zo om dienovereenkomstig selectief om te gaan met de stroom documenten.

Het avondmaal, een relatief lichte maaltijd, werd gebruikt om halfacht, meestal met gasten. Rond negen uur ging hij doorgaans terug naar zijn werkkamer om wat te lezen totdat hij na elf uur naar bed ging. Naar verluidt las hij soms negen of tien boeken tegelijk; zijn voorkeur ging uit naar theologie en filosofie. Ondanks zijn dagelijkse verplichtingen en verschillende missen die hij in overeenstemming met het liturgisch jaar opdroeg, ging Johannes Paulus in de loop van de dag regelmatig naar zijn privé-kapel voor stil gebed of om zijn brevier of rozenkrans te bidden. Hij liet de deuren van zijn werkkamer openstaan, zodat hij zich de hele dag bewust was van de aanwezigheid van de eucharistie. Eén keer per week ging hij te biecht bij een Poolse priester en regelmatig hield hij overwegingen bij de kruiswegstaties. Monseigneur Vincent Tran Ngoe Thu, een van zijn inmiddels gepensioneerde secretarissen, heeft opgemerkt dat hoewel Johannes Paulus twee telefoons had, hij die nooit zou gebruiken om zijn naaste medewerkers te ontbieden. 'Hij kwam altijd persoonlijk naar me toe, al was het maar om pennen of schrijfpapier te vragen. Hij heeft zijn stem nooit verheven, en was altijd oprecht geïnteresseerd in ons welzijn. Hij is een bijzonder vaderlijke paus.'

Dagelijks maakte hij routinematig ruimte vrij om te schrijven, altijd in het Pools. Hij had de beschikking over een computer toen die eind jaren tachtig gangbaar werd in het Vaticaan, maar hij schreef liever met de hand totdat dat door een ongeluk met zijn schouder en de voortschrijdende parkinson moeilijk werd. Vanaf toen dicteerde hij doorgaans aan Dziwisz. Niet al zijn geschriften en preken werden door hemzelf geschreven; maar totdat hij het door ouderdom en ziekte rustig aan moest doen, las hij alle documenten die in zijn naam waren geschreven en voegde daar zijn eigen gedachten aan toe. Als hij in Rome was, begroette hij 's zondags om twaalf uur de pelgrims vanuit zijn raam dat uitkijkt op het Sint-Pietersplein, bad het angelus en gaf een korte preek.

Al vroeg besloot Johannes Paulus een zwembad te laten aanleggen bij zijn zomerresidentie Castel Gandolfo. Anticiperend op bezwaren zei hij dat het goedkoper was dan weer een conclaaf. Hij leed aan rugklachten waarvoor rugzwemmen wordt aanbevolen. Zijn zwembadcomplex heeft een sauna, solarium en fitnessruimte. Johannes Paulus zou zichzelf zowel lichamelijk als geestelijk fit houden.

Aangezien Wojtyła geen favorieten had buiten zijn Poolse huishouden – afgezien van zijn opvallende relatie met Moeder Teresa (samen zongen ze luid kerkelijke gezangen) – was er in die begintijd nauwelijks gelegenheid voor afgunst en gekonkel. Hij permitteerde zich weinig pleziertjes afgezien van een enkele opbouwende film, zoals *Au revoir les enfants* van Louis Malle. Hij nam een Poolse bakker in dienst, die hij deelde met Andrzej Deskur.

Zijn eerste buitenlandse reis, die hij vier maanden nadat hij paus was geworden maakte, ging naar het heiligdom van Onze Vrouwe van Guadalupe in Mexico, waar hij ook deelnam aan een al vaststaande bijeenkomst van de Latijns-Amerikaanse Bisschoppenconferentie (CELAM). Op 26 januari 1979 vloog hij naar Mexico-stad en toen hij op het asfalt stapte, maakte hij het theatrale gebaar dat hem in de hele wereld beroemd zou maken: hij kuste de bodem van Mexico in navolging van de pastoor van Ars – daarmee aangevend dat hij was gekomen om zich zijn parochie toe te eigenen.

Het was geen toeval dat Johannes Paulus Latijns-Amerika uitkoos voor zijn eerste buitenlandse reis. Hier woonde de helft van 's werelds katholieke bevolking en het continent kampte met ernstige problemen: armoede, concurrentie van de protestantse evangelisatie, conflicten tussen katholieke religieuze ordes en hun bisschoppen. Enerzijds waren er de onderdrukkende, reactionaire regimes en anderzijds de, zoals Johannes Paulus hen beschouwde, klerikale politieke activisten die geïnspireerd waren door het marxistisch-leninisme – de bevrijdingstheologen.

Het werd onmiddellijk duidelijk dat hij niet in Puebla was om te observeren of zelfs maar om te 'participeren', maar louter om te dirigeren. De paus die de onderdrukking van het sovjetcommunisme aan den lijve had ervaren, ging de confrontatie aan. Zijn grootste bezorgdheid was de bevrijdingstheologie en haar uitgangspunt dat het kwaad een gevolg is van reactionaire sociale en politieke structuren; dat het menselijk welvaren wordt veiliggesteld door politieke strijd en sociale verandering. Voor de paus uit Polen zag de waarheid er anders uit: zonde kwam voort uit een diepe smet in onze natuur, geërfd van onze eerste ouders, en verlossing komt van Jezus Christus, Zijn Kerk en Zijn sacramenten.

Nadat hij de Latijns-Amerikaanse bisschoppen onomwonden op de gevaren had gewezen van het vermengen van de marxistische en de christelijke boodschap (hoewel hij daarmee het laatste woord nog niet gezegd zou hebben voordat hij definitief met de bevrijdingstheologie had afgerekend), ging hij door naar Cuilapan, waar hij voor een menigte van een half miljoen gelovigen preekte over vrijheid, onrecht en onderdrukking van het gewone volk. Met een felheid die aan woede grensde, plaatste hij het medelijden met en het opkomen voor de armen onder de beschermende mantel van de pauselijke zorg. Het volk reageerde extatisch.

Het langverwachte bezoek van Johannes Paulus aan Polen werd door de Poolse communisten net zo gevreesd als door het Kremlin. Nadat Johannes Paulus was verkozen, belde Joeri Andropov, toentertijd het hoofd van de KGB, de plaatselijke KGB-ambtenaar in Warschau en vroeg woedend hoe het mogelijk was dat het Poolse regime deze verkiezing had kunnen laten gebeuren. De ambtenaar zou hebben geantwoord dat men zich voor dergelijke vragen tot het Vaticaan moest wenden. Na een onderzoek van de KGB belandde er uiteindelijk een rapport op het bureau van Andropov met de bespottelijke theorie dat de pausverkiezing een Duits-Amerikaans plot zou zijn, onder leiding van kardinaal John Krol van Philadelphia en Zbigniew Brzezinski, de nationale-veiligheidsadviseur van de Amerikaanse president Jimmy Carter.

Wel stond vast dat met Johannes Paulus de Vaticaanse Ostpolitiek in één klap van koers veranderde. Onder Paulus VI werd er een zacht en inschikkelijk beleid gevoerd inzake het communisme, dat werd uitgevoerd door zijn secretaris voor de Raad van Openbare Zaken, aartsbisschop Agostino Casaroli. Casaroli wilde graag contact houden met communistische regeringen in de hoop dat op een dag de antireligieuze vooringenomenheid van deze regimes zou afnemen. 'Wanneer en of die dag komt,' zei Casaroli, 'de communicatiekanalen van de Heilige Stoel zullen in ieder geval openstaan en klaar zijn voor gebruik.' De zwakheid van zijn argument was dat als die dag ooit kwam, het personeel binnen het regime dat die kanalen vertegenwoordigde, zou zijn weggewerkt.

Johannes Paulus' benadering van communistische regimes daarentegen was er een van een intelligente en berekenende onverzoenlijkheid. Hij zou niet om gunsten vragen; hij zou staan op vrijheid van godsdienst, op het volledige repertoire van mensenrechten; er was geen sprake van inschikkelijkheid. Maar hier lag een bron van paradoxen en tegenstellingen voor de toekomst van zijn pausschap. Net zoals het een aantoonbare misser was geweest van Paulus VI en Casaroli om inschikkelijkheid na te streven met totalitaire machthebbers, zo was het duidelijk een fout van Johannes Paulus dat hij zich bleef gedragen als de plaatselijke kerkleider van Polen. Johannes Paulus stond in 1979 op een uniek historisch en persoonlijk kruispunt. Hij was het levende symbool van zowel de plaatselijke als de universele Kerk. In de loop der tijd zou hij gaan geloven dat hij zowel een plaatselijke als een universele herder moest en zou zijn onder alle omstandigheden voor heel de Kerk.

In zijn eerste brief aan de wereld, *Redemptor hominis* (De verlosser van de mens), gepubliceerd op 4 maart 1979, hield Johannes Paulus een vurig pleidooi voor de universele mensenrechten. En hij maakte duidelijk dat hij met name dacht aan het Poolse volk, dat slachtoffer was geworden van het sovjetsysteem. 'Tot deze rechten,' schreef hij, 'worden terecht het recht op godsdienstvrijheid en het recht op vrijheid van geweten gerekend.'

In dezelfde encycliek waren echter al omineuze tekenen aanwezig van wat dissidenten te wachten stond die binnen de katholieke Kerk hun recht op vrijheid van geweten zouden uitoefenen. Hij spoorde katholieke theologen aan zich 'in nauwe samenwerking' te verplichten 'aan het magisterium', het centrale leergezag dat pauselijk is goedgekeurd. Hij stond inderdaad voor een dilemma. Moest hij een oogje dichtknijpen voor een randfiguur als de New Age-theoloog Matthew Fox, lid van de dominicaanse orde die in samenwerking met de witte heks Starhawk uit Californië zijn eigen versie van het katholicisme had gecreëerd? Moest hij straffeloos toestaan dat aartsbisschop Marcel Lefebvre, de afgescheiden aartsconservatieve prelaat, verklaarde dat het Tweede Vaticaans Concilie ketters was? Zijn vaste besluit om discipline uit te oefenen legde helaas zware beperkingen en straffen op aan creatieve theologen die eerder non-conformistisch en anders waren dan dwalend of ketters.

Al voor het einde van zijn eerste jaar als paus had hij wel drie keer de Vlaamse theoloog Edward Schillebeeckx ontboden voor een kruisverhoor. Deze Vlaamse geestelijke van de dominicaanse orde had een driedelige studie geschreven over de persoon van Jezus Christus, waarin hij filosofeerde over het veronachtzaamde aspect van Jezus als mens, in plaats van als de opgestane Christus, de Zoon van God, en waarin hij Jezus vergeleek met profeten uit het Oude Testament en met andere figuren uit de grote wereldreligies. Bovendien beschouwde Schillebeeckx de Kerk als de manifestatie van Jezus Christus in gemeenschappen die bij elkaar kwamen om te bidden, en niet in het Vaticaan en diocesane ambten: dat was nou niet bepaald een boodschap die een universele herder graag verspreid zag.

Een ander vroeg slachtoffer was Hans Küng, de Zwitserse priester-theoloog. Met een beroep op de documenten van het Tweede Vaticaans Cancilie benadrukte Küng de idee van een kerk die voortdurend in beweging is, voortdurend verandert. De Kerk was het pelgrimsvolk van God, ondergeschikt aan het koninkrijk Gods, waarvan zij de heraut en dienaar is. Küng wierp moedig vragen op over de hiërarchie binnen de Kerk en over de pauselijke onfeilbaarheid. In 1979 trok het Vaticaan Küngs onderwijsbevoegdheid in; desondanks zou de invloed van deze theoloog niet afnemen.

Ondertussen was de sovjetminister van Buitenlandse Zaken Andrej Gromyko op 24 januari 1979 naar het Vaticaan gekomen om met de nieuwe paus te praten en zich een beeld van hem te vormen. Gromyko, die geen vreemde was in het Vaticaan, herinnerde de paus aan zijn vredesboodschap. Johannes Paulus wilde het echter hebben over godsdienst en de obstakels voor de godsdienstvrijheid achter het IJzeren Gordijn. In de herinnering van Johannes Paulus aan deze ontmoeting zou Gromyko vervolgens opsnijden dat de kerken in Wit-Rusland, waar hij vandaan kwam, vol zaten. Johannes Paulus besloot deze kwestie verder maar met rust te laten.

In april 1979 overleed staatssecretaris kardinaal Jean Villot en Johannes Paulus verving hem door Agostino Casaroli, de architect van de Vaticaanse Ostpolitik die onder Paulus VI bekendstond om zijn verlangen naar een dialoog met de sovjetleiders. De aanstelling was een briljante zet, want het betekende het einde van het oude beleid en bracht Casaroli, met zijn buitengewone intelligentie en ervaring binnen de curie en in diplomatieke kringen, veel dichter bij Johannes Paulus. Tegelijk bleef Casaroli voor de Sovjets, die bekend waren met het onschadelijk maken van figuren die politiek hadden gefaald, hun belangrijkste schakel met de paus. Maar Casaroli en Johannes Paulus waren twee zeer verschillende mannen.

Er waren moeilijkheden genoeg voor de nieuwe staatssecretaris toen de onderhandelingen over de eerste pauselijke reis naar Polen werden voortgezet. Maar de Poolse partijchef Edward Gierek begon het nu echt benauwd te krijgen. Een paar jaar later zou Gierek een telefoongesprek weergeven dat hij toentertijd met sovjetleider Leonid Brezjnev had gevoerd. Toen Gierek vertelde dat hij Johannes Paulus een respectvolle, maar bescheiden ontvangst wilde geven, antwoordde Brezjnev: 'Volg mijn advies op en ontvang hem helemaal niet. Daar krijg je alleen maar last van.' Toen Gierek riposteerde dat de Poolse president er echt niet onderuit kwam de paus uit te nodigen, stelde Brezjnev: 'Hij kan publiekelijk verklaren dat hij wegens ziekte niet kan komen.' Tot slot zei Brezjnev: 'Doe wat je goeddunkt. Maar zorg ervoor dat je er later geen spijt van krijgt.'

9
De universele herder

Op pinksteravond, zaterdag 2 juni 1978, stond Johannes Paulus, die nog geen negen maanden paus was, voor een menigte van meer dan een miljoen mensen in het hart van zijn geboorteland – het Victorieplein in Warschau. 'Kom Heilige Geest,' bad hij, 'vul de harten van de gelovigen en vernieuw het oppervlak der aarde.' Onder het extatisch geloei van de massa voegde hij daaraan toe, 'van déze aarde', waarbij hij met een zwaai van zijn rechterhand aangaf dat hij sprak over het land en het volk van Polen. Als er een beslissend moment in zijn pontificaat is geweest, dan was het deze historische verklaring die hij in het centrum van zijn onderdrukte land deed. Daarna begon de menigte te scanderen: 'Wij willen God! Wij willen God!' Overal in het land weerklonken kerkklokken. De schrijver Neal Ascherson, die er die dag bij was, vertelt dat een jongen zich naar hem omdraaide en zei: 'Het is alsof ik nooit eerder iemand heb horen spreken.' Mensen begonnen te huilen; als verdwaasd liepen ze door de straten, verbijsterd door wat ze hadden gezien en gehoord.

Binnen negen dagen trad hij veertig keer zeer theatraal in het openbaar op. Drie dagen daarvan werden doorgebracht in Częstochowa, waar hij een ceremonie hield om Polen te wijden aan Onze Lieve Vrouwe, 'de Koningin van Polen'. Niet één keer noemde hij de Sovjet-Unie, maar toen hij Gierek begroette, verklaarde hij: 'Het is de taak van de Kerk ons volk zelfverzekerder, verantwoordelijker, creatiever en nuttiger te maken. Voor deze activiteit verlangt de Kerk geen privileges, maar hooguit en alleen maar dat wat nodig is om deze taak te verrichten.'

De historicus Timothy Garton Ash heeft deze reis omschreven als de 'meest bizarre pelgrimage in de geschiedenis van modern Europa'. Johannes Paulus reisde zowel door zijn eigen Poolse verleden als door het verleden van zijn land: hij bezocht Gniezno, de plaats waar het Poolse katholicisme is ontstaan, het heiligdom van de Zwarte Madonna in Częstochowa, zijn geliefde Kraków en de heiligdommen van Kalwaria. Daarna bezocht hij Auschwitz. Hij wees erop dat hij een Slavische paus was die niet alleen een missie had voor de Polen, maar ook voor de Tsjechen, Slowaken, Slovenen, Serviërs, Kroaten, Bulgaren, Oekraïners en Russen. Refererend aan de groep pelgrims uit deze landen die aan de Poolse grens waren teruggestuurd, zei hij: 'Het zou een droeve zaak zijn als we moesten aannemen dat elke Pool en Slaaf, waar ter wereld ook, niet in staat is de woorden te horen van de paus, van deze Slaaf.'

Vanuit het perspectief van een Europa dat nog door de Koude Oorlog werd verdeeld, vertelde hij zijn landgenoten iets ongehoords. Hij vertelde dat hij als Slavische paus een bijzondere opdracht had: de eeuwenoude kloof te dichten tussen het christendom van het Oosten en het Westen. Dit doel, zei hij, viel onder de verantwoordelijkheid van de huidige generatie Polen. 'De toekomst van Polen,' verklaarde hij, 'hangt af van de hoeveelheid mensen die bereid zijn non-conformistisch te zijn.'

Johannes Paulus' filmische knapheid, zijn persoon, het gevoel dat hij uitstraalde van macht en tegelijk van een diepe en betrokken spiritualiteit, maakte hem op slag populair. Op zijn eerste buitenlandse reizen vestigde hij zijn naam als de wereldwijd bekende *celebrity*-paus en overal waar hij kwam, werd hij als een popster bestormd. Op het omslag van *Time* werd hij 'John Paul Superstar' genoemd. De gelovigen raakten zodanig in vervoering van zijn persoonlijkheid dat het slechts weinigen zorgen baarde dat, terwijl de camera's constant op hem gericht waren, zijn bisschoppen bijgevolg in status en gezag werden gedegradeerd. De camera had alleen maar oog voor hem.

In oktober 1979 sprak hij tot de Algemene Vergadering van de Verenigde Naties in New York tegen de achtergrond van een oplevende angst voor een wapenwedloop tussen het Westen en het Oostblok. Hij stelde dat de landelijke en internationale politiek over mensen ging. Het 'komt van mensen, wordt door mensen uitgevoerd, en het is ten behoeve van mensen', zei hij. De vrede wordt altijd bedreigd, betoogde hij, wanneer de menselijke waardigheid wordt bedreigd. Bedreigingen van de vrede kwamen volgens hem voort uit politieke systemen die vormen creëerden van 'een samenleving waarin de praktische uitoefening van vrijheid mensen ertoe veroordeelt een tweede- of derderangsburger te worden'. Die avond droeg hij een mis op voor 75.000 mensen en de dag daarna sprak hij een menigte jongeren toe in Madison Square Garden. Terwijl hij door de arena werd gereden, begon het publiek woorden te scanderen die een soort mantra voor de jeugd zouden worden: 'John Paul II, we love you!' Zo ging dat door: in Philadelphia begroette hij een miljoen gelovigen in de Logan Circle, daarna ging hij door naar Iowa, Des Moines en Chicago.

In die laatste stad bleek zijn goedaardige verschijning voor extatische mensenmassa's achter gesloten deuren een masker te zijn van een veel strengere persoonlijkheid. In een toespraak aan de bisschoppen van de Verenigde Staten verzocht hij hen dringend om anticonceptie, abortus, homoseksualiteit en echtscheiding af te wijzen. Heiligheid, zei hij, moet 'de hoogste prioriteit zijn in ons leven en ons ambt'. Hij vond dat bisschoppen bereid moesten zijn de waarheid te zeggen, ook als het culturele tij niet meezit. Ze moesten de praktijk van het biechten en het respect voor de liturgie nieuw leven inblazen.

Hij was Johannes Paulus de bevrijder; maar zijn bevrijdingsboodschap had op iedere plek een zorgvuldig afgewogen betekenis. In Latijns-Amerika waarschuwde hij tegen het kwaad van de bevrijdingstheologie; in Polen had hij opgeroepen tot bevrijding van het totalitarisme; nu predikte hij in de Verenigde Staten tegen de homo- en vrouwenemancipatie, die volgens hem maar tot abortus zou leiden. Hij was zich er scherp van bewust dat grote groepen Noord-Amerikanen niet geneigd waren te geloven dat hun geaardheid en levenskeuzen inherent zondig waren. Zij wilden bevrijding van een absolutistische morele autoriteit. De paus was gekomen om hen van hun dwaling terug te brengen.

Tijdens een mis in Washington DC, waarbij zevenhonderd nonnen aanwezig waren, kreeg de katholieke wereld een idee van wat een dialoog met paus Johannes Paulus inhield. Zuster Mary Theresa Kane, president van de 'Leadership Conference of Women Religious', die een pak droeg in plaats van een habijt, hield een welkomstrede. Ze wilde de paus duidelijk maken wat er omging in de katholieke vrouw. Ze smeekte hem:

> met compassie te luisteren en de signalen op te vangen van de vrouw, die de helft uitmaakt van de mensheid. Als vrouw hebben we geluisterd naar de krachtige boodschap van onze Kerk over het belang van waardigheid en respect voor iedereen. Als vrouw hebben we over deze woorden nagedacht. Onze overdenking brengt ons ertoe te zeggen dat de Kerk in haar roep om respect en waardigheid, een daad moet stellen door vrouwen, als mensen, toe te laten tot alle geestelijke ambten binnen onze Kerk.

Toen Johannes Paulus het woord nam, negeerde hij alles wat deze vrouw had gezegd en stak hij een preek af waarin hij de religieuze toewijding verheerlijkte als een huwelijk met Jezus Christus. Ook gaf hij de aanwezige nonnen een uitbrander omdat ze niet 'een eenvoudige en gepaste habijt' droegen.

Naarmate hij zijn draai begon te vinden in de Heilige Stoel in Rome en steeds grotere buitenlandse reizen maakte, leek hij bij de massa populairder dan ooit en gedroeg hij zich nog autoritairder tegenover zijn bisschoppen. De Nederlandse bisschoppen hadden een neiging vertoond hun eigen problemen zelf op te lossen. Hun 'Nieuwe katechismus', met zijn moderne uitgangspunten, werd door de curie gekwalificeerd als inadequaat; de Nederlanders hadden eigen inzichten over het seminarieonderwijs (die achteraf zowel verstandig als profetisch zouden blijken te zijn), die door Rome werden betreurd. Johannes Paulus organiseerde een 'Particuliere Synode' voor Nederland, die hij zelf voorzat: het werd een oefening in pauselijk gezag over elk aspect van de Nederlandse initiatieven, van de benoeming van hun bisschoppen tot de oecumene. Alles moest naar het Italiaans worden vertaald, zodat Johannes Paulus elk woord kon verstaan. Op een bepaald moment leunde Johannes Paulus voorover en fluisterde hij naar zijn tolk, die geen Nederlander was: 'Soms is jouw vertaling duidelijker dan wat de man zelf heeft gezegd...' Het was duidelijk dat de zo gewenste 'collegialiteit' onder zijn bisschoppen was verworden tot pauselijk crisismanagement.

Aan het begin van zijn pontificaat hield Johannes Paulus soortgelijke exercities, toen hij de bisschoppen van de Oekraïne, Italië en Hongarije naar het Vaticaan liet komen om hun de wacht aan te zeggen. Hij meende bijvoorbeeld dat de Hongaarse bisschoppen zich slap gedroegen, dat ze moesten doen wat hij als kardinaal-aartsbisschop had gedaan in Polen. Zonder een spoor van ironie liet hij hun weten: 'De paus zal Hongarije pas bezoeken als de kardinaal geleerd heeft met zijn vuist op tafel te slaan.' Daarna ging hij weer verder met zijn reizen.

In mei 1980 reisde hij naar Afrika, eerst naar Zaïre, waar hij een waarschuwingsschot loste naar critici die meenden dat hij zijn pauselijke boekje te buiten ging: 'Sommige mensen,' zei hij in Kinshasa,

> menen dat de paus niet zo veel zou moeten reizen. Hij zou gewoon in Rome moeten blijven, zoals vroeger. Ik krijg dit advies regelmatig of lees het in de kranten. Maar de mensen hier zeggen: 'God zij dank voor uw komst, want

> alleen door te komen, leert u meer over ons. Hoe kunt u onze herder zijn zonder ons te kennen? Welk historisch moment beleven wij, als u niet weet wie wij zijn en hoe wij leven?' Dit sterkt mijn geloof dat het tijd wordt dat de bisschoppen in Rome [...] niet alleen Petrus navolgen, maar ook de heilige Paulus die, zoals bekend, niet stil kon zitten en altijd op pad was.

De paus die zichzelf als de opvolger van Petrus en Paulus zag, reisde door naar Brazzaville, de hoofdstad van Kongo, ging toen terug naar het noordoosten van Zaïre en vervolgens door naar Kenia, waar hij in Nairobi een paar woorden Swahili sprak. Daarna ging hij verder naar Accra, de hoofdstad van Ghana. Hij reisde gestaag door, naar Opper Volta en de Ivoorkust, voordat hij terug naar Rome vloog. Als er één gebeurtenis was die de sfeer van deze Afrikaanse reis goed trof, dan was dat wel zijn bezoek aan het Uhuru Park in Nairobi, waar hij een hoofdtooi van struisvogelveren droeg, in zijn ene hand een schild van luipaardvel vasthield en in zijn andere hand een speer. Tot de enorme mensenmassa zei hij: 'Christus is niet alleen God, maar ook mens. Als mens is hij ook Afrikaan.' Ondanks dit fotogenieke gebaar van inculturatie, berispte hij achter gesloten deuren regelmatig de Afrikaanse bisschoppen omdat ze heidense praktijken vermengden met het katholicisme.

Terug in Europa richtte hij zijn aandacht eerst op Frankrijk, dat volgens hem afgleed in onverschilligheid en ontkerkelijking. Op 2 juni begon hij aan zijn vierdaagse bezoek aan *'la fille aînée de l'église'* (de oudste dochter van de Kerk), zoals Frankrijk wordt genoemd, met een toespraak voor de gedelegeerden van de Unesco, de VN-organisatie van internationale samenwerking inzake opvoeding, wetenschap en cultuur. De Unesco, toentertijd een marxistisch-leninistisch bolwerk onder de verklaard communistische directeur-generaal Amadou-Mahtar M'Bow, was verwikkeld in een confrontatie met het Westen, in het bijzonder op het gebied van de vrijheid van meningsuiting en drukpers. In het jaar daarvoor had de Unesco een studie over 'communicatieproblemen' gepubliceerd onder het voorzitterschap van de Ierse advocaat en communist Sean McBride. McBride deed een voorstel tot een gecontroleerde, sovjetachtige mediastijl voor de Derde Wereld en wees de kapitalistische media af als zijnde cultureel imperialistisch. De Verenigde Staten, ervan overtuigd dat de Unesco zijn reikwijdte gebruikte om de democratie en het kapitalisme aan het wankelen te brengen, trokken hun financiële steun aan de organisatie in.

Dit was dé kans voor een prominente anticommunistische bevrijder om openlijk kleur te bekennen. Maar als er al in het begin een teken was van het feit dat Johannes Paulus hopeloos kon afdwalen en een gelegenheid totaal verkeerd kon inschatten, dan was dat wel zijn toespraak voor de Unesco. In een gezwollen en omslachtige overpeinzing begon hij op zijn eigen autodidactische wijze in tenenkrommend Frans te filosoferen om te laten zien dat hij net als de marxistische Franse literaire theoretici het jargon kende. Terwijl de afgevaardigden met stijgende verbazing zaten te luisteren, begon hij over de mens als 'ontisch cultureel subject'. Dit 'ontisch cultureel subject', vervolgde hij, terwijl hij naar de kern van zijn betoog toe werkte, 'bevat op zichzelf de mogelijkheid om terug te gaan, in tegengestelde richting, naar de ontisch-causale afhankelijkheden'. De communicatieproblemen, jarenlang hét grote aandachtspunt van de Unesco, kwamen die dag pijnlijk aan het licht.

Zulke duistere taal bezigde hij niet toen hij de Franse bisschoppen ervan beschuldigde dat ze zich schuilhielden in hun bolwerken en niet in staat waren de ontkerkelijking tegen te gaan. Waar waren ze mee bezig, vroeg hij. Waren zij niet de dragers 'van het evangelie en heiligheid, die een bijzondere erfenis is van de Kerk van Frankrijk? Behoort het christendom niet immanent tot de geest van uw natie?' Niet minder bot was hij tegen de 350.000 mensen die naar hem kwamen kijken op vliegveld Le Bourget: 'Bent u trouw aan de geloften van uw doop?' donderde hij.

Vervolgens vloog hij op 30 juni naar Brazilië voor een bezoek van twaalf dagen. Daar vonden weer de vertrouwde taferelen plaats: een half miljoen jongeren onthaalden hem in Belo Horizonte en scandeerden 'Johannes van God! Onze Koning!', dat dé kreet werd door dat enorme uitgestrekte land waar hij doorheen reisde, over de vlakten, door woestijnen, jungles, dorpen, stadjes en wereldsteden. Overal trad hij minzaam, medelevend, sympathiek op, wandelend door de *favellas* of in een draagstoel langs rivieroevers. Maar achter gesloten deuren tegenover de bisschoppen was hij autoritair. Er gebeurde veel in Brazilië dat hem niet beviel: massale afvalligheid naar de protestantse evangelisatie, het politieke activisme van priesters en de vermenging van katholicisme met plaatselijke magie. In Recife hield hij tegen de bisschoppen een preek van vier uur. De Kerk, zei hij tegen hen, is niet van deze wereld; ze moesten de pauselijke sociale leer in acht nemen en alles doen wat in hun vermogen lag om de eenheid te herstellen. Ze moesten liefde geven aan de armen, maar zich verre houden van de klassenstrijd. Revolutionaire priesters duldde hij niet. Hij liet de bisschoppen verbijsterd achter.

De houding van Johannes Paulus ten opzichte van de bevrijdingstheologie had na de bijeenkomst in Puebla in januari 1979 vastere vorm gekregen. Hij zou zich niet gewonnen geven aan wat hij beschouwde als het marxistisch-leninisme binnen de Kerk en evenmin zou hij toegeven dat het pauselijk gezag niet meer te bieden had dan alleen het diepste en meest oprechte medelijden met de armen in de wereld. Het belangrijkste werk binnen de bevrijdingstheologie was *Theologie van de bevrijding* van Gustavo Gutiérrez, een theoloog uit Peru. Tot op zekere hoogte in navolging van Marx beweerde Gutiérrez dat de klassenstrijd een feit is en dat het onmogelijk is om neutraal te blijven. 'Als symbool voor de bevrijding van de mens en de geschiedenis zou de Kerk in haar concrete bestaan een plaats moeten zijn van bevrijding,' schreef hij. 'Het breken met een onrechtvaardige sociale orde en de zoektocht naar nieuwe kerkelijke structuren[...] krijgen steun vanuit dit perspectief.'

De bevrijdingstheologie vertoonde duidelijk geen gelijkenis met het stalinistische sovjetcommunisme. De meest voor de hand liggende historische en culturele parallel was duidelijk het politieke activisme van de Kerk in het Polen van Wojtyła. Het cruciale verschil was echter dat de bevrijdingstheologie een praktische emancipatie voorstond, die zelfs deelname aan gewapende strijd niet uitsloot. De werkelijkheid van de wereld, doceerde Gutiérrez, moest worden ontdekt in een praktisch engagement (praxis) met de strijd van de onderdrukten.

In Nicaragua bijvoorbeeld was de bevrijdingstheologie de ideologische basis geworden van de sandinistische revolutie. Vier katholieke priesters maakten deel uit van het sandinistische kabinet, onder wie de priester en dichter Ernesto Cardenal als minister van Cultuur. (Toen Johannes Paulus hem eindelijk in 1983 ontmoette op zijn reis naar Nicaragua, knielde Cardenal in burgerkleren voor hem neer, maar Johannes Paulus trok zijn hand terug en wees een boze vinger naar hem. 'Jij moet je standpunt over de Kerk herzien,' zei hij.)

Toch was het verzet van Johannes Paulus tegen priesters en bisschoppen die betrokken waren bij de politiek, tegenstrijdig met zijn eigen politieke betrokkenheid in de jaren zeventig in Polen. Hij was bijvoorbeeld met name gekant tegen de activiteiten van Evaristo Arns uit São Paulo, een tegenstander van de Braziliaanse regering, die hij beschuldigde van onderdrukking van de armen. Ook stond hij niet achter het verzet van aartsbisschop Oscar Romero tegen de regering van El Salvador. Op 24 maart 1980 werd Romero neergeschoten door soldaten terwijl hij de mis opdroeg in de kapel van het ziekenhuis waar hij woonde. De dag daarvoor had hij het leger en de politie opgeroepen te luisteren naar hun geweten en te stoppen met het folteren en vermoorden van hun Salvadoraanse landgenoten.

Opvallend aan de moedige uitgesprokenheid van Romero was zijn eerdere berustende houding. Hij was een timide, conservatieve prelaat die zich zonder morren had neergelegd bij het regime. Op zestigjarige leeftijd echter onderging hij een vorm van bekering na de moord op zijn vriend de jezuïet Rutilio Grande door een doodseskader. Vanaf toen luisterde hij naar de *campesinos* die elke dag naar zijn werkkamer kwamen toegestroomd om hem over hun lijden en angsten te vertellen. Hij begon zich uit te spreken tegen de onrechtvaardigheid en corruptie in El Salvador, vooral tegen rijke families die knoeiden met verkiezingsuitslagen en militaire coups beraamden. In zijn preken die elke week vanuit zijn kathedraal werden uitgezonden, veroordeelde hij de schending van mensenrechten. Hiermee liep hij uit de pas met de conservatieve hiërarchie, en ook met Johannes Paulus, die hem een 'politieke priester' noemde.

De jezuïet Michael Campbell-Johnston, die in een stedelijke parochie werkte in El Salvador, heeft over Oscar Romero geschreven: 'Hij was in onze tijd een grote heilige. Hij deinsde er niet voor terug enkele van de grootste hedendaagse problemen aan te kaarten: de vergroting van de kloof tussen arm en rijk en het geweld dat wordt veroorzaakt door sociale ongelijkheid.' De dood van Romero riep herinneringen op aan de dood van Johannes Paulus' geliefde Sint Stanisław, de aartsbisschop die door zijn koning werd vermoord. Maar Johannes Paulus weigerde koppig van hem een heilige martelaar te maken.

Na verloop van tijd echter zou Johannes Paulus zijn kritiek op de bevrijdingstheologie aanpassen. Zo zou hij later de bisschoppen van Brazilië verzekeren dat bepaalde aspecten van deze denkwijze 'niet alleen opportuun, maar ook nuttig en noodzakelijk' waren. Bovendien zou hij in datzelfde jaar nog in zijn encycliek *Dives in misericordia* (Over goddelijke barmhartigheid) zich kritisch uitlaten over het kapitalisme. Hij schreef over het 'fundamentele gebrek, of beter gezegd een aaneenschakeling van gebreken, een gebrekkige machinerie zelfs [...] aan de basis van de hedendaagse economie en de materiële beschaving', gebreken waardoor de menselijke familie vastloopt in 'radicaal onrechtvaardige situaties', die tot honger leiden in een wereld van overvloed.

Zijn volgende bezoek was aan een andere Kerk die naar zijn mening streng moest worden toegesproken: die van West-Duitsland. West-Duitsland, een van de grootste katholieke kerkelijke gebieden in de ontwikkelde wereld, was van oudsher een hoogopgeleid, welvarend, onafhankelijk land. Hij wilde de bisschoppen de les lezen over de seksuele moraal, die naar zijn stellige overtuiging humanistisch en niet autoritair was. De bisschoppen moesten mannen en vrouwen ontraden om te gaan samenwonen of een 'proefhuwelijk' aan te gaan, zoals hij dat noemde, 'want men kan niet slechts op proef liefhebben, een persoon slechts op proef en voor beperkte tijd accepteren'. Hij droeg de bisschoppen op 'progressieve' katholieken aan te moedigen hun valse dichotomie tussen het gezag en de menselijke vrijheid los te laten, en de conservatieven te doen inzien dat het Eerste en het Tweede Vaticaans Concilie vanuit een en dezelfde Kerk kwamen. Hij gaf geen commentaar op de roep van progressieve geestelijken in Duitsland om meer collegialiteit, meer inspraak voor de plaatselijke Kerk en meer lokale vrijheid in de keuze van bisschoppen.

Terug in Rome echter werden het Tweede Vaticaans Concilie en de collegialiteit op cruciale wijze op de proef gesteld tijdens de eerste grote synode onder zijn gezag. Paulus VI wilde dat alle bisschoppen ter wereld op consultatieve basis konden deelnemen aan het bestuur van de Kerk vanuit het Romeinse centrum. De synoden waren onder Paulus geen succes en nu hoopten veel bisschoppen dat Johannes Paulus eindelijk de synoden in overeenstemming zou brengen met Vaticanum II. Hij zou hen diep teleurstellen.

De eerste synode tijdens het pontificaat van Johannes Paulus, in 1980, ging over het gezin en seksualiteit. Een aantal belangrijke bisschoppen wilde het hebben over anticonceptie en de abnormale situatie van katholieken die opnieuw getrouwd waren na een scheiding zonder officiële ontbinding van het eerdere huwelijk. Na een synode van een maand zette Johannes Paulus zijn handtekening onder de apostolische exhortatie getiteld *Familiaris consortio* (Taken van het gezin), waarbij het verbod op anticonceptie uit *Humanae vitae* van Paulus VI werd bevestigd. Volgens de onderzoekingen van Thomas J. Reese in zijn boek *Inside the Vatican* was de exhortatie slechts voor vijftien procent gebaseerd op de visies van de bisschoppen. Terugziend op de synode verklaarde Johannes Paulus dat het document 'de consensus weerspiegelde van de Wereldsynode van Bisschoppen over het Gezin uit 1980'. Als er al een consensus werd weergegeven, dan was het een consensus zoals die alleen door Johannes Paulus werd gedefinieerd.

Onder Johannes Paulus zou de invloed van de synode in de loop der jaren steeds meer worden uitgehold, totdat ze niet meer was dan een gespreksgroepje dat niet bij machte was de Kerk te beïnvloeden. Hij woonde alle bijeenkomsten bij, een dreigende aanwezigheid. Op een van de synodes zag men hem lezen in zijn brevier terwijl de bisschoppen individueel hun nederige suggesties deden, alsof hij duidelijk wilde maken dat hij niet van plan was te luisteren naar wat er gezegd werd. Collegialiteit onder Johannes

Paulus zou gaan betekenen gedeeld gezag naar het inzicht van de Heilige Vader zelve. Gezien vanuit de vurige hoop op collegialiteit die in de jaren zestig was gewekt, was het bestuur van de Kerk teruggekeerd naar de stand van zaken onder Pius XII, de oorlogspaus, die bekend is om zijn uitspraak: 'Ik wil geen medewerkers, alleen mensen die mijn bevelen uitvoeren.'

In Polen ondertussen verrees in de zomer van 1980 de vakbeweging Solidariteit naar aanleiding van een havenstaking in Gdańsk onder aanvoering van Lech Wałęsa. De onrust was ontstaan nadat de overheid de prijzen op verschillende vleesproducten met wel honderd percent had verhoogd, wat leidde tot demonstraties voor redelijke kosten van het levensonderhoud en het recht om te staken. In augustus legden in Gdańsk de havenarbeiders hun werk neer en schaarden ze zich vervolgens rondom een kruisfiguur; een mis voor de arbeiders die bij de rellen in 1970 waren vermoord, leverde de karakteristieke synergie op tussen Kerk en vakbond.

Kardinaal Wyszyński bleef op de vlakte tijdens deze ontwikkelingen uit angst voor een door het Warschaupact gemotiveerde wrede invasie met als doel het arbeidersverzet te breken. Op 26 augustus, de dag van Onze Lieve Vrouwe van Częstochowa, hield hij een preek waarin hij de vakbond dringend verzocht een compromisvoorstel van de regering te accepteren. De volgende dag moedigde Johannes Paulus, terwijl de hele communistische wereld meeluisterde, de arbeiders aan te blijven staken totdat hun rechten werden erkend. De Poolse Bisschoppenconferentie ging snel achter hem staan. Uiteindelijk kregen de arbeiders van de overheid gedaan dat hun recht op een legale vakbond werd erkend. En zo ontstond geleidelijk en met groeipijnen het vakverbond Solidariteit, nog onbestendig en met vele gevechten voor de boeg. Vanaf dat moment totdat anderhalf jaar later de staat van beleg zou worden afgekondigd, zou Solidariteit groeien tot tien miljoen leden.

Ondertussen werd de Poolse leider Edward Gierek vervangen door Stanisław Kania, een voormalige chef binnenlandse veiligheid die Polen terug wilde brengen naar de communistische 'normen' en Solidariteit wilde wurgen in ambtelijke bepalingen. Maar hoe meer Kania de bond probeerde te onderdrukken, hoe koppiger Solidariteit zich daartegen verzette.

De Poolse sovjetburen Oost-Duitsland en Tsjechoslowakije dreigden met interventie, waarop Kania naar Moskou vloog. Leonid Brezjnev besloot tijd te rekken. Kania's pogingen de legale status van de vakbond ongedaan te verklaren, werden door het Poolse politbureau verworpen. Maar Moskou bleef de situatie in de gaten houden en plande ondertussen een gewapende interventie voor het geval Solidariteit een bedreiging zou vormen voor de communistische staat. Er werd een snelle militaire actie gepland in december 1980 met Duitse, Tsjechoslowaakse en Russische troepen. Zbigniew Brzezinski, de Amerikaanse veiligheidsadviseur, kon dankzij inlichtingen die hij via de satelliet kreeg, Johannes Paulus over deze troepenbewegingen inlichten. Uit vrees voor een Pools handelsembargo wachtte Brezjnev af. Kania overtuigde hem er bovendien van dat het Poolse politbureau de binnenlandse problemen zelf kon oplossen.

Toen nam Johannes Paulus het initiatief. Hij schreef rechtstreeks een brief aan Leonid Brezjnev, in het Frans en met de hand. Het is een eigenaardig geformuleerd epistel, bombastisch en wijdlopig. De brief kwam erop neer dat hij een mogelijke invasie van Polen vergeleek met de nazi-invasie die het begin vormde van de Tweede Wereldoorlog. Ook legde hij uit dat een invasie zou indruisen tegen de Slotakte van Helsinki uit 1975, waarin de Jalta-afspraken werden geratificeerd die de status-quo bevestigden van de sovjetoverheersing van Oost-Europa.

'Ik vraag u te doen wat in uw macht ligt,' schreef Johannes Paulus, 'om alle oorzaken van deze grote zorg, die het volgens de wereldopinie is, weg te nemen. Dat is onontbeerlijk voor de detente binnen Europa en de wereld.'

In de eerste maanden van 1981 was Polen het voornaamste onderwerp van zorg en hoop voor Johannes Paulus. In januari arriveerde Lech Wałęsa in het Vaticaan met een groep leiders van Solidariteit. Johannes Paulus gaf hun een boodschap die hij door de hele wereld wilde laten doorklinken, vooral in de Sovjet-Unie: dat het vakverbond Solidariteit geen negatieve organisatie was die tegen de status-quo vocht, maar een positieve kracht voor het algemeen welzijn.

De daaropvolgende maand braken stakingen uit in Polen over het recht van boeren om zich bij de vakbond aan te sluiten. In paniek werd de minister van Defensie, generaal Wojciech Jaruzelski, benoemd tot minister-president. Hij riep op tot een stakingsvrije periode. Solidariteit reageerde hierop met een algehele staking. Nu moest Jaruzelski naar Moskou komen. Van het politbureau moest de generaal de situatie oplossen door de staat van beleg af te kondigen. In maart vond in Polen het grootste protest plaats dat ooit tegen een communistische regering was gehouden gedurende de korte geschiedenis van het sovjetsysteem. Terwijl de arbeiders fabrieken bezetten, begonnen landen van het Warschaupact aan hun militaire manoeuvres aan de Poolse grens. Het Russische persbureau TASS verspreidde het gerucht dat Solidariteit een gewapende opstand voorbereidde, een omstandigheid die gewapende interventie zou rechtvaardigen.

Kania en Jaruzelski hadden in een treincoupé nabij Brest een ontmoeting met KGB-chef Joeri Andropov en de sovjetminister van Defensie Dmitri Oestinov. De Poolse leiders overtuigden de Russen ervan dat de Polen alleen zelf hun problemen konden oplossen. Sovjetinterventie werd afgewend, de staat van beleg werd niet afgekondigd en Solidariteit riep haar leden op weer aan het werk te gaan.

Na een tijd werd er in de wandelgangen van het Vaticaan gefluisterd dat op het dieptepunt van de crisis een dronken Leonid Brezjnev aan zijn KGB-chef Andropov had gesuggereerd dat de sovjetwereld beter af zou zijn als Johannes Paulus II dood was. Was het dan toch waar dat Andropov onderhandelingen zou zijn begonnen met de Bulgaarse regering om Johannes Paulus te elimineren, en zijn best deed een betrouwbare huurmoordenaar aan te nemen, iemand zonder connecties in Europa, die als een spion zou wachten tot het juiste moment?

10

Moordaanslag en Fátima

Vroeg in de herfst van 1980 arriveerde een Turkse huurmoordenaar in de Bulgaarse hoofdstad Sofia. Hij was weliswaar geestelijk gestoord maar daardoor niet minder effectief: hij had een joodse krantenredacteur vermoord. Daarvoor had hij in Istanbul in de gevangenis gezeten maar was daaruit ontsnapt. Zijn naam was Mehmet Ali Ağça. Hij vestigde zich in het dure hotel Vistosha, waar hij bijna twee maanden lang zou blijven, en verkreeg een Bulgaars paspoort met zijn pasfoto, op naam van Frank Ozgun. Een aantal weken reisde hij door Europa voordat hij uiteindelijk in december 1980 in Rome aankwam. Deskundigen van de contraspionage, die zijn sporen waren nagegaan, hebben verklaard dat Ağça buitengewoon listig en gedisciplineerd was en ruim bij kas zat. Hij had contacten in beschaafde kringen en in zijn geheime ontmoetingen en zijn vermogen om ongemerkt grenzen over te steken, betrachtte hij een hoge mate van zorgvuldigheid.

Op de middag van 13 mei 1981 ging Ali Ağça vlak bij een van de fonteinen op het Sint-Pietersplein staan, waar Johannes Paulus even later een mis zou opdragen. Om 17.19 uur, toen Johannes Paulus in zijn 'pausmobiel' door de menigte pelgrims werd gereden, loste Ali Ağça met een halfautomatisch pistool twee schoten op een afstand van 2,7 meter. Eén kogel doorboorde de buikholte van Johannes Paulus. Toen hij achterover viel in de armen van Stanisław Dziwisz, schoot een tweede kogel rakelings langs zijn elleboog en raakte twee Amerikaanse pelgrims.

Bij zijn arrestatie had Ali Ağça een papiertje op zak waar vijf Romeinse telefoonnummers op stonden: twee van de kanselarij van de Bulgaarse ambassade, een van het Bulgaarse consulaat en een van het kantoor van de Bulgaarse luchtvaartmaatschappij. Het laatste was een geheim nummer van een Bulgaarse diplomaat, Todor Aivazov. Aanvankelijk beweerde Ağça dat hij het alleen had gedaan. Later suggereerde hij dat er een Bulgaarse cel aan het werk was namens de Sovjet-Unie. Het was de bedoeling, vertelde hij de Italiaanse autoriteiten, dat hij met een busje van de Bulgaarse ambassade onder diplomatieke onschendbaarheid het land zou ontvluchten. Deze gegevens klopten.

In zijn boek *The Third Secret* probeert Nigel West, ook wel de officieuze historicus van MI6 genoemd, het mysterie op te lossen. Het lukt West echter niet het definitieve bewijs te leveren dat de KGB de opdracht heeft gegeven tot de aanslag, maar hij zegt dat bij het schrijven van dit boek hem een ander doel voor ogen stond. Hij wilde 'het bijzondere verhaal vertellen van de gedrevenheid waarmee één man het hele Oostblok wilde bevrijden van het communistische juk, de ijver waarmee de CIA onder het leiderschap van Bill Casey hem daarbij hielp, en de vastberadenheid van de KGB om hem tegen te houden'. Ali Ağça heeft zijn verhaal nog steeds niet helemaal verteld. Toen hij in het jaar 2000 van een Italiaanse naar een Turkse gevangenis werd overgebracht, zei hij dat hij het hele verhaal pas zou vertellen 'wanneer ik eenmaal vrij ben'.

Een van de grootste mysteries is hoe hij het voor elkaar kreeg Johannes Paulus niet om te brengen. Eén verklaring is dat een non Ağça zijn pistool zag richten en toen aan zijn jasje trok, zodat hij zijn doel deels miste. Een andere verklaring luidt dat Johannes Paulus zich op het moment van het eerste schot vooroverboog om een meisje te omhelzen dat een button droeg met Onze Lieve Vrouwe van Fátima. De datum, 13 mei, viel samen met de jaardag van Onze Vrouwe van Fátima. Johannes Paulus zou zijn eigen verklaring hebben voor de mislukte moordaanslag.

Een ambulance bracht de paus binnen acht minuten naar de *policlinico* Gemelli, zes kilometer verderop. Toen Johannes Paulus aankwam, was hij buiten bewustzijn en had hij meer dan drie liter bloed verloren. De kogel had op een haar na vitale organen en slagaders gemist. Om zes uur werd een tijdelijk stoma aangelegd, dat om halftwaalf werd gedicht.

Vier dagen en nachten lag Johannes Paulus op de intensive care. Op zondag lukte het hem een boodschap uit te spreken die via een radioverbinding en luidsprekers werd uitgezonden voor de mensen die naar het Sint-Pietersplein waren gekomen voor het angelus van het middaguur. 'Jezus Christus zij geprezen,' zei hij. Toen bad hij voor de gewonde omstanders en schonk hij vergeving aan 'de broeder die mij heeft aangevallen, wie ik het oprecht heb vergeven'. Tot slot bad hij: 'Tot u, Maria, roep ik weer: *Totus tuus ego sum* – Ik ben geheel de uwe.'

Johannes Paulus zou nog ongeveer vier maanden lang regelmatig in het ziekenhuis worden opgenomen. Er traden plotseling mysterieuze infecties op, het genezingsproces kende oplevingen en terugvallen, sommigen vermoedden dat de kogels – gezien de Bulgaarse connectie – waren vergiftigd (in Londen hadden Bulgaren een dissidente landgenoot bruut omgebracht door in hem te prikken met de vergiftigde punt van een paraplu): ook de gewonde pelgrims leden aan mysterieuze infecties.

In de herfst was hij weer aan het werk en ogenschijnlijk de oude, maar zijn werkrooster was minimaal vergeleken bij de loodzware werklast van de eerste drie jaren van zijn pontificaat. De schietpartij had fysiek haar sporen nagelaten; hoe sterk zijn gestel ook was, de aanslag was hem bijna fataal geworden. Maar de gebeurtenis, en zijn overleving, zouden blijvend een diep religieuze, zelfs 'mystieke' indruk achterlaten, waarvan de gevolgen pas enkele jaren later volledig aan de oppervlakte kwamen.

Op zijn ziekbed had hij nagedacht over het toeval dat de aanslag had plaatsgevonden op 13 mei, de feestdag van Onze Lieve Vrouwe van Fátima, ja zelfs, volgens Johannes Paulus 'op hetzelfde uur' waarin Maria was verschenen aan de kinderen van het Portugese Fátima. Terug op het Vaticaan liet hij al het materiaal met betrekking tot het verhaal van Fátima naar hem toe brengen, waaronder de tekst van het Derde Geheim van Fátima, die zorgvuldig in het Vaticaan werd bewaard sinds die in 1944 door Fátima-zieneres zuster Lucia dos Santos was geschreven. In het licht van de aanslag op zijn leven schokte de inhoud van de tekst hem diep. Het Derde Geheim had generaties katholieken tijdens de Koude Oorlog gefascineerd en beangstigd, omdat men dacht dat de datum van de Derde Wereldoorlog erin onthuld werd. Maar het ging helemaal niet over een oorlog. Het ging over een paus. Toen Johannes Paulus het Derde Geheim las, besefte hij dat de paus over wie de tekst ging, niemand minder dan Karol Wojtyła was.

De tekst van het Derde Geheim mocht pas in het millenniumjaar 2000 op 13 mei openbaar worden gemaakt, negentien jaar na Ali Ağça's aanslag op het leven van Johannes Paulus. Het 'geheim' is een beschrijving van een visioen waarin 'een in het wit geklede bisschop (we hadden de indruk dat het de Heilige Vader was) werd vermoord door een groep soldaten die kogels en pijlen op hem afvuurden'. Johannes Paulus, nog steeds herstellende, wist nu zeker dat de Maagd Maria in 1917 had voorspeld dat hij, Karol Wojtyła, het slachtoffer zou worden van een moordaanslag. Het deerde nauwelijks dat het verhaal op sommige punten niet opging: hij werd per slot van rekening niet vermoord. En hoe zat dat met die pijlen? Maar een profetie, dat besefte hij goed, was nooit letterlijk, en er zaten nog een paar andere uiterst belangrijke aspecten aan de Fátima-cultus; zo hing er ook het lot van het atheïstische communisme van af.

Op dit punt aangekomen is het passend kort in te gaan op de Fátima-legende, aangezien die een diepgaande invloed zou hebben op Johannes Paulus' 'mystieke' visie op de geschiedenis zoals die zich aan het eind van de jaren tachtig ontwikkelde en het derde millennium inging.

Het Fátima-verhaal begon in mei 1915 tegen de achtergrond van de communistische revolutie in Portugal, waarbij katholieken werden vervolgd en kerken gesloten. De visionairs waren drie plattelandskinderen, die een tijdlang beweerden dat ze visioenen hadden gekregen van een engel en de Maagd Maria, die boodschappen verkondigde aan de wereld.

Er waren drie reeksen verschijningen. De eerste reeks vond plaats in 1915 op een veld buiten Fátima, toen de achtjarige Lucia dos Santos in het gezelschap van twee vriendinnetjes een doorzichtige witte wolk zag die volgens haar de vorm had van een mens. De tweede reeks bestond uit drie afzonderlijke verschijningen, gezien door Lucia in 1916 terwijl ze schapen hoedde. Deze keer was ze samen met een neefje en een nichtje (niet de metgezellen van de keer daarvoor), de negenjarige Francisco en zijn zusje van zeven, Jacinta.

De drie kinderen meenden een engel te zien die zichzelf de Engel der Vrede noemde en later de Beschermengel van Portugal. Bij de laatste verschijning in de reeks van 1916 hield de engel een kelk vast waarboven een van bloed druipende hostie zweefde. De engel knielde met het voorhoofd op de grond. Hij pakte de kelk, die nog steeds in de lucht zweefde, gaf toen de hostie aan Lucia en de kelk aan Jacinta en Francisco om eruit te drinken. Het is mogelijk dat Jacinta de centrale visionair was in de tweede reeks, en dat de verschijning werd veroorzaakt doordat zij, anders dan Lucia, haar eerste heilige communie nog niet had gedaan. De kinderen zwegen over de verschijningen van 1916 totdat in 1917 de derde reeks begon, die wel met de plaatselijke clerus werd besproken. Over de tweede reeks verschijningen zou Lucia dos Santos later een boek schrijven, toen zij inmiddels non was. Zij schreef dit verhaal tussen 1935 en 1941 op in de vorm van memoires, nadat haar neef en nicht waren overleden.

Het waren de verschijningen in 1917, de derde reeks, waar het om zou gaan. Op 13 mei 1917 waren dezelfde drie kinderen, Lucia, Jacinta en Francisco schapen aan het hoeden op een plek die bekendstaat als de Cova da Iria, toen ze boven een struik een in het wit geklede dame zagen zweven, 'stralender dan de zon'. Lucia beschreef haar later als 'een mooi klein dametje'. Ze leek niet groter dan een pop. Het dametje wenste, volgens de verklaringen van de kinderen, dat zij tot de maand oktober van dat jaar elke dertiende van de maand naar diezelfde plek kwamen. Ze zei dat ze moesten lijden omwille van de bekering van de zondaars en ze vroeg hun de rozenkrans te bidden. In latere verschijningen, nog vijf in totaal, noemde de verschijning zichzelf het Onbevlekt Hart en Onze Lieve Vrouwe van de Rozenkrans. Aangezien de verschijningen die zomer door bleven gaan, kwamen er bij elke samenkomst steeds meer mensen naar toe. Bij de laatste verschijning op 13 oktober waren wel vijftigduizend mensen aanwezig, van wie sommigen de zon zagen draaien en van kleur veranderen, het zogenaamde 'zonnewonder'. Volgens Lucia verzocht de Maagd Maria of zij een kapel ter ere van haar wilden bouwen. Weer riep ze op tot het bidden van de rozenkrans en wees ze op het belang van een morele bekering.

Na een zeven jaar durend onderzoek verklaarde de plaatselijke bisschop dat de verschijningen authentiek waren.

In 1941 pakte Lucia de pen weer op om achteraf over de twee verschijningen te schrijven die volgens haar zeggen hadden plaatsgevonden op 13 juli 1917, waarin de Maagd sprak over het einde van de Eerste Wereldoorlog, en over een toekomstig, veel groter conflict. De Maagd had ook gesproken over Rusland, dat zijn atheïstische dwaalleer verspreidde, en gezegd dat de Heilige Vader Rusland moest wijden aan het Onbevlekte Hart van Maria om de bekering van dat land te realiseren.

In 1944 kwam het nieuws dat er nog een 'Derde Geheim' was. Lucia schreef nu over een laatste en cruciale boodschap, een geheim. Deze tekst mocht onder geen beding vóór 1960 worden gelezen, zelfs niet door de paus. Het 'geheim' werd tot 1957 bewaard door de plaatselijke bisschop, waarna de tekst veilig onder de hoede van het Vaticaan werd gebracht. Toen Johannes XXIII in 1960 de boodschap las, liet hij de tekst weer opbergen in het archief zonder tot publicatie over te gaan.

In de nasleep van de moordaanslag werd Johannes Paulus op 12 oktober 1981 als volgt in de *Osservatore Romano* geciteerd:

> Alweer ben ik mijn dank verschuldigd aan de Heilige Maagd [...]. Hoe zou ik kunnen vergeten dat de aanslag op het Sint-Pietersplein samenviel met de dag en het tijdstip waarop meer dan zestig jaar geleden bij Fátima in Portugal de eerste verschijning van de Moeder van Christus aan die arme boerenkinderen heeft plaatsgevonden? Die dag [...] voelde ik die bijzonder moederlijke bescherming, die sterker bleek te zijn dan de dodelijke kogel.

Precies een jaar na de aanslag reisde de paus naar Fátima en zette hij de matte kogel in de kroon van Maria in de schrijn. Hij sprak over een hand die de trekker had overgehaald, terwijl een andere, 'een moederlijke hand' de kogel had afgebogen, waardoor vitale organen niet werden geraakt.

Maar de aanslag had nog een diepere betekenislaag, die pas manifest werd op het eind van het decennium. Zoals de pauselijke biograaf George Weigel zei, als antwoord op vragen in een interview:

> Het antwoord van Johannes Paulus II op de vraag hoe men zijn pausschap, ja, zijn leven zou moeten beschouwen, kreeg hij in Portugal, tijdens zijn bezoek op 12 en 13 mei 1982, een jaar na de aanslag. Toen hij in Fátima aankwam, vatte de paus zijn visie op het leven, de geschiedenis en zijn eigen missie bondig samen in de pregnante bewoordingen: 'In het plan van de voorzienigheid bestaat het pure toeval niet.'

Het commentaar van Weigel hierop, waarmee Johannes Paulus ongetwijfeld instemt, luidt: 'De wereld, inclusief de wereld van de politiek, was verstrikt in het drama van Gods reddingspogingen in de geschiedenis [...]. De primaire taak van de Kerk was de wereld het verhaal te vertellen van haar verlossing, waarvan de effecten elk uur van de dag te zien waren in miljarden levens waarin het "pure toeval" niet bestond.' Met andere woorden, alles staat geschreven, alles is zo bedoeld: ons lot is bezegeld, al kunnen we altijd nog tot Maria bidden in de hoop dat zij een goed woordje voor ons doet bij haar Zoon.

11

Terug van weggeweest

Toen Johannes Paulus min of meer volledig was hersteld, nam hij in november 1981 het cruciale besluit om Joseph Ratzinger aan te stellen als voorzitter van de Congregatie voor de Geloofsleer. En zo begon een nauwe samenwerking die tot aan het eind van zijn gezag zou duren. Ratzinger – klein, gedrongen, met een knap gezicht en zilvergrijs haar (en, zoals een eminente Britse theoloog heeft opgemerkt, met een 'wrede mond en zwoele ogen') – werd in 1927 in Beieren geboren en in 1951 gewijd. Hij was een academische theoloog die op verschillende Duitse universiteiten had gewerkt voordat hij theologisch adviseur werd voor de Duitse bisschoppen op het Tweede Vaticaans Concilie. In die tijd stond hij bekend als progressief en voorstander van hervormingen.

Hoewel hij maar weinig parochiale ervaring had, werd hij in 1977 aartsbisschop van München, een jaar voordat Johannes Paulus tot paus werd gekozen en tot kardinaal werd gewijd. Op het conclaaf na het overlijden van Paulus VI in 1978 leerde hij kardinaal Wojtyła kennen. Ze vonden beiden dat de belangrijkste taak van het bestuur van de katholieke Kerk het beschermen van de 'Waarheid' was.

Kardinaal Ratzinger, die bijna elke vrijdag direct verslag uitbracht aan de paus, zou met een rigoureus conservatisme leidinggeven aan zijn afdeling, de Congregatie voor de Geloofsleer. Liberaal zijn in de collegezaal was één ding, verantwoordelijk zijn voor het voortbestaan en de eenheid van het katholieke geloof vanuit het Vaticaanse centrum was andere koek. De Congregatie voor de Geloofsleer was oorspronkelijk het orgaan van de inquisitie, dat tot taak had het geloof te beschermen door zuiveringen en door valse doctrines en valse leraren tot de orde te roepen. Nog steeds bestudeert de Congregatie voor de Geloofsleer in naam van de Kerk geschriften die door katholieke geestelijken zijn geschreven, en bij aantoonbare dwaling roept de congregatie de auteurs tot de orde, meestal door de plaatselijke bisschop of een religieuze superieur te waarschuwen.

Nog geen tien jaar voordat Ratzinger voorzitter van de Congregatie voor de Geloofsleer werd, was hij als progressief theoloog van mening dat theologen naar wie onderzoek werd gedaan, recht hadden op verdediging; hij vond dat zij inzage moesten krijgen in hun dossiers; dat er geen geheimhouding mocht worden opgelegd aan het onderzoeksteam. Hij verloochende zijn progressieve opvattingen toen hij naar het Vaticaan ging. En terwijl hij voorheen begrip toonde voor hertrouwde katholieken die hun eerste huwelijk niet hadden ontbonden, onthield hij hen als voorzitter van de Congregatie voor de Geloofsleer de sacramenten. Mensen die opnieuw een burgerlijk huwelijk aangaan, verklaarde hij, 'bevinden zich in een situatie die objectief in strijd is met Gods wetten. Daarom mogen zij de heilige communie niet ontvangen.' In de loop der jaren zou Ratzinger beschuldigd worden van onhoffelijkheid en gebrek aan mededogen en zou hij zich als een bullebak gedragen in zijn hang naar orthodoxie.

Een van de eerste aanwijzingen dat de zaken scherpgesteld gingen worden tijdens het pontificaat van Johannes Paulus, was het pauselijk besluit om de uit 22.000 leden bestaande Sociëteit van Jezus – de jezuïeten – op één lijn te brengen. Sinds Vaticanum II hadden de jezuïeten hun onderwijzende rol in het voortgezet onderwijs grotendeels opgegeven en hun werk verlegd naar de Derde Wereld. De Britse provincie bijvoorbeeld trok jezuïeten terug uit de beroemde stadsscholen en de onafhankelijke particuliere colleges, en zond hen uit op oerwoudmissies in Guyana. De jezuïeten vonden zelf dat ze in de verbreiding van vrede en rechtvaardigheid hun oorsprong opnieuw hadden ontdekt, een tendens die werd bevestigd tijdens de bisschoppensynode onder Paulus VI in 1971.

Maar er bestond de indruk in het Vaticaan dat de jezuïeten te zeer een eigen leven gingen leiden. Johannes Paulus trad op toen de jezuïtische algemeen overste Pedro Arrupe ziek werd en zijn eigen conservatieve opvolger wilde aanwijzen, Paolo Dezza. Getrouw aan de legendarische gehoorzaamheid van de Sociëteit sloten de jezuïeten de rijen en bevestigden zij hun loyaliteit aan het pauselijk gezag.

Nadat zijn gezondheid was hersteld, was Johannes Paulus als vanouds druk in de weer. Hij vervulde de door hemzelf opgelegde rol als missionerende wereldpaus, als universele herder. Na het succes van zijn reizen door Mexico, Polen, Ierland en de Verenigde Staten in 1979, kwamen in 1980 Hongarije, Afrika, Frankrijk, Brazilië en West-Duitsland aan de beurt. In februari 1981 was hij begonnen aan zijn eerste Aziatische pelgrimstocht: Pakistan, de Filippijnen, Guam, Japan; na een stop in Alaska vloog hij terug naar Europa. Toen hij was hersteld van de wonden van de moordaanslag, bracht hij in mei 1982 een bezoek aan Groot-Brittannië, en onmiddellijk daarna aan Argentinië. Aangezien de twee landen in oorlog waren met elkaar naar aanleiding van de Argentijnse invasie op de Falklandeilanden, moest Johannes Paulus diplomatiek te werk gaan.

Er ontstond enige opschudding toen kardinaal Basil Hume namens de paus een uitnodiging had aangenomen voor een diner bij de koningin. Aartsbisschop Marcinkus heeft me verteld dat hij Hume bot te verstaan had gegeven dat hij de paus maar beter kon 'ontnodigen'. De Britse kardinaal had niet begrepen dat wanneer paus Johannes Paulus met de koningin had gedineerd, hij ook verplicht zou zijn later in Buenos Aires met generaal Galtieri te dineren. De twee prelaten gingen in onmin uit elkaar.

In Engeland hoopte men vurig op een verzoening tussen de anglicanen en de Engelse katholieken. Samen met aartsbisschop Robert Runcie droeg Johannes Paulus een mis op in de kathedraal van Canterbury. Johannes Paulus zei dat Canterbury hem aan Kraków herinnerde. Het bezoek aan Groot-Brittannië was een succes – hij liet anglicanen en katholieken achter in een sfeer van imminente eenheid; minder blij waren de organisatoren, die met zo'n vijftigduizend wit-met-gele paraplu's bleven zitten die ze niet hadden kunnen verkopen omdat het Engelse weer uitzonderlijk zacht was geweest tijdens het bezoek. Monseigneur Tom Gavin, de priester die het bezoek van de paus aan Midden-Engeland had georganiseerd en die de paraplu's had besteld, heeft desondanks een goede herinnering aan de paus. 'In Coventry,' zei de monseigneur, 'was het een snikhete dag, en alle geestelijken en prelaten dronken gin en sherry, wat de paus afsloeg. Toen bood ik hem een pint koud Pools bier aan, die hij in één teug leegdronk.'

Johannes Paulus' enthousiasme voor evangelisatie in eigen persoon verkeerde nog maar in de beginfase. Tijdens zijn pontificaat zou hij meer dan honderd pauselijke reizen maken. Zijn bedoeling was de missie van Jezus de Verlosser tot in alle hoeken van de wereld te verkondigen. Bovendien vergeleek hij zijn reizen met de reis die de Kerk maakte naar het derde millennium, dat wenkte als een periode van spectaculaire vernieuwing binnen het christendom. 'Nu het tweede millennium sinds de geboorte van Christus ten einde loopt,' schreef hij, 'laat de mensheid in haar algemeenheid zien dat deze missie nog maar het begin is en dat we ons er van ganser harte voor moeten inzetten.'

In de jaren na de moordaanslag werd de aard van het bestuur van Johannes Paulus steeds duidelijker. Hoewel hij zichzelf bleef presenteren als een paus van het Tweede Vaticaans Concilie en zichzelf daadwerkelijk als zodanig ontpopte op velerlei vlakken – liturgie, gerichtheid op de Heilige Schrift, hulpverlening aan de wereld, medelijden met de armen en de rechtelozen – onderdrukte hij een paar van de belangrijkste conciliaire agenda's. Johannes Paulus had zich begin jaren tachtig laten kennen als een autoritaire in plaats van een collegiale paus; hij had de neiging de teugels van de macht naar het Vaticaan en naar het pauselijk ambt aan te trekken, en niet om beslissingen en lokaal beleid over te laten aan aartsbisdommen en lokale Kerken. Deze neiging was niet zomaar een eigenaardigheid of een gevolg van zijn persoonlijke geschiedenis.

De spanningen tussen de plaatselijke Kerk en het pauselijk gezag in Rome moeten gezien worden tegen de historische achtergrond van het pausschap in de moderne tijd. Als reactie op politieke en maatschappelijke veranderingen die zich snel voltrokken in de nasleep van de Franse en Amerikaanse revolutie, moest het pauselijk gezag zich staande houden in een klimaat van rationalisme, liberalisme, wetenschap, industrialisatie en de opkomst van de natiestaat.

De moderniserende staten van Europa hadden de neiging Kerk en staat, troon en altaar, het seculiere van het kerkelijke te scheiden. Tegelijkertijd wilde de staat de Kerk onderwerpen aan controle en wetgeving in zaken als onderwijs, huwelijk, scheiding en charitatieve financiering, waarmee de katholieke Kerk net als andere christelijke denominaties en andere godsdiensten op één lijn werd gesteld met mensen zonder geloof. Door de hachelijke omstandigheden in dit tijdperk ontstond er een tweespalt in de Kerk over een kwestie die allerlei gevolgen zou hebben voor het moderne pauselijk gezag.

De strijd werd gevoerd tussen de voorstanders van een absolutistisch pauselijk primaatschap vanuit het Romeinse centrum en de pleitbezorgers van het delegeren van macht aan de lokale bisschoppen. De overwinning van de hedendaagse centristen, ofwel 'ultramontanisten' (een in Frankrijk gemunt begrip dat verwijst naar de pauselijke macht 'over de bergen', ofwel over de Alpen), werd bezegeld op het Eerste Vaticaans Concilie uit 1870 tegen de achtergrond van het pauselijk verlies van zijn domeinen. De paus werd onfeilbaar verklaard inzake het geloof en de moraal, en uitgeroepen tot de onbetwiste *primaat* – het spirituele en bestuurlijke hoofd van de Kerk. Het ultramontanisme, de centrale machtsuitvoering die werd vastgelegd in een krachtige nieuwe codex van het canoniek recht, die in 1917 van kracht werd en die werd uitgevoerd door een enorm uitgebreide curie en corps diplomatique, creëerde en ondersteunde een gedisciplineerde en verenigde Kerk in de loop van de daaropvolgende eeuw. Het model van deze Kerk begon te lijken op een perfecte soevereine samenleving die eerder bestond uit een imaginaire universele ruimte dan uit een netwerk van aan elkaar verbonden plaatselijke, congregatieruimten. Dit bestuursmodel weerstond de aanvallen van twee wereldoorlogen, de confrontaties met en moordzuchtige vervolgingen van nazistische en communistische regimes. Maar het was een legalistische Kerk geworden met een belegeringsmentaliteit. De essentiële impulsen van parochies en bisdommen, de aspiraties van vrouwen en leken werden genegeerd; plaatselijke deskundigheid en het gezag van de bisschoppen was uitgehold, wat leidde tot verzwakking en een gebrek aan verantwoordelijkheid. De fatale verzwakking van een lokale Kerk kan worden geïllustreerd door verschillende episodes uit de moderne geschiedenis met elkaar te vergelijken en te contrasteren.

Dankzij een sterke onafhankelijkheid en lokale expertise overleefde de katholieke Kerk in Duitsland aan het eind van de negentiende eeuw de *Kulturkampf*, Bismarcks vervolging van het katholicisme, dankzij haar sterke onafhankelijke opstelling en plaatselijke vrijheid van handelen. Pius IX had, ondanks zijn absolutisme, Duitse katholieken geabsolveerd van trouw aan de staat, en liet hen tegelijk vrij en onafhankelijk van Rome handelen. Maar vijftig jaar later berustte de Duitse katholieke gemeenschap al na een paar weken in de machtsovername van de nazi's, toen een centraliserende paus, Pius XI had besloten de plaatselijke Kerk te verdedigen door diplomatieke banden met Hitler te onderhouden. Tot zijn studenten van het Collegio Mondragone had Pius XI op 14 mei 1929 gezegd: 'Wanneer het erom gaat zielen te redden of groter onheil aan zielen te voorkomen, durven wij het aan met de duivel in eigen persoon te onderhandelen.'

Pius XII, die in 1933 het diplomatieke instrument was van Pius XI in zijn onderhandelingen met Hitler, keek in de naoorlogse periode heel anders aan tegen die onderhandelingen 'met de duivel': hij was zelfs bereid om communisten te excommuniceren. Maar toen Johannes XXIII de troon van de Sint-Pieter besteeg, boog hij dit beleid om, zoals ook het Tweede Vaticaans Concilie deed, en Paulus VI. Het meest ironische van deze situatie was bovendien dat twee kardinaal-bisschoppen in Polen – Stefan Wyszyński en Karol

Wojtyła – de druk weerstonden vanuit het Vaticaan om akkoorden en compromissen te sluiten met het communisme. In hun visie was het onmogelijk dat het conciliedocument waarin gepleit werd voor waardering van al wat goed en heilig is in andermans opvattingen – *Dignitatis humanae* – werkelijk van de Kerk verlangde compromissen te sluiten over godsdienstvrijheid. Vandaar dat de inschikkelijke Ostpolitik van Paulus VI, zijn dialoog met Moskou, volgens Wojtyła niet op basis van Vaticanum II verdedigd kon worden.

Gevormd als hij was door zijn antagonistische en onbuigzame confrontatie met de sovjetideologie, bleek Johannes Paulus niet in staat onderscheid te maken tussen de oppositie van zijn voormalige communistische vijanden en de oppositie van katholieke dissidenten. Toen hij paus werd, bleek hij niet te kunnen omgaan met debat en meningsverschillen of met de minste weerstand vanuit de Kerk. Hij zei tot de gelovigen: 'Weest niet bang!' En toch leek niemand minder dan hijzelf bang voor de gevolgen van collegialiteit, subsidiariteit, pluralisme en meningsverschillen binnen de Kerk.

Hij heeft duidelijk een essentiële beslissing genomen, die veel van de tegenstellingen en paradoxen in zijn bestuur verklaart. Hij verklaarde voortdurend dat Vaticanum II het richtsnoer was van zijn pontificaat. Maar toch, terwijl hij geruststellende signalen uitzond om de vooruitstrevende geestelijken achter het concilie tevreden te stellen, gebruikte hij de grote macht van zijn ambt, zijn reizen en het bereik van de pauselijke media en de curie om de conciliaire gedachte van de Kerk als gemeenschap van het volk Gods op bedevaart, verwikkeld in dialoog en betrokken bij de wereld, om te keren.

De progressieve geestelijken zouden zich steeds meer bewust worden van de kloof tussen Johannes Paulus' woorden en daden. Want waar Vaticanum II volgens de gelovigen ook voor stond, het beoogde niet een toename van de macht en invloed van de paus en de curie in de beleidsvoering van de plaatselijke bisdommen. Ook was het niet de wens van de conciliedvaders dat de paus vrijwel dagelijks uitspraken zou doen over talloze onderwerpen, terwijl hij de bisschoppen de mond snoerde. Noch was het de wens van het concilie dat de paus de overwegingen van bisschoppensynoden zou negeren. Evenmin werd verwacht dat de paus iedere bisschop in de hele wereld zou benoemen.

De praktijk volgens welke de paus iedere bisschop in de Kerk over heel de wereld afzonderlijk benoemt, vindt zijn verrassend recente oorsprong in de codex van het canoniek recht uit 1917. Gedurende een groot deel van de kerkgeschiedenis hadden pausen alleen maar het recht om bisschoppen te benoemen in de pauselijke staat en gebieden in het Oosten waar bisdommen rechtstreeks aan de paus loyaliteit verschuldigd waren. Wijlen Garrett Sweeney gebruikt in *Bishops and writers* (1977), zijn studie over dit onderwerp, een krachtig beeld om dit mechanisme te illustreren. 'Als men "de Kerk" ziet als een machine,' schreef hij, 'die met goddelijke hulp wordt aangedreven, en er van bisschoppen alleen maar wordt verwacht dat ze de machine efficiënt bedienen, dan klopt het helemaal dat ze door Rome worden aangesteld.' Uiteraard vond pater Sweeney niet dat de Kerk een machine was die 'van bovenaf' met hulp van God wordt aangedreven.

De benoeming van bisschoppen door alleen de paus heeft belangrijke gevolgen gehad voor de uitoefening van het onfeilbare of definitieve leraarschap van de gezamenlijke katholieke bisschoppen wanneer zij tezamen met elkaar en de paus doceren. Zestig jaar later werd in een herziene versie van de codex van het canoniek recht (1983) nader verklaard dat bij onfeilbaarheid tegenwoordig collegiaal pluralisme wordt verondersteld. En toch, zoals critici van de status-quo zeggen, is collegialiteit een moeilijk te bereiken ideaal als de paus iedere bisschop kiest op basis van zijn inzichten en vooroordelen.

Het besluit van Johannes Paulus om de Kerk te disciplineren door 'veilige' bisschoppen te benoemen, werd voor het eerst duidelijk in Nederland, waar de gelovigen begin jaren tachtig verontwaardigd reageerden op zijn keuzes. Ook zijn benoeming van de Oostenrijkse ultraconservatieve benedictijner abt Hans Hermann Groër, die in 1986 de progressieve kardinaal-aartsbisschop van Wenen Franz König moest opvolgen, werd scherp bekritiseerd. Johannes Paulus gaf de Oostenrijkers de volgende verklaring: 'U mag niet dulden dat er enige twijfel ontstaat over het recht van de paus naar eigen inzicht bisschoppen te benoemen.'

Maar de meest omstreden benoeming in de jaren tachtig vond plaats in het Zwitserse Chur. In 1988 benoemde de paus Wolfgang Haas, een impopulaire rechtse prelaat, aan wie het volk een even grote hekel had als de clerus. De paus had zijn veto uitgesproken over de keuze van de plaatselijke kathedrale kapittels en zijn benoeming van Haas erdoor gedrukt ondanks een harde mediacampagne. Demonstrerende katholieken vormden een levend tapijt voor de kathedraal, zodat alle aanwezigen bij de intronatie van de bisschop over hen heen moesten stappen. Op de katholieke universiteit van Fribourg in Zwitserland vormden studenten een rouwstoet achter een kist met het opschrift 'Tweede Vaticaans Concilie'.

Maar Johannes Paulus had wel meer aan zijn hoofd dan gedesillusioneerde katholieken in Nederland, Oostenrijk en Zwitserland. In de loop van de jaren tachtig zou de onvrede van zijn critici overschaduwd worden door zijn betrokkenheid bij belangrijke gebeurtenissen in Polen, Oost-Europa en de rest van de wereld.

12
Polen en de val van het communisme

Voor Johannes Paulus was het decennium van de jaren tachtig het decennium van Polen. Aan het eind van 1981, het jaar van de moordaanslag, was de situatie in Polen uit de hand gelopen nadat de voedselprijzen alweer waren verhoogd en de vakbond Solidariteit een staking had uitgeroepen. Onder druk van Moskou kondigde generaal Wojciech Jaruzelski de staat van beleg af en arresteerde hij de leiders van Solidariteit. De situatie was grimmig: er reden tanks door de straten, telefoon- en telexlijnen waren afgesneden, de censuur was ingesteld. De Sovjet-Unie greep niet in, maar Jaruzelski zag al zijn pogingen mislukken om een Pools-communistische 'oplossing' op te leggen aan een land dat probeerde zichzelf te worden: het officieuze motto van Solidariteit was 'Opdat Polen weer Polen wordt'.

Johannes Paulus gaf Lech Wałęsa zijn volledige steun. Er zijn aanwijzingen dat Johannes Paulus de vakbond van Lech Wałęsa vijftig miljoen dollar heeft geschonken; het bedrag werd waarschijnlijk gedoneerd door bemiddeling van de Banca Vaticana, die toentertijd onder leiding stond van aartsbisschop Paul Casimir Marcinkus, bijgenaamd de 'Gorilla van de paus' vanwege zijn agressieve bescherming van de paus op buitenlandse reizen. Naar verluidt werd het geld naar Solidariteit doorgesluisd via Roberto Calvi, de maffiabankier die op 17 juni 1982 hangend aan Blackfriars Bridge in Londen werd aangetroffen, hoogst waarschijnlijk slachtoffer van een wraakactie van de maffia, die er moest uitzien als een zelfmoord. Toen ik aartsbisschop Marcinkus in 1987 vroeg of hij de gift aan Solidariteit kon bevestigen, gaf hij een fraai staaltje weg van dubbelzinnige taal: 'Calvi heeft nooit met mij over Solidariteit gesproken. Het kan zijn dat hij geld aan

Solidariteit heeft gegeven, maar daar wist ik niets van.'

Ondertussen had Jimmy Carter, met wie Johannes Paulus een goede start had gemaakt, de presidentsverkiezingen van de Verenigde Staten verloren, en ontving Johannes Paulus voor het eerst zijn opvolger Ronald Reagan in het Vaticaan. Er ontstond enige gêne volgens monseigneur Sotto Voce, toen Reagan wegdommelde tijdens een besloten bijeenkomst (Reagan, die overdag vaak een dutje deed, had volgens sommigen de neiging in slaap te vallen wanneer het spannend werd).

Beide mannen spraken over de Sovjet-Unie in grimmige morele termen: voor Ronald Reagan was het sovjetcommunisme het *Evil Empire* (Rijk van het Kwaad). In de melodramatische taal waarmee Reagan de strijd tussen Oost en West karakteriseerde, ging hij zich te buiten aan pure religieuze retoriek. Het Amerika dat hij naar het tijdperk van de Reaganomics leidde, met lage belastingen en hoge werkloosheid, was nauwelijks te beschouwen als de Macht van het Licht met de goddelijke missie om de Macht der Duisternis te vernietigen. Maar de twee mannen deelden gepassioneerd een zelfde belang: ze wilden in wezen het verdrag van Jalta tenietdoen waarbij de drie wereldmachten het naoorlogse Europa hadden verdeeld in een Oosten en een Westen. De synergie tussen hen beiden en hun liefde voor acteren was opmerkelijk. De Amerikaanse president besloot Johannes Paulus te voorzien van de betrouwbaarste Amerikaanse geheime informatie; en die informatie zou wel eens essentieel kunnen zijn geweest voor de adviseurs van Lech Wałęsa, die hem vertelden hoe ver hij kon gaan zonder dat Moskou de tanks van het Warschaupact over de grens stuurde.

Zwoeren zij samen om het communisme in Europa ten val te brengen? Carl Bernstein en Marco Politi onderschrijven deze stelling in hun biografie van Johannes Paulus, *Zijne Heiligheid. Johannes Paulus II en de verborgen geschiedenis van onze tijd* (1996). Zij suggereren dat er sprake was van ruilhandel waarbij, bijvoorbeeld, Johannes Paulus zou zwijgen over de plaatsing van middellangeafstandsraketten in Europa, in ruil voor Reagans steun aan Polen; er werden zelfs deals gesloten om de regering van Nicaragua ten val te brengen. Deze vooronderstelling wordt tegengesproken door George Weigel in zijn *Witness to hope* (1999).

Waar het hier om gaat, is het perspectief van Johannes Paulus. De Poolse paus keek naar de wereld en de geschiedenis door de bril van het geloof: zijn visie op de geschiedenis van Polen en op zijn eigen lotsbestemming was doordrenkt van overleveringen van mariale bescherming en interventie. Hij vond, achteraf tenminste, dat het veldwerk voor de val van de sovjetoverheersing in zijn eigen land op pastorale wijze was verricht in de harten en geesten van het volk tijdens zijn eerste bezoek in juni 1979. Na 1981 bovendien, en na de aanslag op zijn leven, was het ondenkbaar een visie op de geschiedenis voor te stellen zonder zijn interpretatie van de profetie van Fátima. Het toeval bestond niet in de geschiedenis.

Vrijwel direct nadat Johannes Paulus in juni 1981 uit Polen was vertrokken, verlangde hij er al weer naar terug te keren. Wegens de staat van beleg, of zoals Jaruzelski het noemde, de 'staat van oorlog', mocht hij in 1982 het land niet in om de zeshonderdste verjaardag te vieren van Onze Vrouwe van Jasna Góra. Maar in juni 1983 kwam hij eindelijk terug voor een bezoek van een week.

Zijn doen en laten werd door het regime streng gecontroleerd. Deze keer maakte de paus in zijn gezichtsuitdrukkingen en gedrag een droevige indruk. De leiders van Solidariteit, ook Lech Wałęsa, zaten in de gevangenis en Johannes Paulus was het volstrekt oneens met de primaat van Polen, kardinaal Jozef Glemp, die er helemaal niet zo zeker van was dat het communisme was verdoemd en die bijgevolg een inschikkelijke houding aannam. Ook was de paus het niet helemaal eens met zijn staatssecretaris, kardinaal Casaroli. Kardinaal Jean-Marie Lustiger van Parijs heeft eens gezegd dat tijdens een diner in Kraków in 1983 Casaroli wanhopig had uitgeroepen: 'Wat wil hij? Dat er bloed vloeit? Wil hij dat er oorlog komt?'

Buiten het klooster Jasna Góra, waar Johannes Paulus een half miljoen jongeren toesprak, van wie velen de hele nacht hadden gelopen om erbij te kunnen zijn, was de betovering van weleer weer terug. Het gescandeer van de menigte belette hem aanvankelijk te spreken. Timothy Garton Ash, die erbij was, probeerde de sfeer te karakteriseren. 'Hij preekt over een liefde die "groter is dan alle ervaringen en teleurstellingen die het leven voor ons in petto heeft".' De betovering die hij uitoefende, moest de onderhuids aanwezige, mogelijk gewelddadige onlustgevoelens omvormen tot een vredige, maar niet minder vastberaden omslag in het bewustzijn. Overal waar hij kwam riep men: 'Blijf bij ons... blijf bij ons.'

Garton Ash omschrijft de charismatische uitstraling van de preken op zijn tweede reis als volgt: 'Hij spreekt tot de Polen in een weefsel van symbolen en verwijzingen – historische, literaire, filosofische, marialogische – die elk om een uitleg van minstens een hele alinea vragen. Het valt niet uit te leggen omdat zoveel afhangt van zijn theatrale voordracht, die John Gielgud ooit "perfect" heeft genoemd. Het is onmogelijk omdat juist de poëzie in de vertaling verloren gaat.'

Er vond een ontmoeting plaats tussen Johannes Paulus en generaal Jaruzelski in het Belvedere-paleis in Warschau. Het regime stelde voor dat de Kerk haar onafhankelijkheid misschien zou bereiken door middel van gesanctioneerde katholieke vakbewegingen en zelfs een katholieke 'oppositiepartij'. Johannes Paulus liet dit voorstel voor wat het was, als verdeel-en-heerstactiek. Hij weigerde erop in te gaan. Politieke partijen en vakbonden moesten volgens hem zelf hun recht op onafhankelijkheid en integriteit uitoefenen.

Op dat moment had Jaruzelski Johannes Paulus nog steeds geen toestemming verleend Lech Wałęsa te bezoeken. Johannes Paulus vond dat de generaal Wałęsa moest vrijlaten en een dialoog met hem moest aangaan, wat Jaruzelski weigerde. Dus bleef Johannes Paulus druk uitoefenen om zelf Wałęsa te ontmoeten. Op het laatste moment, vlak voordat hij naar Rome terugkeerde, werd er een zogenaamde 'privé-ontmoeting' geregeld in een hut in het Tatragebergte. Wałęsa werd, vergezeld van zijn bewakers, per helikopter ingevlogen. De ontmoeting werd een publiek geheim en gaf de vakbondsleider een ongekende waardigheid en legitimiteit.

Het zou nog drie jaar duren voordat Johannes Paulus weer naar Polen terugging. In die tijd was er veel veranderd in zijn geboorteland. Solidariteit en de Kerk hadden inmiddels een opzienbarende martelaar gekregen, de charismatische priester JerzyPopiełuszko. Pater Popiełuszko was een uiterst bekwame priester wiens preken buiten zijn kerk in Warschau via luidsprekers werden gevolgd door massa's van wel vijftigduizend mensen. Hij had het altijd over hetzelfde: waarheid, rechtvaardigheid, vrijheid voor Polen. Op de avond van 19 oktober 1984 ontvoerde de geheime politie van Jaruzelski de priester in opdracht van een onbekende. Ze sloegen hem dood en stopten hem in een met stenen verzwaarde plastic vuilniszak, waarna ze het stoffelijk overschot in een stuwmeer gooiden, waar hij tien dagen later werd gevonden. Hij was 37 jaar. Ondanks alle onderzoeken is nog steeds niet precies bekend wie opdracht heeft gegeven tot deze moord.

Enkele honderdduizenden mensen woonden de begrafenis bij. Hoop liet zich niet neerslaan en begraven; Jerzy's graf op het kerkhof van zijn kerk, de Sint-Stanisław Kostka, werd een martelaarsschrijn en een ontmoetingsplaats voor Solidariteit. Een particuliere omroeporganisatie werd opgericht om zonder vergunning in Polen programma's uit te zenden: de eerste uitzending ging over het levensverhaal van pater Popiełuszko. Zoals Adam Michnik opmerkte, kon het communisme in Polen zich niet meer voordoen als het menselijke gezicht van het socialisme. Bij dit communisme 'waren een paar tanden uit de bek geslagen'.

Halverwege de jaren tachtig probeerde Jaruzelski de precaire status-quo in stand te houden, terwijl de buitenlandse schulden stegen en de Verenigde Staten sancties oplegden. De kwaliteit van het leven in Polen holde achteruit terwijl de economie langzaam instortte, waardoor allerlei tekorten ontstonden. De wreedheid van de politie werd beteugeld en in 1986 waren alle Solidariteitsleiders uit de gevangenis vrijgelaten, maar Wałęsa wilde niet met de regering samenwerken zolang er geen politiek pluralisme bestond. Solidariteit had een coalitie gesloten met de Poolse bisschoppen en hun uitgestrekte en vertakte netwerk van parochies: eenvoudige parochiegemeenschappen hielden het volk op de hoogte en gaven moed en hoop. Zo was de stand van zaken toen Johannes Paulus in juni 1987 opnieuw de grond van zijn geboortegrond kuste.

Tijdens het derde pauselijke bezoek aan Polen werd Johannes Paulus op het Koninklijk Paleis verwelkomd door Jaruzelski, die hij in januari voor het laatst had ontmoet. Johannes Paulus las de leider de les over democratie en de onvervreemdbare rechten van de mens. De samenleving, zei hij, was er niet voor de staat, maar de staat voor de samenleving. Mensen hadden recht op inspraak in de beslissingen van de staat. Polen maakte een duistere en moeilijke periode door, zei hij, maar de crisis kon pas worden opgelost als deze beginselen werden erkend. Citerend uit het document *Gaudium et spes* (Vreugde en hoop) van Vaticanum II, zei Johannes Paulus: 'Men dient die naties te waarderen waarvan het systeem erop gericht is zo veel mogelijk burgers aan het openbare leven deel te laten nemen in een klimaat van waarachtige vrijheid.'

Op 12 juni sprak hij bij Gdańsk, de stad van de havenstaking die in 1980 had geleid tot de oprichting van Solidariteit, een menigte van meer dan een miljoen gelovigen toe. Hij verklaarde dat 'aangezien arbeid bijdraagt aan het algemene welzijn, arbeiders het recht hebben om beslissingen te nemen over maatschappelijke problemen'. Hij sloot af door de begrippen algemeen welzijn en solidariteit te duiden. 'Solidariteit betekent voor elkaar, en als er een last is, dan wordt die gezamenlijk, in gemeenschap gedragen. Dus nooit: tegen elkaar. Nooit de ene groep tegen de andere, nooit de situatie waarin de last door één persoon wordt gedragen, zonder hulp van anderen.'

Hij liet Jaruzelski achter als een leider van een ineenstortend regime die zich aan een paar strohalmen vastklampte. 'U zult in uw hart het beeld [van Polen] met u meenemen,' mopperde de generaal, 'maar niet de echte problemen van het moederland.' Hij besloot met het advies aan de paus om ook iets te zeggen over de ellende, het onrecht en de afwezigheid van mensenrechten in andere landen. Zijn woorden klonken echter hol. Het Polen van Jaruzelski was verloren.

Na Jaruzelski's mislukte nationale referendum over economische hervormingen kwamen er in de herfst nieuwe stakingsgolven. In het voorjaar van 1988 werd met bruut geweld op de demonstraties gereageerd, maar het was een zinloos achterhoedegevecht. De Sovjet-Unie kreeg een nieuwe leider, Michael Gorbatsjov, die niet van plan was de bouwvallige regimes in Oost-Europa overeind te houden. Onder druk van de buitensporige militaire rivaliteit met de Verenigde Staten hervormde Gorbatsjov het economische en politieke systeem van het sovjetrijk. Polen werd aan zijn lot overgelaten en Jaruzelski kon niet meer dreigen met een sovjetinvasie als alibi voor een staat van beleg. De generaal moest wel een akkoord bereiken met de oppositie. De strijd tussen extremisten aan beide kanten van de politieke scheidslijn liep zo hoog op dat het nog maanden duurde voordat Solidariteit weer legaal werd. De verkiezingen vonden plaats op 4 juni 1989, wat het startsein werd voor het verlies van sovjetcontrole over de satellietstaten in Oost-Europa. Alle honderd zetels op één na in de Poolse Senaat, en alle open zetels in de Sejm, het Poolse parlement, gingen naar het Burgercomité, dat door Solidariteit werd gesteund. De officiële diplomatieke betrekkingen tussen Polen en de Heilige Stoel werden hersteld.

De wereld werd getuige van een van de meest bijzondere gebeurtenissen in de moderne geschiedenis, de implosie van het sovjetrijk. Hoewel Johannes Paulus altijd heeft beweerd dat hij 'hooguit de boom flink door elkaar schudde', zullen maar weinigen betwisten dat het onvermijdelijke en vreedzame proces door de Poolse paus op gang is gebracht.

Was dit nu waar Johannes Paulus op gehoopt en voor gebeden had? Was dan nu op aarde het tijdperk aangebroken van de best mogelijke aller werelden? Johannes Paulus zou snel duidelijk maken dat ook het kapitalisme en de democratie nodig gecorrigeerd moesten worden. Er speelden echter nog andere belangrijke ontwikkelingen binnen de katholieke Kerk in de jaren tachtig, onder andere een markante opleving van het verschijnsel heiligverklaring.

13
Johannes Paulus, heiligen en wetenschappers

In de komende eeuwen zal het pontificaat van Johannes Paulus II herinnerd worden om de enorme hoeveelheid heilig- en zaligverklaringen van de paus. Canonisering ofwel heiligverklaring door de katholieke Kerk wil zeggen dat de paus met zekerheid vaststelt dat iemand in de hemel is gekomen en om die reden een universele cultus of devotie waardig is. Van een *beatus*, ofwel 'zalige', wordt ook officieel verklaard dat hij in de hemel is, maar die valt eerder een lokale dan een universele devotie ten deel. Zaligen bereiken meestal na verloop van tijd de status van heilige. In beide gevallen wordt aangenomen dat hun relieken, meestal lichaamsdelen of voorwerpen die met hun lichaam in aanraking zijn gekomen, een bijzondere kracht hebben – van genezing bijvoorbeeld. De gelovigen worden aangemoedigd tot deze personen te bidden, te vragen om bemiddeling. Sommige heiligen worden geassocieerd met een bepaalde werkzaamheid: de heilige Antonius voor het vinden van verloren voorwerpen, de heilige Gerardus van Majella voor zwangere vrouwen, de heilige Judas voor 'hopeloze gevallen'. Zowel heiligen als zaligen worden geacht voorbeeldige heilige levens te hebben geleid: ze laten ons zien hoe we heilig kunnen worden en in de hemel komen.

Katholieke heiligen en zaligen hebben ook een politiek en institutioneel belang, omdat de betreffende persoon de officiële pauselijke goedkeuring heeft gekregen. Johannes Paulus heeft zijn goedkeuring gegeven aan de zaligmaking van veel personen die tijdens de Spaanse Burgeroorlog zijn omgekomen, terwijl hij weigerde aartsbisschop Oscar Romero te eren, die volgens de paus linkse sympathieën had. Ook kerkelijke politiek speelt een rol.

Bij de zaligverklaring van Johannes XXIII, de buitengewoon populaire paus van het concilie, verklaarde Johannes Paulus bij wijze van tegenwicht ook Pius IX zalig, die nauw betrokken was bij de dogma's van de pauselijke onfeilbaarheid en het primaat van het Eerste Vaticaans Concilie uit 1870.

De enorme toename in heilig- en zaligverklaringen onder Johannes Paulus II was duidelijk onderdeel van een evangelisatiestrategie: om de wereld de heroïsche heiligheid te laten zien die gelovigen waar ook ter wereld kunnen bereiken. Het was ook een teken van Johannes Paulus' overtuiging dat de 'gemeenschap van de heiligen' een dimensie is van de Kerk op aarde. Hij noemde de heiligen en zaligen van zijn pontificaat de 'heiligen van het derde millennium'.

Halverwege de jaren negentig had Johannes Paulus zo'n duizend personen heilig of zalig verklaard, meer dan het aantal personen die door alle pausen bij elkaar zijn gecanoniseerd of zalig gemaakt sinds paus Urbanus VIII in de jaren twintig van de zeventiende eeuw officieel met deze praktijk begon. Halverwege de jaren tachtig werd het systeem versneld nadat Johannes Paulus de procedure van de heiligverklaring had hervormd. Van oudsher nam het proces van heilig- of zaligverklaring tientallen jaren of wel eeuwen in beslag. Johannes Paulus verkortte dit tot een paar jaar. In januari 1983 publiceerde hij de apostolische constitutie *Divinus perfectionis magister* (De goddelijke meester der perfectie). De belangrijkste verandering was de afschaffing van de duivelsadvocaat, iemand die de claims moest onderzoeken van de 'dienaar van God', zoals een kandidaat-heilige wordt genoemd. De zorgvuldige antagonistische methoden van deze *advocatus diaboli*, die elke belangrijke en minder belangrijke claim op heiligheid in twijfel trok en kritisch onderzocht, vertraagde uiteraard het proces. In plaats daarvan zouden de merites van de dienaar Gods bewezen worden in een heiligenleven, ofwel een hagiografie, die een *positio* werd genoemd. Het nieuwe systeem betekende echter dat het moeilijker werd om bezwaren en kritiek in te brengen tegen de 'dienaar van God'.

De meest spraakmakende zaligverklaring door Johannes Paulus is die van Josemaría Escrivá de Balaguer (1902–1975), de stichter van Opus Dei. Escrivá, een charismatische Spaanse priester, was even controversieel als de religieuze beweging die hij in 1941 oprichtte. Opus Dei, een christelijke organisatie voor leken en geestelijken, staat bekend om zijn geslotenheid, strengheid in de leer en financiële geslepenheid. Er bestonden twijfels over Balaguers relatie met de fascistische Spaanse dictator generaal Franco, die niet zijn weggenomen. Minstens negen Opus Dei-leden dienden in het kabinet van Franco. De spiritualiteit van de beweging is gebaseerd op

Escrivás beroemde werk *Camino* (De weg), de uit 999 raadgevingen bestaande tekst die in 1935 voor het eerst werd uitgegeven. Hij moedigde de leden, getrouwd of vrijgezel, aan katholieke waarden na te leven in het dagelijks leven, vooral in hun werk. Johannes Paulus gaf al in 1974, toen hij nog kardinaal was, zijn goedkeuring aan het werk van Opus Dei, door Escrivás kernboodschap te parafraseren en te prijzen: 'Iedereen dient zijn of haar werk te rechtvaardigen, zichzelf op het werk te rechtvaardigen, en anderen door middel van hun werk te rechtvaardigen.'

De avond voor het conclaaf dat Johannes Paulus I koos, bad kardinaal Wojtyła aan het graf van Escrivá in Rome. In 1982 gaf hij de beweging de status 'personele prelatuur', wat uiteindelijk inhield dat de priesters binnen de beweging onafhankelijk van een bisdom te werk kunnen gaan en direct onder auspiciën vallen van de leider van de organisatie en de paus. Voor sommige tegenstanders van Opus Dei was dit het zoveelste teken dat Johannes Paulus ernaar streefde de macht van de bisdommen en bisschoppen te verzwakken.

De hagiografie die de zaligverklaring van Escrivá moest ondersteunen, een document dat maar liefst zesduizend pagina's telt, werd in alle beslotenheid geschreven en onderzocht door leden van Opus Dei, wat bij velen vragen opriep, onder andere bij Kenneth Woodward, de voormalige godsdienstcorrespondent van *Newsweek* en auteur van *Making Saints*. 'Veel wees erop,' schrijft Woodward, 'dat het leven van Escrivá niet grondig was onderzocht en vertekend werd weergegeven, dat de leden van het tribunaal hadden voorkomen dat er ongunstige verklaringen zouden worden afgelegd, en dat leden van de congregatie [voor heiligverklaringen] waren gezwicht voor de druk van Opus Dei om het proces te versnellen.' Volgens de nieuwe regels moest men in het proces verklaringen opnemen van getuigen die de zaak bevochten. De namen van elf critici werden genoemd voor het tribunaal van Escrivás zaligverklaring, maar slechts één van hen mocht getuigen, en zijn verklaring kreeg nauwelijks aandacht. Het lukte Kenneth Woodward om zes andere getuigen te interviewen die bij Escrivá hadden gewoond of met hem hadden samengewerkt. 'De voorbeelden die zij gaven van [Escrivás] ijdelheid, corruptheid, woedeaanvallen, botheid naar ondergeschikten en kritiek op de paus en andere kerkvoogden,' schrijft Woodward, 'waren nou niet de karaktertrekken die men verwachtte bij een christelijke heilige.' In de biografie ter zaligverklaring komt Escrivá echter naar voren als een bovenmenselijke, wandelende heilige. Maar alle bedenkingen en kritiek mochten niet baten, want Johannes Paulus ging gewoon door en sanctioneerde de zaligverklaring van Escrivá binnen een recordtijd. 'Opus Dei,' vervolgt Woodward, 'beschouwde iedere kritiek [op de procedure voor zaligverklaring] als kritiek op de paus zelf.'

Josemaría Escrivá de Balaguer werd op 17 mei 1992 zalig verklaard voor een menigte van tweehonderdduizend aanhangers (tien jaar later zou hij heilig worden verklaard). De snelheid waarmee hij 'tot de eer der altaren werd verheven', zoals de uitdrukking luidt, was volgens velen een aanwijzing van de grote invloed die Opus Dei had binnen de Congregatie voor Zalig- en Heiligverklaringen en op de paus zelf. En toch lijkt de kwestie-Escrivá er eerder op te wijzen dat de paus uit eigen beweging achter Opus Dei staat dan dat hij door de beweging wordt gemanipuleerd. Opus Dei floreerde als gevolg van de eerbewijzen aan de stichter, zag zijn aanhang groeien en ging meer ontspannen om met de media. De beweging, die werkzaamheden in het onderwijs ontplooit en betrokken is bij liefdadigheidsactiviteiten over heel de wereld, lijkt nu op een moderne versie van de jezuïetenorde tijdens de Hervorming. In 1998 kende Johannes Paulus het studiecentrum van Opus Dei in Rome de status Pauselijke Universiteit toe.

Een andere door Johannes Paulus ingevoerde verandering in de procedure van de heiligverklaring is de verlaging van het aantal wonderen dat vereist is als getuigenis of teken van de hemel dat de betreffende kandidaat inderdaad een heilige of zalige is. Gedurende Johannes Paulus' pontificaat is het steeds moeilijker geworden voor het Vaticaan om katholieke artsen en wetenschappers bereid te vinden om mirakelen te onderzoeken, aangezien steeds meer deskundigen menen dat deelname aan deze procedure schadelijk kan zijn voor hun carrière. Tegelijkertijd worden veel figuren met een heilige cultus, bijvoorbeeld John Henry Newman, niet zalig of heilig verklaard, ondanks de inflatoire praktijk, omdat het criterium van het wonder te zwaar is.

Het is de taak van wetenschappelijke mirakelvorsers in het proces van heilig- of zaligverklaring om het fenomeen (meestal een genezing) het stempel '"onverklaarbaar" volgens natuurwetten' te geven. Het werk van de mirakelvorsers wordt bemoeilijkt als Johannes Paulus heeft besloten om voor een kandidaat of groep kandidaten de versnelde procedure te laten gelden, zodat er op een buitenlandse reis of bij een herdenking weer iemand heilig of zalig kan worden verklaard.

Theorieën over 'verklaarbaarheid' hangen af van bestaande wetenschappelijke theorieën die door wetenschappers nooit als onveranderlijk worden beschouwd, omdat die alleen maar geldig blijven totdat ze zijn gefalsifieerd of anders blijken te zijn. De jezuïeten hebben het Vaticaan verzocht het beleid te wijzigen en ook 'morele' en 'spirituele' wonderen te erkennen: bijvoorbeeld de redding van een gebroken huwelijk, of de genezing van een alcoholist. Johannes Paulus wilde er niets van horen.

Een paus met meer begrip zou waarschijnlijk de huidige praktijk van heiligenverklaringen de deur uit doen, de wetenschappelijk-medische commissies opdoeken, de raad opvolgen van de jezuïeten en wonderen erkennen die meer tot de religieuze verbeelding spreken. Deze wat eigentijdsere benadering van het wonder zou paradoxaal genoeg, zoals een aantal jezuïeten al jaren beweert, dichter komen bij de betekenis van wonderen in het evangelie, waar het wonder een illustratie is van christelijke verlossing. Vanuit een meer open visie op de betekenis van het wonder en het heiligenschap zou men kunnen accepteren dat het moeilijker is een mens te veranderen dan een tumor te laten verdwijnen.

Ondanks zijn enthousiasme voor wonderen die iedere bekende natuurwet tarten, doet Johannes Paulus zichzelf tijdens zijn bestuur voor als patroon en verdediger van de wetenschap, en tegelijk als criticus die valse claims en onethische praktijken afkeurt. Zijn pontificaat viel samen met snelle ontwikkelingen binnen de genetica, het embryonale stamcellenonderzoek, de reproductietechnologie, neurologie en kunstmatige intelligentie. Tijdens zijn pausdom is de visie op het ontstaan van de wereld en de menselijke identiteit in de kosmologie, evolutieleer en sociobiologie, allemaal vakgebieden die zijn belangstelling hebben, drastisch gewijzigd. Johannes Paulus heeft met enthousiasme onderzoek en conferenties binnen deze vakgebieden gestimuleerd, en na zijn encycliek *Fides et ratio* (Geloof en rede) uit 1998 zou niemand hem ervan kunnen beschuldigen dat hij geen gehoor heeft gegeven aan de roep om een intellectuele handreiking te doen.

Johannes Paulus begon zijn pontificaat in 1979 met een eerbetoon aan Galileo als christen, alsof hij de breuk met de wetenschap wilde lijmen die al sinds halverwege de zeventiende eeuw bestond. Bovendien ontpopte hij zich als een belangrijke weldoener van academisch en wetenschappelijk onderzoek in de natuur- en sociale wetenschappen. De Pauselijke Academie voor de Wetenschappen houdt om de twee jaar plenaire bijeenkomsten die door 24 wetenschappers van wereldformaat worden bijgewoond. Bij deze illustere gelegenheid maakt Johannes Paulus de winnaar bekend van de Pius XI-medaille, een prijs voor jonge wetenschappers. Hij heeft zo'n zeventig wetenschappers een levenslange aanstelling gegeven aan deze academie, voor het merendeel hoogleraren van Europese en Amerikaanse universiteiten, onder wie Martin Rees, wijlen Max Perutz en Charles Townes. Het

Vaticaans observatorium met zijn jezuïtische astronomen en astrofysici heeft een wereldwijde reputatie. Bovendien heeft hij regelmatig internationale (sociaal-)wetenschappelijke conferenties gesponsord, en er zijn opmerkelijke pogingen gedaan om de aandacht te richten op kwesties met een actueel belang, zoals de neurologie, kosmologie en bio-ethiek.

Op een neurologenconferentie die ik in 1990 op het Vaticaan bijwoonde, was Johannes Paulus aanwezig tijdens de openingslezing van professor Gerald Edelman. Edelman, een Nobelprijswinnaar die een verbluffende nieuwe theorie had ontwikkeld over de ontwikkeling van de geest en het lichaam, moet Johannes Paulus tot op zekere hoogte gefascineerd hebben, gezien de interesse van de wetenschapper in de vleesgeworden ziel. Er vond nog een amusant en veelzeggend incident plaats vlak voor de lezing. Johannes Paulus, die tussen professor Edelman en de bekende schrijver-neuroloog Oliver Sacks in liep, stond in de gang stil bij een vergrote afbeelding van één neuron, of hersencel. Na een denkpauze die wel een eeuwigheid leek te duren, zei Johannes Paulus op zwaarwichtige toon tegen Oliver Sacks: 'Dus dit is... het brein!' Sacks corrigeerde hem niet. Later zei Sacks dat hij het als eenvoudige neuroloog ongepast had gevonden de Heilige Vader tegen te spreken op zo'n belangrijk onderwerp.

Feit is echter dat deze initiatieven in het domein van de wetenschap weinig of geen invloed hebben gehad op het klerikale establishment van het Vaticaan en hooguit de schijn ophouden van een dialoog met gelijken. In de slotlezing op de neurologische conferentie, gehouden door een monseigneur die geen enkele kwalificatie had op dit gebied, werd het geloof in het dualisme tussen lichaam en ziel opnieuw verkondigd en daarmee de strekking van de hele ontmoeting tegengesproken, met uitzondering van één presentatie, die van wijlen sir John Eccles, die in brede kring gezien wordt als een dilettant binnen het vak.

Achter deze flatterende façade echter draaide Johannes Paulus de duimschroeven van de katholieke universiteiten in de Verenigde Staten stevig aan na de publicatie van een document met de titel *Ex corde ecclesiae* (Vanuit het hart van de Kerk). Hij wilde controle uitoefenen op academici van katholieke universiteiten en colleges in de Verenigde Staten die vanuit een katholieke invalshoek godsdienst doceerden: godsdienst omvat in zijn definitie ook ethiek en filosofie. Deze zet wierp lastige vragen op over academische vrijheid, de scheiding van Kerk en staat, universitaire fondsenwerving en het wezen van de katholieke identiteit. Het document pleitte voor meer controle op 'orthodox' onderwijs en voor inperking van de pluralistische vrijheden op deze terreinen. Katholieke instituten kregen het verzoek mee te doen of niet. Meedoen betekende dat de universiteit het beheer moest overgeven aan de plaatselijke bisschop en uiteindelijk aan Rome. Niet meedoen betekende dat het instituut zich niet langer katholiek mocht noemen. De prijs voor meedoen was hoog. Kon een universiteit of college zich als onafhankelijk beschouwen wanneer het bestuur aan de leiband liep van een absolute vorst in Rome? Dit was geen vrijblijvende bedenking, want katholieke universiteiten trokken al generaties lang zowel katholieke als niet-katholieke studenten en een aantal ervan concurreerde met Ivy League-universiteiten. De kwestie had ook constitutionele aspecten. Kon de Amerikaanse regering of staat eigenlijk wel een instituut subsidiëren dat aan de leiband liep van een buitenlands staatshoofd?

De kwestie werd op de spits gedreven toen in 1989 het Vaticaan de oude bekende 'dissident' Charles Curran berispte, een eminente moraaltheoloog aan de Katholieke Universiteit van Washington DC. Curran had beweerd dat hij niet afweek van het dogma, maar wel van sommige aspecten van de leer van de paus, die niet onfeilbaar waren. Zijn onderwijsbevoegdheid werd door kardinaal Ratzinger ingetrokken en vervolgens werd hij door zijn universiteit ontslagen. Op een persconferentie verklaarde Curran dat hij het doelwit was geworden van de pauselijke strijd tegen vrijzinnige academici. In februari 1989 verloor hij zijn beroepszaak tegen de universiteit om zijn ontslag. Deze gang van zaken verontrustte veel academici op katholieke instituten, en vergrootte de kloof tussen de Amerikaanse hiërarchie en de katholieke academische wereld. In november van het millenniumjaar zouden de Amerikaanse katholieke bisschoppen een verklaring van doctrinaire trouw aan het magisterium opstellen, die door alle theologen moest worden ondertekend die lesgaven op katholieke colleges en universiteiten.

Johannes Paulus vond dat de vrijheden die zo wezenlijk waren voor de Amerikaanse cultuur, nodig moesten worden bijgestuurd en ingeperkt. Terwijl het sovjetrijk faalde en ineenstortte, kwamen de aspecten van de Amerikaanse vrijheid die volgens hem een vrijbrief vormden voor zonde en dwalingen, steeds meer onder zijn aandacht.

14
Conflicten met de democratie

Wie dacht dat de paus toen zijn pontificaat het decennium van de jaren negentig in ging en de wereld getuige was van de desintegratie van de Sovjet-Unie en de val van het sovjetcommunisme, nu kritiekloos het westerse kapitalisme zou omarmen, kwam bedrogen uit. In 1991, tijdens zijn vierde bezoek aan Polen, zag en betreurde hij de gevolgen van het Amerikaanse kapitalisme en de westerse cultuur. Het Poolse volk was geneigd zijn overwinning op het communisme niet te zien als een triomf van de Kerk maar van de vakbond Solidariteit. Solidariteit was het referentiepunt van de nationale eenheid en niet de Maagd Maria, de katholieke Kerk of Johannes Paulus II. De paus was diep teleurgesteld, want hoe kon deze geborneerde, seculiere visie op de nationale identiteit nu ooit dienen als katalysator van de spirituele metamorfose die de buurlanden van Polen moesten ondergaan?

In de loop van de jaren negentig nam de invloed van de Kerk en Johannes Paulus af in Polen. De democratie in het bevrijde Polen van Johannes Paulus werd aangewend om abortus te legaliseren. De grens tussen Kerk en staat, heilig en profaan, leken en geestelijken, die ook al werd gehanteerd bij de vorming van de natiestaat aan het eind van de negentiende eeuw, werd ook in het postcommunistische Polen getrokken. Het was in de mode om tegen de Kerk te zijn. Waar kwam dit verraad aan de woorden en leerstellingen van Johannes Paulus toch vandaan? Was het omdat het Poolse volk niet bereid was de marxistische dogma's te vervangen door die van de paus?

Waarschijnlijker was de ommezwaai te wijten aan de onstuitbare wetten van de kapitalistische economie: de val van het communisme en de komst van het vrije ondernemerschap hadden onvermijdelijke gevolgen. Privatisering maakte de weg vrij voor buitenlands ondernemerschap, het opkopen van bedrijven, ontslagen en werkloosheid. Bij de verkoop van staatseigendommen nam de corruptie hand over hand toe. Polen was nu een open land: de burgers die het zich konden veroorloven, mochten door de wereld reizen. En de westerse wereld kwam naar Polen. Massaal uitgebrachte pocketboeken, de nieuwste films uit Hollywood, commerciële televisie, schaamteloze reclame, pornografie, popmuziek, goedkope geïmporteerde auto's aangeschaft met onbeperkt krediet, megasupermarkten, fastfood.

Maar alles was nog niet verloren. Johannes Paulus' boodschap voor de Poolse gelovigen ging zich nu richten op de komst van het derde millennium van het christendom. Hij had gezien hoeveel invloed grote herdenkingen op de Poolse ziel konden hebben. In 1966, het millenniumjaar van de kerstening van Polen, had hij het land razend enthousiast gemaakt. Hij zou dat nog eens kunnen doen. De taak was duidelijk: hij moest zijn geboorteland opnieuw evangeliseren. Polen moest bekeerd worden en in het nieuwe millennium een baken van hoop worden voor de rest van Europa. Polen moest zijn devotie aan Maria herontdekken, het land moest de valse betovering van het materialisme met al zijn excessen afwijzen als nieuwe vormen van slavernij. Het was twaalf jaar geleden sinds hij door heel zijn geboorteland in de taal van het Poolse messianisme had gesproken over zijn missie om de twee longen van het christendom, het Oosten en het Westen, in harmonie te brengen. 'De toekomst van Polen,' had hij geroepen, 'hangt af van het aantal mensen die rijp genoeg zijn om non-conformistisch te zijn.' Hij zag het Polen van de toekomst als het Nieuwe Jeruzalem – een vergezochte vergelijking gezien de werkelijkheid die in Polen begon te ontstaan. Maar waar kon non-conformisme anders gedijen dan in een pluralistische maatschappij waarin men het recht had vrijelijk te kiezen tussen het ene of het andere geloof, of helemaal geen geloof? Zoals in Amerika.

De weerzin van Johannes Paulus tegen het kapitalistische Westen dateert van jaren geleden: het had een persoonlijke component in zijn levenslange hang naar strengheid en zelfverloochening. De priester die zichzelf had gevormd naar het voorbeeld van de pastoor van Ars en de jonge pastoor in *Le journal d'un curé de campagne* stond van nature niet toegeeflijk tegenover westerse levensstijlen.

Hendrik Houthakker, de echtgenoot van Johannes Paulus' medewerker aan *The acting person*, Anna-Teresa Tymieniecka, heeft ooit de sterke vooroordelen van Johannes Paulus aangeroerd toen die in 1976 als kardinaal Wojtyła op bezoek was. Houthakker heeft eens gezegd: 'Hij had de neiging westerse landen en vooral de Verenigde Staten als immoreel, misschien zelfs als amoreel te beschouwen. Hij kon de verdiensten van de democratie niet uit zichzelf waarderen. [Anna-Teresa] schoot hem bij minstens twee gelegenheden te hulp door te zeggen dat hij begon te klinken als Savonarola in de Verenigde Staten.'

Houthakker en Tymieniecka waren oprecht bang, leek het wel, dat kardinaal Wojtyła hun gasten in Amerika zou beledigen. Ze hebben hem ongetwijfeld tijdelijk kunnen intomen, maar uiteindelijk zou zijn diepe weerzin tegen het Amerikaanse pluralisme, dat hij in verband bracht met moreel relativisme, onverminderd blijven en een diepgaande invloed hebben op zijn sociale leerstellingen.

In de eerste twaalf jaar van zijn pontificaat schreef Johannes Paulus drie belangrijke encyclieken over arbeid, politiek en economie. De eerste, uitgebracht in 1981, was getiteld *Laborem exercens* (Over de menselijke arbeid). Het was een poëtisch essay over de betekenis van arbeid, geschreven door een man die over dit onderwerp recht van spreken had, gezien de jaren waarin hij in een Poolse mijn stenen sjouwde in twee emmers aan een juk. Terwijl hij de socialistische thema's over eigendom en productiemiddelen omzeilde, schreef hij gloedvol over de verheffende aard van arbeid. Hij spande zich tot het uiterste in om de bijbelse opvatting te loochenen dat arbeid Gods straf was voor de oerzonde van Adam en Eva. Werk was creatief, hield hij vol, en betekende dus meewerken aan Gods schepping. En niet alleen maken we iets door middel van ons werk: werk is ook een proces van zelfrealisatie, van persoonlijke ontwikkeling.

In december 1987 had Johannes Paulus zijn tweede sociale encycliek, *Sollicitudo rei socialis* (Over de sociale zorg van de Kerk) voltooid, waarin hij het kapitalisme en het communisme op het morele vlak gelijkstelde en 'imperfect' noemde. Het kapitalisme was toe aan 'grondige revisie'. Hij kritiseerde de 'blinde onderwerping aan het pure consumentisme' en wees op het gevaar van 'egoïstische isolatie' in de Eerste Wereld. Had Johannes Paulus deze encycliek geschreven in het licht van meer recente kapitalistische schandalen als die van Enron in de Verenigde Staten en Parmalat in Europa, dan had hij nog even kunnen uitweiden over de bedrijfscorruptie.

Maar wat had hij te bieden als alternatief op de ongebreidelde markt? Bestond er een nog niet omschreven derde weg? Een derde weg zou de sociaal-democratie kunnen zijn, maar hij verklaarde publiekelijk dat een dergelijk systeem, als het echt socialistisch zou zijn, een 'utopie' was. Bovendien, doceerde hij, is het niet de bedoeling dat een pauselijke leer ideologieën of economische systemen aan de wereld voorlegt.

De tweede encycliek leunde op de constructieve kritiek van katholieke denkers in de Verenigde Staten, met name van Michael Novak, die zijn kritiek te boek stelde in *Catholic social thought and liberal institutions.* Johannes Paulus nam er kennis van en probeerde vervolgens zijn standpunt over het kapitalisme te verduidelijken in een derde encycliek die hij in 1991 publiceerde, *Centesimus annus* (Het honderdste jaar).

In de stijl van de pausen aan het einde van de negentiende, begin twintigste eeuw, plaatste hij zijn encycliek in een continuüm met vorige pauselijke leerstukken, alsof hij de indruk wilde wekken dat hij samen met zijn voorgangers een naadloos doctrinair kleed weefde. De titel van de brief verwees naar de honderdste verjaardag van de publicatie van Leo XIII's *Rerum novarum* (Over nieuwe zaken) over arbeid, kapitaal en samenleving. Ook had hij *Quadragesimo anno* (In het Veertigste Jaar, dat wil zeggen, veertig jaar na de publicatie van *Rerum novarum*) in gedachten, geschreven door Pius XI, de paus van de jaren twintig en dertig van de vorige eeuw – het tijdperk waarin Mussolini opkwam.

Maar het verstrijken van een eeuw had nog een andere historische betekenis, die appelleerde aan het grote verlangen van Johannes Paulus synchroniciteiten te zien, die hij absoluut niet als toevalligheden beschouwde. Want het was toch niet mogelijk om de periode van 1891 tot 1991 te zien als een reeks mislukte pogingen om een alternatief te vinden voor het naakte kapitalisme: het marxistisch-leninisme, het nationaal-socialisme, de sociaal-democratie ofwel de welzijnsstaat, die allemaal in een mislukking waren geëindigd?

In de visie van Johannes Paulus hadden de afgelopen honderd jaren het onvermogen van de wereld laten zien om aandacht te schenken aan de pauselijke sociale leer. Want de pausen – Leo XIII, Pius XI en nu Johannes Paulus II – hadden onderwezen dat alleen de katholieke sociale leer de vernietigende en zelfvernietigende kracht van het kapitalisme en inderdaad ook van de democratie zou kunnen beteugelen. Ondanks de grandeur van een eeuwfeest echter bracht het nieuwe document van de paus nauwelijks enige beroering teweeg; het werd zoals gebruikelijk bij nieuwe encyclieken, weer snel vergeten.

De onverschilligheid voor de geschriften van Johannes Paulus over de kerkelijke sociale leer in dit postcommunistische en postmoderne tijdsgewricht is opvallend, want er stond veel in dat goed en waar was. George

Weigel, de pauselijke biograaf, noemde de sociale leer van de paus 'het best bewaarde geheim van het katholicisme [...] dat zelden wordt gepredikt en gebrekkig wordt onderwezen'. Wat ligt er aan deze onachtzaamheid ten grondslag, vraagt hij zich af? Weigel, zoals zoveel rechtse Amerikaanse katholieken, komt tot de conclusie dat de paus met zijn sociale leer zijn tijd zó vooruit is, dat hij door zijn pure profetische kracht wordt verduisterd. Het is volgens Weigel meer iets voor een ander, een jonger en zuiverder tijdperk, dat na het onze komt. Hij wil ons doen geloven dat de sociale wijsheid van Johannes Paulus een erfenis is voor de komende decennia, misschien wel voor de komende eeuwen. Een andere verklaring voor de veronachtzaming is de problematische erfenis die zijn voorlopers hebben nagelaten, en het struikelblok van Johannes Paulus' verklarende stijl.

Leo XIII, de schrijver van *Rerum novarum,* was de opvolger van Pius IX, die in 1869–1870 het Eerste Vaticaans Concilie bijeenriep om te debatteren over de onfeilbaarheid en het primaatschap van de paus. Leo was een conservatief die had meegewerkt aan de *Syllabus errorum* (Lijst der dwalingen), waarin het liberalisme, de vooruitgang en de moderniteit werden verworpen. Leo werd op zijn achtenzestigste gekozen en hooguit beschouwd als tussenpaus, maar hij bleek zich te ontpoppen tot een energieke en initiatiefrijke paus. Ondanks de conservatieve invloed van het voorafgaande pontificaat zocht hij aansluiting bij de moderne wereld, met name bij de wereld van de arbeider. In de jaren tachtig van de negentiende eeuw werd Rome in steeds groteren getale bezocht door arbeidersverenigingen. Verzoeken om een richtsnoer over zaken als vakbonden, stakingen, het kapitalisme en socialisme brachten Leo ertoe zijn belangrijke encycliek te schrijven, die een antwoord was op de krachten die door de industriële revolutie waren vrijgekomen. Het was bovendien, een halve eeuw na dato, het pauselijke antwoord op het *Communistisch manifest* en Marx' *Das Kapital.* Hoewel hij de onderdrukking en de uitbuiting van de armen door 'een kleine groep zeer rijke mannen' betreurde, hoewel hij pleitte voor eerlijke lonen en het recht om vakbonden op te richten (liefst katholieke), en in sommige gevallen zelfs om te staken, stond de encycliek lauw tegenover de democratie, zelfs op het vijandige af. Klasse en ongelijkheid waren volgens Leo onveranderlijke kenmerken in het menselijk bestaan. Hij veroordeelde het socialisme in al zijn verschijningsvormen als illusoir en gelijkstaand met klassenhaat en atheïsme. Leo meende dat het antwoord op het socialisme niet de democratie was, maar een christelijke intellectuele renaissance gebaseerd op geloof en rede. Die renaissance zou, betoogde hij, geworteld moeten zijn in het gedachtegoed van Thomas van Aquino.

Het eerherstel van Thomas van Aquino droeg bij aan een opmerkelijk nieuw perspectief op de organische structuur van de ideale samenleving: subsidiariteit, ofwel de situatie waarin beslissingen over gemeenschappen en samenlevingen vanuit de basis worden genomen, met andere woorden, in de nabijheid van diegenen wie deze beslissingen aangaan. In de jaren dertig van de twintigste eeuw, veertig jaar na Leo's encycliek, beschreef Pius XI dit principe in zijn sociale encycliek *Quadragesimo anno.* Maar de tijden waren veranderd toen Pius XI, Achille Ratti, op 64-jarige leeftijd in 1922 tot paus werd gekozen.

Pius XI, geleerde, archivaris en voormalig diplomaat in Polen, was klein en gedrongen, en een enthousiaste bergbeklimmer – iets wat hij met Johannes Paulus II gemeen had. Pius XI was fel tegen iedere tegemoetkoming aan het communisme of het socialisme. Maar hij stond ook wantrouwig tegenover het westerse vrije ondernemerschap en was evenmin als Leo een voorstander van de democratie, bang dat de horden aan de macht kwamen. Het totalitarisme van rechts was iets anders. Pius XI had in de jaren twintig van de vorige eeuw duidelijk zijn keuze laten vallen op het corporatisme, een systeem waarin een eliteparlement werd *geselecteerd* en geen sprake was van *gekozen* volksvertegenwoordigers volgens een algemeen stemrecht. Dus ging Pius in zee met het Italiaans fascisme, waar hij later nog flink spijt van zou krijgen. Hij hielp Mussolini bij het buiten de wet stellen van de machtige democratische Partito Populare (de katholieke Volkspartij) en speelde met hem onder een hoedje in de verbanning van de heldhaftige partijleider, don Luigi Sturzo. De paus eiste dat katholieken zich als katholieken uit de politiek trokken, waardoor een politiek vacuüm ontstond waarin de fascisten welig konden tieren. Alle priesters in Italië werden door het Vaticaan gestimuleerd hun steun te geven aan de fascisten, en de paus sprak over Mussolini als 'een man die door de voorzienigheid is gezonden'.

Ter vervanging van het politieke katholicisme in Italië richtte de paus de Katholieke Actie op, een futloze door de clerus gedomineerde organisatie die de leider religieus moest aanmoedigen, door Pius XI pompeus omschreven als 'de georganiseerde deelname van leken binnen het hiërarchische apostolaat van de Kerk, die de partijpolitiek overstijgt'. Pius XI sanctioneerde in 1929 het Lateraans Verdrag, waarbij men overeenkwam dat de Katholieke Actie alleen maar zou worden erkend zolang de organisatie 'haar activiteiten onafhankelijk van iedere politieke partij' ontplooit, en 'zich ondergeschikt maakt aan de kerkelijke hiërarchie ten behoeve van de verspreiding en invoering van katholieke uitgangspunten'. Na verloop van tijd echter werden leden van de Katholieke Actie door fascistische knokploegen in elkaar geslagen.

Geen wonder dus dat, ondanks sommige goede onderdelen, de katholieke sociale leer van Pius XI tot op de dag van vandaag moet worden beschouwd als irrelevant of zelfs ronduit moet worden afgewezen. Subsidiariteit zonder democratie is pure retoriek. Subsidiariteit onder het fascistisch corporatisme leidt rechtstreeks tot geweld.

De gedachte dus dat *Centesimus annus* deel uitmaakte van een complete pauselijke symfonie, die in een tijdspanne van honderd jaar de wijsheid van de pauselijke leer had geopenbaard, was op zijn zachtst gezegd een beetje ongelukkig. Niettemin zijn de thema's uit Johannes Paulus' belangrijke encycliek uit 1991 op het eerste gezicht voortreffelijk en zelfs lovenswaardig. De kernidee is dat vrijheid zonder deugd een nieuwe vorm van slavernij oplevert. 'Bij een verbond tussen democratie en ethisch relativisme,' schrijft de paus, 'zou elk vaststaand moreel referentiepunt uit de politiek en het maatschappelijk leven verdwijnen, waardoor op een dieper niveau de erkenning van de waarheid onmogelijk wordt gemaakt.' Met andere woorden, vrijheid zonder moraliteit is zelfvernietigend. Johannes Paulus bleef erbij dat democratie en de vrije markt niet in staat zijn de voorwaarden te scheppen voor een bloeiende samenleving, zonder de waarden die de Kerk te bieden heeft.

Maar was het realistisch dat de wereld deze analyse zou accepteren, die op zo'n autoritaire, doctrinaire manier werd uitgedrukt? Verdedigers van de encycliek beweren dat de paus alleen maar voorstellen doet en niets oplegt. Het probleem is dat de hele strekking van de encycliek en haar plaats in het continuüm van vorige sociale encyclieken strijdig zijn met het ware pluralisme, om maar te zwijgen over subsidiariteit, waar hij ook voor pleitte, net als voor solidariteit en 'algemeen welzijn'. Johannes Paulus' sociale leer werd ontkracht door een gebrek aan respect voor de kracht en de verdiensten van een pluralistische cultuur. Hij beschouwde het pluralisme net als het kapitalisme als een vijand die moet worden bestreden en overwonnen.

Als religieus leider die een historische bijdrage wilde leveren aan het postcommunistische pluralisme, werd Johannes Paulus gehinderd door de fundamentalistische, autoritaire, top-down didactiek van het magisterium waarmee hij de Kerk bestierde. Binnen de gemeenschap van zijn Kerk was hij niet geneigd te luisteren naar zijn bisschoppen, laat staan naar interessante bijdragen van theologen buiten het beperkte blikveld van het magisterium. Hij had de bijdragen van vrouwen geweerd en ook die van talloze andere leken die de complexe ruimte vormen binnen de katholieke Kerk en haar relaties met andere geloofsrichtingen en godsdiensten. Het probleem met de sociale leer van Johannes Paulus, en duidelijk de oorzaak van de veronachtzaming, was die onontkoombare patriarchale toon.

Het gevolg van dit alles was dat er een belangrijke kans werd gemist. Want de ongebreidelde markt vroeg duidelijk om een morele dimensie, hetzij vanuit christelijke hoek hetzij vanuit andere lokale traditionele godsdiensten en waardesystemen. In China en Azië bijvoorbeeld moest de groeiende markt wel kijken naar het boeddhisme en confucianisme, op het Indiase subcontinent keek men naar het hindoeïsme, de godsdienst van de sikhs en de islam. Dat het Johannes Paulus niet was gelukt om een christelijke bijdrage te leveren in termen die gehoord en toegepast konden worden in westerse pluralistische democratieën, was een ramp. En het probleem lag bij het steeds groter wordende vooroordeel dat Johannes Paulus koesterde tegen het pluralisme.

15
Pausen en pluralisme

Bouwen we aan een goede samenleving door waarden en normen van bovenaf op te leggen? Of geven we de voorkeur aan pluralisme: het toestaan aan individuen en groepen individuen hun eigen normen-en-waardenstelsels te kiezen? In de loop van de jaren negentig leek Johannes Paulus meer bezwaren tegen pluralisme dan tegen fundamentalisme te hebben. Gedurende de jaren negentig maakte Johannes Paulus zich voortdurend zorgen om de relatie tussen pluralisme en morele waarheid. Zoals hij Joseph Ratzinger al vertelde toen ze elkaar na de dood van Paulus VI voor het eerst ontmoetten, hield hij zich vooral bezig met 'Waarheid'. Maar hoe kan men vrijheid van geweten en godsdienst voor iedereen erkennen wanneer dat tevens een erkenning inhoudt van een dwaling? Voor Johannes Paulus was dit een cruciaal dilemma, dat de laatste jaren van zijn pontificaat zou gaan bepalen. In Polen had Johannes Paulus de vrijheid van godsdienst en godsdienstbelijdenis krachtig verdedigd, maar uiteindelijke acceptatie van de pluralistische maatschappij als de best mogelijke aller werelden was een andere kwestie.

Er voert een sterke pauselijke antipluralistische traditie terug naar de Franse Revolutie met haar vernietigende verheffing van de rede boven het geloof. In 1832 verwierp paus Gregorius XVI de godsdienstvrijheid in een document getiteld *Mirari vos* (U vraagt zich af). 'Vanuit deze onwelriekende bron der onverschilligheid,' verklaarde hij, 'vloeit de verkeerde en absurde conclusie – of beter gezegd de waanzin – voort dat gewetensvrijheid voor iedereen erkend en gerechtvaardigd moet worden.' Anders gezegd, de paus bijt zich liever de tong af dan toe te geven dat een dwaling 'bestaansrecht heeft'.

Een opvallend voorbeeld van hoe katholieke visies zich door de eeuwen heen kunnen ontwikkelen, of herstellen, is te zien in de opmerkelijke ommezwaai van het Tweede Vaticaans Concilie inzake het pluralisme. Hoewel, in werkelijkheid was het helemaal geen ommekeer maar een herstel van een door en door christelijk principe. De Verklaring over de Godsdienstvrijheid, die met veel moeite tijdens de laatste sessie van het concilie werd goedgekeurd, benadrukte dat, hoewel een dwaalleer geen enkel bestaansrecht heeft, mensen wel rechten hebben, onder andere het onvervreemdbare recht op gewetensvrijheid. Met andere woorden, het concilie betoogde dat pluralisme zijn oorsprong heeft te danken aan een sterke filosofische en theologische christelijke onderbouwing: we zijn elkaar respect verschuldigd omdat we allemaal zonder uitzondering kinderen van God zijn.

Een belangrijke adviseur bij de opstelling van dit conciliedocument was de Amerikaanse jezuïet en theoloog John Courtney Murray. Murray zag aan het eind van de jaren veertig duidelijk in dat de kwestie van de godsdienstvrijheid de katholieke Kerk belangrijke kansen bood om in het naoorlogse tijdperk de kampioen te worden van de pluralistische samenlevingen, vrij maar met principes. Maar de Kerk had nog een lange weg te gaan voordat ze dit standpunt zou kunnen huldigen, zo bleek toen Murray juist over dit onderwerp de zwijgplicht kreeg opgelegd door kardinaal Alfredo Ottaviani, die halverwege de jaren vijftig onder Pius XII voorzitter was van het Heilig Officie, omdat het een ernstige dwaling zou zijn.

Zoals we hebben gezien was Johannes Paulus II als aartsbisschop Wojtyła tijdens het Vaticaans Concilie ook betrokken bij de opstelling van het document over godsdienstvrijheid. Dat hij als bisschop uit een communistisch land de gewetens- en godsdienstvrijheid uiterst belangrijk vond, lag maar al te zeer voor de hand. Als paus nam zijn interesse in de gewetensvrijheid niet af na de val van het communisme in zijn geboorteland.

Naarmate in de jaren negentig de globalisering toenam en Europa zich voorbereidde op de uitbreiding van de unie, werd de vraag hoe het katholieke denken kon samengaan met de principes van het pluralisme in Noord-Amerika en de Europese Unie en die kon verrijken en ondersteunen, voor de paus steeds urgenter. In *Centesimus annus*, zijn belangrijkste sociale encycliek, stelde Johannes Paulus, zoals we hebben gezien, dat een pluralistische, democratische en kapitalistische maatschappij het gevaar loopt te vervallen in nieuwe vormen van tirannie wanneer er geen morele cultuur bestaat om die in te perken en te vormen. Volgens Johannes Paulus vervult de katholieke Kerk en de pauselijke sociale leer dus een belangrijke rol in de nieuwe wereldorde.

Maar de vraag bleef: hoe moeten katholieken zich roeren in de arena van een pluralistische maatschappij? Hoe brengen katholieken in het openbare leven morele principes naar voren, hoe stemmen ze over of agenderen zij kwesties als het aanwenden van menselijke embryo's voor wetenschappelijk onderzoek, oorlogskwesties, kernwapens, abortus? Progressieve katholieken wilden liever in de geest van de aanbevelingen van Vaticanum II een dialoog voeren over opinies die vaak tegenstrijdig lijken met katholieke waarden, om zodoende gezamenlijk terrein te verkennen en zelfs openbare beslissingen te beïnvloeden zonder dat daarbij principes zouden worden afgezwakt.

Johannes Paulus echter bleef gedurende de jaren negentig een afwijzende houding aannemen in belangrijke kwesties, vooral op het gebied van de seksuele moraal, waarbij hij graag scherpe bewoordingen gebruikte als 'de cultuur des doods'. Tegelijk bestond er een groep katholieke denkers en schrijvers, onder wie een aantal luidruchtige en invloedrijke figuren in de katholieke media, die vastberaden de confronterende stijl van Johannes Paulus stimuleerden. De kloof tussen katholieken die de pauselijke sociale leer negeerden en degenen die deze op agressieve wijze uitdroegen, markeerde een van de ernstigste en grootste breuklijnen tussen progressieve en conservatieve groeperingen binnen de katholieke Kerk over een kwestie van het hoogste belang. Hoe moet een katholieke gelovige leven, stemmen en politieke bewegingen vertegenwoordigen in een pluralistische maatschappij?

Amerikaanse conservatieve leiders en, zo leek, Johannes Paulus zelf, stelden dat het pluralisme van de twintigste en eenentwintigste eeuw niet geworteld is in de christelijke tradities van universeel respect, maar in de ideeën van John Stuart Mill (zie bijvoorbeeld pater Richard John Neuhaus, 'John Paul II and the Public Square' in *John Paul II. Witness to truth*, onder redactie van Kenneth Whitehead). Met andere woorden, pluralisme is afgeleid van utilitarisme, heeft amorele intellectuele wortels en kan met gemak gelijkgesteld worden aan onverschilligheid (alle godsdiensten zijn even goed of slecht) en het morele relativisme van 'alles kan'. Als dit inderdaad het geval zou zijn, dan hadden de conservatieven en de paus groot gelijk om de confrontatie in plaats van de dialoog aan te gaan over normen en waarden die tegen christelijke principes leken in te druisen.

Toch zat er een opvallende ongerijmdheid in de redenering van pater Neuhaus. Want hoewel hij best wilde erkennen dat het christendom de basis vormt voor waarachtig respect en tolerantie jegens anderen, kon hij het verband niet zien tussen dat respect en het ontstaan van het politieke pluralisme in de moderne tijd. Het pluralisme in de Britse en Amerikaanse traditie was in grote mate geïnspireerd door John Locke en Thomas Jefferson, die net als de grondleggers van Noord-Amerika hun intellectuele wortels eerder hadden in een christelijke dan een utilitaire traditie. Die christelijke traditie stond toe dat iedereen recht heeft op eigen waarden en opvattingen omdat alle mensen als kinderen van God respect verdienen.

Maar Johannes Paulus' berispende en dogmatische toon ontmoedigde de ontvankelijkheid voor deze gedachte in het openbaar debat. Routineus schilderde hij zijn bezorgdheid af in scherpe contrasten, zich concentrerend op afzonderlijke kwesties, zoals anticonceptie. Hij stimuleerde het snelle, makkelijke oordeel, wees kritische, afwijkende meningen vanuit zijn eigen Kerk af en sloot velen buiten die in goed geloof en geweten worstelden met persoonlijke omstandigheden.

Het falen van Johannes Paulus om het pluralisme te omarmen als een belangrijke christelijke erfenis, zal misschien de grootste mislukking blijken te zijn van dit pontificaat. De tweestrijd tussen de islam en het Westen is uitgegroeid tot een confrontatie tussen een fundamentalistische, gedwarsboomde identiteit enerzijds, en het relativistische, seculiere materialisme anderzijds. Johannes Paulus had de verschillende godsdiensten uit de bijbel ver van het fundamentalisme kunnen afleiden naar een religieus pluralisme dat gebaseerd was op wederzijds respect. Ondanks zijn interreligieuze retoriek heeft hij bijgedragen aan de ondermijning van het concept pluralisme als ontmoetingsplaats voor verschillende normen en waarden. Johannes Paulus heeft het diep betreurd dat hij de Europese Unie er niet van kon overtuigen een christelijke dimensie toe te voegen aan haar constitutie. Men zou kunnen betogen dat dit falen was te wijten aan zijn onvermogen pluralisme aan te prijzen als een christelijke erfenis.

16
Vrouwen

In de loop van de jaren negentig ging de aandacht van Johannes Paulus steeds meer uit naar de rol van de vrouw in de Kerk en in de wereld. In juni 1995 richtte hij speciaal een brief aan vrouwen in de hoop de aanstaande Wereldconferentie voor Vrouwen in Beijing te beïnvloeden. Hij vroeg vergiffenis voor al het kwaad dat mannen de vrouw in de loop der eeuwen hadden aangedaan. Hij deed aan iedereen, maar in het bijzonder aan landen en internationale instituten, hartstochtelijk de oproep om 'ervoor te zorgen dat vrouwen het volledige respect terugkrijgen voor hun waardigheid en rol'. Hij zei verder dat 'wie kijkt naar de belangrijke ontwikkeling van de vrouwenemancipatie, concludeert dat die grotendeels positief is geweest. Deze missie moet worden voortgezet.' Maar krap een jaar eerder had hij ervoor gezorgd dat de katholieke Kerk definitief en voor eeuwig vrouwen zou uitsluiten van het priesterschap.

Ongetwijfeld zou er, als Johannes Paulus een debat had aangewakkerd over toelating van vrouwen tot het priesterschap, een grote tweestrijd ontstaan binnen de Kerk tussen triomfantelijke hervormingsgezinden en woedende conservatieven. Hij koos ervoor de kwestie buiten discussie te stellen om die scheuring te voorkomen. Maar nog afgezien van de kwestie over de priesterwijding en ondanks zijn verweer dat hij en de Kerk de vrouw hoog achtten, kon Johannes Paulus een invloedrijke groep gelovige vrouwen er niet van overtuigen dat hij werkelijk respect had voor het vrouwelijk geslacht. Er waren zelfs momenten waarop hij expliciet een misogyne en confronterende toon had aangeslagen. Hij deelde met Moeder Teresa de perverse opinie dat het feminisme gelijkstond aan abortus. Moeder Teresa zou naar de Vrouwenconferentie in Beijing de boodschap sturen 'dat iedereen die vrouwen en mannen gelijk wil stellen vóór abortus is'.

Zoals in zijn geschriften over seksualiteit was Johannes Paulus' achting voor vrouwen doortrokken van een idealisme dat gebaseerd was op zijn devotie aan de Maagd Maria. In zijn *Familiaris consortio* (De taken van het gezin, 1981) legde Johannes Paulus een verband tussen het vrouwzijn, het moederschap en het gezin, in termen die gedurende zijn hele pontificaat vertrouwd zouden blijven klinken:

> Moge de Maagd Maria de moeder zijn van de 'huiskerk', zoals zij moeder is van de Kerk, en moge dankzij haar moederlijke hulp ieder christelijk gezin werkelijk een 'kleine Kerk' worden, waarin het mysterie van de Kerk van Christus helder oplicht en in de praktijk van het leven wordt uitgedrukt. Moge zij, dienstmaagd van de Heer, het voorbeeld zijn van nederige en opgewekte aanvaarding van Gods wil; moge zij, moeder van smarten aan de voet van het kruis, de zorgen verlichten en de tranen drogen van allen die lijden onder de moeilijkheden in hun gezin.

De onderliggende boodschap is dat vrouwen de verleiding van voorbehoedsmiddelen kunnen weerstaan door de onderdanigheid en bereidheid tot lijden van de Maagd Maria na te bootsen: hetzij door onthouding, hetzij door nog meer kinderen te krijgen. 'Echtgenotes herinneren de Kerk voortdurend aan wat er aan het kruis gebeurde.' Uitsluiting van het priesterschap zou eveneens in berusting en gehoorzaamheid geaccepteerd moeten worden.

Berusting was het sleutelwoord van zijn exhortatie *Mulieris dignitatem* (Over de waardigheid en roeping van de vrouw), die een 'nieuw feminisme' betrof, zoals hij het zelf karakteriseerde. Hij wenste vrouwen geluk met de grote omwenteling in hun leven en mogelijkheden. Hij keurde het goed dat zij werkten en stak de loftrompet over hun 'bijzondere gevoeligheid'. Maar zij moeten wel, schreef hij, hun door God gegeven rol als moeder accepteren (met of zonder kinderen), en zij mogen zich niet verzetten tegen de 'authenticiteit' van hun door God gegeven geslacht – namelijk, hun goddelijk voorbeschikte berusting.

Veel vrouwen die in 1994 in Caïro meededen aan de debatten over controle van de bevolkingsgroei, hielden zich vanzelfsprekend bezig met gezinsplanning, maar ook met daaraan parallel lopende kwesties als armoede, ontwikkelingshulp en de strijd tegen mannelijke onderdrukking. In de arme gebieden van de wereld bestonden vraagstukken over gezinsplanning die niet geheel of zelfs maar gedeeltelijk met mariale onderdanigheid waren op te lossen.

De kwestie van vrouwen en ontwikkelingshulp werd in 1994 op de spits gedreven toen de Amerikaanse president Bill Clinton besloot overal ter wereld veilige en legale abortussen mogelijk te maken. In de daaropvolgende debatten had Johannes Paulus de neiging vrouwenrechten in het algemeen en het recht van vrouwen om te 'kiezen' door elkaar te halen.

Vooruitlopend op de conferentie in Caïro had Johannes Paulus audiëntie verleend aan mevrouw Nafis Sadik, het Pakistaanse hoofd van het Bevolkingsfonds van de Verenigde Naties. Hij vreesde duidelijk dat de Verenigde Staten een 'cultuur des doods' op de agenda van de Derde Wereld wilden zetten, en was vastbesloten het standpunt van de katholieke Kerk te laten horen. Sadik daarentegen wilde de paus, en daarmee alle katholieken, de visie uitleggen van haar VN-team, dat onderzoek had gedaan naar de belangen van vrouwen in vele ontwikkelingslanden. Ze had er duidelijk bezwaar tegen alleen maar op de kwestie van abortus te worden aangesproken. Ongetwijfeld echter drong ze aan op legale en veilige abortuspraktijken als alternatief voor doe-het-zelfabortussen en ongure achterafpraktijkjes.

Gekleed in een sari werd ze naar de bibliotheek van de paus geleid, waar ze elkaar onder vier ogen spraken. Er bestaan twee versies van dit gesprek, die van haar en die van Johannes Paulus. Aan het begin van de ontmoeting overhandigde hij haar, volgens Johannes Paulus, een uitgebreid memo met alle bezwaren van de Kerk tegen de concepttekst van Caïro, en probeerde hij haar de kerkelijke leer uit te leggen. 'Ze wilde het er niet over hebben,' vertelde Johannes Paulus enkele jaren later aan zijn biograaf George Weigel.

Later gaf Sadik haar eigen versie in een uitgebreide beschrijving van het gesprek, die ze aan Bernstein en Politi gaf, auteurs van de Johannes Paulusbiografie uit 1996, *Zijne Heiligheid*. Op een gegeven moment zei Johannes Paulus volgens haar: 'Men kan alleen aan gezinsplanning doen in overeenstemming met morele, spirituele en natuurlijke wetten.'

Ze onderbrak hem: 'Maar de natuurlijke methoden van gezinsplanning zijn onbetrouwbaar.'

Vervolgens ging het gesprek verder over individuele keuzevrijheid als het gaat om gezinsplanning. 'Op dit gebied,' zei Johannes Paulus, 'mogen geen individuele rechten en behoeften bestaan. Hier bestaan alleen de rechten en behoeften van het paar.'

Sadik antwoordde, volgens haar herinnering: 'Maar het begrip paar veronderstelt een gelijkwaardige relatie. In veel samenlevingen, niet alleen in ontwikkelingslanden, hebben vrouwen niet dezelfde status als de man. Seksueel geweld komt veel voor binnen het gezin. Vrouwen zijn best bereid tot periodieke onthouding, want zij zijn juist degenen die ongewenst zwanger worden. Maar ze kunnen niet aan onthouding doen zonder medewerking van hun partner.'

Sadik herinnert zich dat 'Johannes Paulus in woede uitbarstte en zei: "Denkt u niet dat het onverantwoorde gedrag van mannen door vrouwen wordt veroorzaakt?"'

George Weigel suggereert dat Sadik geen accuraat verslag deed van het gebeurde, omdat zij volgens hem ook een verkeerde voorstelling had gegeven van het werk van het fonds dat zij leidde en van de implicaties van de ontwerptekst van de Conferentie in Caïro. Weigel wil zijn lezers doen geloven dat het document niet meer was dan een verhulde poging de ontwikkelingslanden abortus op te dringen, en dat haar weigering deze voorstelling van zaken te accepteren, bedrog was.

Ik ben ervan overtuigd dat Johannes Paulus, zoals zijn secretaris heeft verklaard, normaal gesproken gelijkmatig van humeur was. Maar nadat ik persoonlijk heb gezien hoe hij op Castel Gandolfo zijn geduld verloor met een kleine menigte jongeren die ondanks zijn vermaningen niet stil konden blijven tijdens zijn preek op een zondag in juni 2001, en denkend aan de vele getuigenissen van journalisten, zowel privé als in het openbaar, van zijn incidentele woedeaanvallen (waarvan zijn dominante behandeling van pater Cardenal in Nicaragua een voorbeeld was), geloof ik niet dat Sadiks getuigenis helemaal bezijden de waarheid is, gezien het belang dat hij hechtte aan de abortuskwestie.

Johannes Paulus, die enkele van de slechtste dictatoren in de wereld deed beven, had zelden of nooit tijdens zijn pontificaat iemand ontmoet die het met hem oneens durfde zijn, en dit was nota bene een vrouw. Maar we hoeven niet af te gaan op Narif Sadik om te concluderen dat de houding van Johannes Paulus uitermate patriarchaal was in de meeste vrouwenkwesties.

In 1995 sprak de anglicaanse aartsbisschop van Canterbury George Carey met Johannes Paulus over de kwestie van vrouwelijke priesters. Carey vroeg aan Johannes Paulus, ook weer tijdens een privé-ontmoeting, om zijn bezwaren te noemen tegen toelating van vrouwen tot het priesterambt, waarop de paus, voordat hij van onderwerp veranderde, bot antwoordde: 'Antropologie!' Hiermee begreep Carey dat de paus bedoelde dat vrouwen niet tot priester konden worden gewijd simpelweg en alleen maar *omdat* zij vrouwen zijn. Wie de pauselijke beweringen over vrouwenpriesters heeft bestudeerd, weet dat Johannes Paulus een paar zeer fijnzinnige argumenten geeft in deze kwestie, waarin de gedachte centraal staat dat relatie van de man tot de vrouw gelijk is aan die van Christus de bruidegom tot de Kerk, die Zijn bruid is. Hoe fraai dit ideaal misschien ook is, het valt nauwelijks te beschouwen als antropologie in de betekenis die Carey daaraan gaf.

Carey heeft over dit pauselijke antwoord gezegd: 'Dit was precies het argument dat ik had afgewezen voor mijn installatie tot aartsbisschop, toen ik had gesteld dat het idee dat vrouwen Christus niet kunnen vertegenwoordigen aan het altaar, een ernstige vorm van ketterij was.' Dit was uitzonderlijk, dat een anglicaanse aartsbisschop de pontifex zelve van ketterij beschuldigde. Maar terwijl de paus allicht wel geloofde dat het over een 'antropologische' kwestie ging, ging het wat betreft de katholieke Kerk in het algemeen al heel snel over Johannes Paulus en het pauselijk gezag.

In mei 1994 kondigde Johannes Paulus af dat de Kerk niet het gezag had vrouwen tot priester te wijden, en dat alle gelovigen van de katholieke Kerk zich definitief bij dit oordeel moesten neerleggen. Dit was natuurlijk een zware klap voor vrouwen met priesteraspiraties, en zelfs ook, zoals zoveel aspirerende vrouwelijke wijdelingen dat zagen, voor hun hele menszijn. Zoals ik al eerder heb gezegd, wilde de paus met zijn standpunt duidelijk een schisma binnen de Kerk voorkomen. Maar zijn gedrag was ook een verbijsterend staaltje autocratische arrogantie tegenover zijn bisschoppen, de theologen binnen de Kerk en zijn pauselijke opvolgers tot in de eeuwigheid.

Professor Francis Sullivan, een jezuïet die op de Gregoriaanse Universiteit in Rome jarenlang colleges gaf over het pauselijk magisterium en de pauselijke onfeilbaarheid, meende in *The Tablet* van 18 juni dat het volgens hem 'op z'n minst twijfelachtig' leek dat de verklaring van de paus onfeilbaar zou zijn. Hij zou snel van zijn dwaling worden teruggebracht door kardinaal Ratzinger, die erop stond dat de leer van de paus over toelating van vrouwen tot het priesterambt 'behoort tot het domein van het geloof' en dat die 'onfeilbaar is onderwezen binnen de gewone orde van de heilige mis én vanuit zijn universele autoriteit'. Met andere woorden: theologen moesten voor eens en altijd hun mond houden over deze kwestie of anders de gevolgen aanvaarden. Deze gang van zaken leidde terug naar een regel van Pius XII, de oorlogspaus, dat wanneer theologen in discussie zijn verwikkeld en de paus het woord neemt om het debat te beëindigen, er verder geen discussie meer mogelijk is, hoe competent de deskundigen ook zijn. De breuk van de theologen met het Vaticaan, of beter gezegd, met

Johannes Paulus, was nog maar het begin. In feite hadden we nu een paus die vroeger had verkondigd dat vrijheid een kenmerk was van ons menszijn, maar die nu zijn gelovigen liet weten dat ze niet eens meer mochten praten over een kwestie die buiten de vaststaande leer viel. Johannes Paulus had duidelijk een stukje van het IJzeren Gordijn uit Polen meegenomen. Maar zoals hij ook wist, of eigenlijk had moeten beseffen, gaan mensen juist ergens over praten als dat niet mag.

Een grote groep katholieke feministen voelde zich in 1994 en 1995 geroepen op verschillende manieren te reageren op de houding van de paus ten aanzien van vrouwen en op zijn geschriften over dit onderwerp. In sommige gevallen komt het commentaar bijna neer op de beschuldiging dat Johannes Paulus zich arrogant opstelt tegenover vrouwen, wat hij volgens Sadik ook werkelijk doet in zijn privé-uitspraken. Deze vrouwen waren geen beha verbrandende mannenhaters of hooggehakte kwebbelzieke intellectuelen die zich geroutineerd in pauskritiek vermeien.

Shirley Williams, een gelovige katholiek, voormalig minister in een Britse Labour-regering en professor Electorale Politiek aan de Universiteit van Harvard, zegt het zo: 'Al te lang heerst in de Kerk het stereotype van vrouwen als heilige moeder of verdorven verleidster. Hun individuele menselijkheid wordt nog steeds niet herkend. Al te lang is de uitbuiting van vrouwen, hun overbodige lijden als slachtoffers van armoede, geweld en seksueel misbruik door de Kerk miskend. En zelfs nu nog overweegt de paus niet eens vrouwen tot het priesterambt toe te laten.'

Voor Jackie Hawkins, hoofdredacteur van het door de jezuïeten uitgegeven tijdschrift voor spiritualiteit *Way*, gaven Johannes Paulus' initiatieven blijk van een diepe tegenstrijdigheid: een afwijkende hybride van vleierij en patriarchisme. Ze begint met een opmerking die precies beschrijft wat zoveel katholieke critici van Johannes Paulus vinden maar wat zelden zo openlijk in druk gezegd werd: 'Geef mij maar dagelijks een onverholen en door en door mannelijke chauvinist in plaats van een man die, hoe goed zijn bedoelingen ook zijn, ten onrechte meent dat hij vrouwen begrijpt – en zich verplicht voelt hun daarvan kond te doen.' Dan komt ze bij het onderwerp waar het werkelijk om draait:

> De moderne vrouw wordt in de verleiding gebracht het verzoek van de paus naar de afdeling van de nutteloosheid af te voeren [...] maar dan, waarschijnlijk wanneer verondersteld wordt dat we geheel ontwapend ademloos de clou afwachten, klappen de boeien dicht. De laatste drie alinea's vertellen het bekende oude verhaal: alleen mannen kunnen iconen van Christus zijn, van

> Maria wordt een model gemaakt, onherkenbaar als echte vrouw [...] 'door zich dagelijks aan anderen te geven, vervullen vrouwen hun diepste roeping'. Er is niets veranderd: we zijn simpelweg nog steeds de menselijke attributen van een of andere opzet. De vleiende en troostende woorden blijken hol.

Minder op de man af, maar net zo genadeloos over het oordeel van Johannes Paulus, was Pia Buxton, hoofd van de Britse kloosterprovincie van de wereldwijde congregatie van nonnen actief in de missie en het onderwijs, bekend als het 'Institute of the Blessed Virgin Mary' (de Zusters van Loreto):

> Ik waardeer en ben dankbaar voor de bijzondere gaven die God aan vrouwen heeft gegeven en ik dank paus Johannes Paulus II dat hij over dit onderwerp nadenkt en zijn gedachten met ons deelt. Maar ik vind dat de structuren van de Kerk regelmatig de ontplooiing van die gaven dwarsbomen en niet altijd kloppen met de ervaringen die ik heb als vrouw in het verkondigen van het evangelie.

17
Seksuologie en het leven

Toen Johannes Paulus rond zijn vijfenzeventigste het tweede decennium van zijn pontificaat inging, begon hij er steeds meer uit te zien als een boze profeet, steeds norser, steeds vreugdelozer. De jaren begonnen te tellen en hij kreeg de ene na de andere fysieke tegenslag. In juli 1992 werd er een goedaardig gezwel ter grootte van een sinaasappel uit zijn dikke darm gehaald en werden er galstenen verwijderd. In november 1993 brak hij bij een val zijn schouder. Het jaar daarop brak hij zijn dijbeen na een glijpartij onder de douche en moest er een kunstheup worden gezet: hij vertelde de gelovigen dat God hem liet lijden als straf voor de zonden tegen het ongeboren kind. In 1996 werd zijn appendix verwijderd. Bovendien kreeg hij in die periode de eerste verschijnselen van de ziekte van Parkinson: zijn linkerhand had de neiging onbedwingbaar te schudden. Op zijn wereldreizen kuste hij de grond niet meer: in plaats daarvan werd hem een schaal met aarde aangereikt die hij kon kussen zonder te knielen.

In maart 1993 reisde ik met Johannes Paulus mee naar Sicilië. Terwijl van achter de ruige bergen op de achtergrond donderwolken opdoemden, hield hij op een zondagochtend een preek. Hij zag er slordig en gekweld uit en voer uit tegen een reeks van kwaden: hebzucht, ongebreideld kapitalisme, de teloorgang van het gezinsleven, armoede, geweld, terrorisme, milieuvervuiling. Maar niemand kon hem een gebrek aan hoop verwijten. Later dat jaar zag ik hem weer in Denver, waar hij een menigte van honderdduizend jongeren toesprak; deze keer zag hij er minder gekweld uit: de nieuwe generatie gaf hem reden tot optimisme.

Halverwege de jaren negentig werden bovendien de doelen van Johannes

Paulus' pontificaat en de middelen waarmee hij die wilde bereiken, overduidelijk. Sommige pausen hadden duidelijk al aan het begin van hun pontificaat een plan of agenda, terwijl anderen tijdens hun bestuur reageerden op het tij der gebeurtenissen. Benedictus XV, paus tijdens de Eerste Wereldoorlog, was reactief, werd heen en weer geslingerd op de golven van een conflict waarbij katholieken aan beide zijden van het front betrokken waren. Pius XII, paus van een nog ergere wereldoorlog en van de Koude Oorlog, had desondanks een eigen lijstje met plannen: een oeuvre opbouwen, hervorming van de liturgie, een klinkend dogma ter ere van de Maagd Maria, stimulering van bijbelstudie. Johannes XXIII, die slechts vijf jaar paus was, haalde één grote slag binnen: het concilie, dat tot op de dag van vandaag invloed heeft.

Halverwege het tweede decennium van zijn pontificaat leek Johannes Paulus een eigen klasse te vertegenwoordigen. Hij straalde een pauselijke eminentie uit die ver uitsteeg boven het dagelijkse bestuurlijke en bureaucratische werk. Hij wilde de wereld veranderen, niet door middel van organisatorische initiatieven, maar door missionaire bezoeken aan elke uithoek van de wereldbol, en door een stroom van letterkundige werken: een stortvloed van encyclieken, toespraken, boodschappen aan de wereld en commentaren. Hij wilde voor de wereld een nieuwe visie ontwikkelen op het christelijk humanisme. Nadat hij het communisme de vergetelheid in had gestuurd, wilde hij het kapitalisme tot de orde roepen. Hij streefde naar een moreel herstel van de geest, het lichaam en het menselijk beheer van natuur en maatschappij; een nieuw feminisme; een correctieve vorm van het vrije ondernemerschap en de democratie; oecumene, interreligieuze dialoog, evangelisatie tot in alle uithoeken van de wereld; bijsturing van de koers van het schip 'Vaticanum II'. Zijn voornaamste zorg was echter verreweg de seksuele moraal, zijn vastbesloten afwijzing van anticonceptie en zijn smartelijke zorg om de bescherming van het mensenleven.

Hij zag kwesties als anticonceptie, scheidingen, ongewenst samenwonen en homoseksualiteit als tekenen van de 'cultuur des doods', waartegen hij steeds heviger ageerde en preekte. Hij was geneigd een morele vergelijking te trekken tussen anticonceptie en abortus; ook legde hij de stelling nader uit dat zonden tegen de seksuele moraal en de onschendbaarheid van het leven intrinsiek slecht waren: er kon geen sprake zijn van verzachtende omstandigheden, niet in termen van opzettelijkheid noch in termen van evenredigheid, zoals wanneer gekozen moet worden uit twee kwaden.

Johannes Paulus had inmiddels zijn reputatie gevestigd als veelschrijver, en zijn teksten bleven elkaar snel en volumineus opvolgen. Het was duidelijk dat hij de geschiedenis zou ingaan als de meest productieve paus. Hoe groot zijn obsessie of aandacht voor literaire structuur was, kan men nu pas zien in het patroon van structurele verbanden tussen zijn eerste encyclieken, die fameuze wijze zendbrieven die aan de hele wereld waren gericht. Het werd duidelijk dat een aantal daarvan bewust gepland was als onderdeel van een trilogie, nog voordat hij ook maar een pen op papier had gezet. Zijn allereerste encycliek bijvoorbeeld maakte deel uit van een triptiek over de Heilige Drie-eenheid die hij schreef in een tijdspanne van bijna tien jaar. Geen paus had ooit een gooi gedaan naar zo'n aanhoudende bloeitijd.

Zijn geschriften hadden wel iets weg van een groot, zwaar wandkleed, barok bestikt met draden die hij weefde uit zijn lezingen van de bijbel, encyclieken van vorige pausen en zijn eigen rijkelijke productie, waar hij veelvuldig uit citeerde. Wat verreweg het meest terugkeert, zijn zijn uitgebreide meditaties over seks en liefde, die hij in boekvorm publiceerde onder de titel *Teologia del corpo* (Theologie van het lichaam). Het geheel werd in vier afzonderlijke delen in de loop van de jaren tachtig gepubliceerd. Telkens weer keerde hij terug uit de groeve waar hij stukjes kapte uit lagen die thema's en teksten bevatten voor zijn talloze redevoeringen, boodschappen en preken over wat hij 'seksuologie' noemde. Het materiaal legde bovendien diepe verbanden met zijn bezorgdheid over de 'cultuur des doods', zoals uitgedrukt in zijn encycliek *Evangelium vitae* (Het evangelie van het leven), die op 3 maart 1995 verscheen, een document dat met *Centesimus annus* en *Veritatis splendor* deel uitmaakte van een ander drieluik.

Teologia del corpo. L'amore umano nel piano divino (Theologie van het lichaam. Liefde tussen mensen in het plan Gods), dat in 1997 uiteindelijk verscheen als één deel, was de vrucht van een serie uitgeschreven toespraken die hij op zijn reguliere bijeenkomsten op de woensdagochtend hield voor een algemeen publiek, gedurende een periode van vijf jaar. Zeer uitgebreid en tot in detail had Johannes Paulus het concept uiteengezet van man en vrouw als seksuele partners; ook hier kon men verdere uitwerkingen terugvinden van de kwaden anticonceptie, tweede huwelijk, ongehuwd samenwonen, seks buiten het huwelijk, masturbatie, homoseksualiteit en uiteraard ook abortus.

Johannes Paulus wilde verder gaan dan *Humanae vitae*, de encycliek van Paulus VI over de seksuele moraal, en het onderwerp meer 'antropologisch' en pastoraal benaderen. Week in week uit wijdde hij uit over thema's als de mens als Gods evenbeeld, Adam en Eva en het ontstaan der seksuele en geslachtelijke verschillen, de betekenis van de liefde binnen het huwelijk, seksueel verkeer en het stichten van het gezin. In de beginperiode van zijn pausschap vonden veel mensen, onder wie ook theologen, deze toespraken duister, ingewikkeld en monotoon. Dit werk, dat volgens sommige fanatieke pausaanhangers de belangrijkste erfenis aan de wereld is van Johannes Paulus, is zijn minst invloedrijke geweest.

Johannes Paulus' ideeën over het huwelijk waren door de jaren heen gerijpt, vanaf zijn vroege pastorale leven als priester en bisschop in Polen (toen hij de rampzalige studie *Liefde en verantwoordelijkheid* schreef) tot aan zijn medewerking aan het Tweede Vaticaans Concilie. Zoals we hebben gezien, ligt in de kern van zijn denken de idee dat liefde tussen man en vrouw gelijk is aan de liefde tussen de personen van de Heilige Drie-eenheid: een ontmoeting van personen en verlangens die openstaan voor de overdracht van nieuwe liefde. Als we, zoals christenen geloven, gemaakt zijn naar Gods evenbeeld, dan zijn we gemaakt om te handelen als God. Als we door het gebruik van anticonceptiemiddelen niet in totale zelfgave kunnen liefhebben zoals God, dan ontkennen we onze essentiële menselijkheid en verlagen we onszelf en onze partners.

Een ander terugkerend thema is het verschil tussen man en vrouw in Gods scheppingsplan. Johannes Paulus wilde ons aan het denken zetten over de eenzaamheid van een seksueel ongedifferentieerde Adam in de Hof van Eden, een menselijk wezen van voor de val, dat man noch vrouw is, maar staat voor de gehele mensheid. Uit medelijden om de 'eenzaamheid' van dit wezen creëert God in Zijn goedertierenheid, zoals Johannes Paulus uitlegt, man en vrouw, waarbij de vrouw in wezen de 'helper' is. Zo grijpt hij de bijbel aan om iets in antropologische en biologische zin te zeggen over de complementariteit in het geslachtsverschil. Deze theorie is in theologische zin sterk, maar daarbij zij meteen opgemerkt dat als de paus geen theologie over de seksualiteit kan bedenken, wie wel? Helaas, ondanks zijn pogingen het beeld van de vrouw te verrijken, blijft zijn kenschets van de man onontkoombaar patriarchaal. Het lijkt wel of alleen de man moreel actief is, terwijl de vrouw moreel passief blijft.

Ondanks de bijbelse fundering voor zijn ideeën over seksuele relaties claimt hij dat zijn werk vanuit 'fenomenologisch' perspectief is geschreven. Fenomenologie is, kort samengevat, een filosofische stijl, de benadering van het 'uien-pellen' waarbij men regelmatig terugkeert naar, en cirkelt om een bepaald onderwerp vanuit verschillende invalshoeken en daarbij de persoonlijke, subjectieve ervaring niet buiten beschouwing laat.

Maar subjectieve ervaring is nauwelijks evident in Johannes Paulus' *Theologie van het lichaam*. Zijn beschouwingen staan los van de realiteit van het seksleven. Er wordt geen poging gedaan de ervaring van liefde te beschrijven aan de hand van persoonlijke geschiedenissen waarin emotie, financiële zorgen, werkdruk, kinderen, ziekte en ouderdom een rol spelen. Ook verwijst hij nergens naar de overstelpende hoeveelheid literatuur, poëzie, bellettrie, kunst of psychoanalyse, noch naar werken uit de vakgebieden moderne psychologie, genderstudies, neurowetenschappen of de contemporaine sociale antropologie. Ook wordt er in het zeshonderd pagina's tellende compendium niet één keer melding gemaakt van het genieten van seks, de vreugden, de teleurstellingen, het lijden en de eenzaamheid na verlies van of verlating door een geliefde. Hij heeft het over de 'extase' van seks als quasi-spirituele ervaring in termen die geen betrekking hebben op het echte leven. De paus die iets oorspronkelijks wilde zeggen over de 'vleesgeworden' ziel, heeft een studie nagelaten over seks die volslagen vleesloos is. Dit neemt niet weg dat zijn studie is geschreven in een gezwollen proza vol geleerd jargon. Zo klinkt Johannes Paulus' veroordeling van het kwaad anticonceptie:

> Men kan zeggen dat bij een kunstmatige scheiding van deze twee aspecten een werkelijke lichamelijke vereniging plaatsvindt binnen de echtelijke gemeenschap, maar die correspondeert niet met de interne waarheid en met de waardigheid van de persoonlijke eenwording – de eenwording van personen. Deze eenwording vereist dat de lichaamstaal wederzijds wordt uitgedrukt in de integrale waarheid van haar betekenis. Als de waarheid ontbreekt, kan men niet spreken van de waarheid van de zelfbeheersing, noch van de waarheid van de wederzijdse gave, noch van de wederzijdse zelfacceptatie wat betreft de persoon. Dergelijke schending van de interne orde van de huwelijksband, die zijn oorsprong heeft binnen de orde van de persoon zelf, is precies het kwaad van de anticonceptieve daad.

En hoewel Johannes Paulus misschien een aantal waardevolle spirituele inzichten biedt voor paren die zich voorbereiden op een christelijk huwelijk, is zijn advies meedogenloos hard en negatief voor mensen wier huwelijk is mislukt. Iemand die is gescheiden en hertrouwd, behandelt volgens Johannes Paulus de eerste partner als een 'ding'. De enige manier waarop mensen na het stukgaan van hun relatie hun waardigheid kunnen behouden, is volgens Johannes Paulus door hun verbintenis door de Kerk te laten ontbinden of nietig te verklaren. Maar zonder een nietigverklaring mogen gescheiden huwelijkspartners niet hertrouwen; zij moeten voor de rest van hun leven afzien van gemeenschap. Deze discussie schreeuwt om casestudy's van echte mensen: van mensen die uit ervaring vaak op bittere wijze hebben geleerd dat waardigheid en integriteit vaak ontbreken in eerste, onverstandige huwelijken, en pas worden ontdekt bij het aangaan van een nieuwe, rijpere en wederzijdse liefdesrelatie.

Al even irreëel zijn Johannes Paulus' opmerkingen over homoseksuelen, die volgens hem nooit een relatie kunnen hebben van 'familiaire' liefde, omdat het onmogelijk is, aldus de paus, dat twee mannen (of vrouwen) zichzelf in echte liefde lichamelijk aan elkaar geven. Vandaar dat elke poging tot gemeenschap ophoudt totale zelfgave te zijn, en zulke daden zijn 'altijd en in alle gevallen steriel, niet het leven dienend'. Homoseksualiteit kan dus nooit meer worden dan een manier waarop twee personen 'elkaar gebruiken'. Deze afwijzende gedachte gaat uit van een zeer beperkte en onrealistische kijk op de werkelijke omstandigheden van veel homoseksuele relaties. Ook weigert hij te accepteren dat veel religieuze homoseksuelen zichzelf zien als onderdeel van de rijkdom van Gods schepping.

Paren die in-vitrofertilisatie (IVF) toepassen, maken zich schuldig aan egoïsme en wangedrag, aldus Johannes Paulus, en ook zíj schenden hun waardigheid door manipulatie en misbruik van hun lichaam. Volgens Johannes Paulus 'reduceert [IVF] de voortplanting tot een louter biologische laboratoriumdaad terwijl die juist naar Gods wil de vrucht moet zijn van een verbond, een eenwording van personen, zoals uitgedrukt in de conjugale omarming van man en vrouw die verenigd zijn in het huwelijk'. Kunstmatige bevruchting scheidt dus de levenwekkende kracht van het lichaam en de persoon. Men vraagt zich af of Johannes Paulus ooit een kind heeft ontmoet dat het resultaat is van een IVF-behandeling en de afwezigheid van levensvatbaarheid heeft opgemerkt.

Wie Johannes Paulus' teksten leest over seks en huwelijk en stilstaat bij zijn onvermogen een pastorale boodschap over te brengen op een toegankelijke manier voor gewone mensen, raakt verbijsterd door zijn dédain voor al die enthousiaste bezoekers die week in week uit zijn missen bijwoonden. Het maakte hem duidelijk niet uit of mensen zijn boodschap begrepen, laat staan accepteerden. Niettemin waren er fans van zijn lezingen. De katholieke sociaal wetenschapper Michael Novak schreef: 'Er komt een tijd wanneer de geest openstaat, wanneer vrouwen en mannen zich beginnen af te vragen: toen God Eros inbracht in onze vleesgeworden persoonlijkheid, wat bedoelde Hij daarmee? In de bergpassen van de ziel zal men niet snel een gids vinden zo moedig als Karol Wojtyła, de beklimmer van de besneeuwde Tatra's.' Sommigen onder ons hebben liever dat hun gidsen in kwesties als seksualiteit en huwelijk met beide benen op de grond blijven staan dan dat ze die de lucht in steken.

Van een andere orde, zowel qua type geschrift als denkwijze, en veel krachtiger en invloedrijker, was Johannes Paulus' encycliek *Evangelium vitae* (Het evangelie van het leven), verschenen in maart 1995, waarin hij de wereld waarschuwt dat de waarde van het menselijk leven wordt bedreigd. Deze encycliek had een lange draagtijd gekend. Johannes Paulus was geïnspireerd geweest door een plenaire bijeenkomst van het College van Kardinalen die in april 1991 was gehouden, waarop kardinaal Ratzinger een vlammende toespraak hield over 'de vrijheid van onverschilligheid', waarin hij parallellen trok tussen het nihilisme en de culturele chaos in de jaren twintig van de Republiek van Weimar en de contemporaine intellectuele cultuur in het Westen. Uit deze periode van 'onverschilligheid' (het verschijnsel dat elk willekeurig normen-en-waardensysteem even goed is als een ander, of inderdaad als geen) was volgens Ratzinger de tirannie van het nazi-dom voortgevloeid. Velen zullen de vergelijking die Ratzinger maakt bestrijden, omdat die geen rekening houdt met de zware economische druk op Duitsland en de fragmentatie die door het Verdrag van Versailles was ontstaan. Johannes Paulus echter trok een geheel eigen plan en in een exercitie van ware collegialiteit vroeg hij naar de meningen van de bisschoppen en keerde hij telkens terug naar de letter van het Tweede Vaticaans Concilie.

Hij begint met de verklaring dat zijn encycliek 'bijzonder urgent is vanwege de buitengewone toename en de ernst van de bedreigingen van het leven van individuen en volkeren, vooral als het om de zwakkeren en weerlozen gaat'. Boven op de eeuwenoude gesels van armoede, honger, besmettelijke ziekten, geweld en oorlog, 'doemen nieuwe dreigingen op een schrikbarend grote schaal op'. Hij noemt prostitutie, handel in vrouwen en kinderen, schandelijke arbeidsomstandigheden, euthanasie, de doodstraf, experimenten met menselijke embryo's, abortus en de opkomst van genocide en martelingen – hij dacht daarbij aan de Balkan en Rwanda. Het concilie citerend verklaart hij dat dergelijke praktijken 'de samenleving vergiftigen, en zij doen meer kwaad aan degenen die hen begaan dan aan hen die eronder lijden. Bovendien zijn ze een grove belediging aan het adres van de Schepper.'

Johannes Paulus schreef *Evangelium vitae* in het jaar na de Bevolkingsconferentie in Caïro (1994) en in hetzelfde jaar waarin de Vrouwenconferentie in Beijing werd gehouden. Het was een sterke en goed getimede herinnering aan het feit dat de katholieke Kerk in opstand kwam tegen elke vorm van levensschennis. De encycliek werd enthousiast ontvangen door een grote groep leiders van andere godsdiensten en ook door seculiere commentatoren, maar er waren tevens critici die vonden dat de tekst onderuit werd gehaald door de nauwe verwantschap met een eerdere, controversiële encycliek, *Veritatis splendor*, waarin Johannes Paulus volhoudt dat anticonceptie intrinsiek en in alle gevallen een zware zonde is. *Veritatis splendor* veroordeelde de gedachte dat de waarheid relatief en het geweten belangrijker is. Johannes Paulus richtte zich niet alleen op een bepaalde tendens in de seculiere westerse cultuur, maar ook op dwalingen binnen de contemporaine katholieke theologie. Er gingen geruchten dat Johannes Paulus had gehoopt zijn onfeilbaarheid te kunnen laten gelden voor zijn standpunten over anticonceptie in dit document, maar op het laatste moment werd hij daarvan weerhouden.

Weer richtte Johannes Paulus zijn pijlen op de dwaling van het relativisme; weer was hij niet geneigd duidelijk onderscheid te maken tussen pluralisme en relativisme. De centrale vraag was in hoeverre bepaalde daden omschreven kunnen worden als altijd en overal verkeerd, ongeacht de bedoelingen en consequenties. In de ogen van veel moraaltheologen stevende hij zo af op een rigide fundamentalisme.

Terwijl de jaren negentig voortschreden en de paus zijn twintigjarig jubileum bereikte, zag het ernaar uit dat anticonceptie voor het pauselijk gezag nog steeds hoog op de agenda stond: de katholieke gelovigen kregen luid en duidelijk te horen dat men onmogelijk in goed geweten voorbehoedsmiddelen kon gebruiken. Pastoors kregen te horen dat zij geen absolutie mochten geven aan gelovigen die zich niet stevig hadden voorgenomen af te zien van anticonceptie. Zijn onwrikbaarheid in deze kwestie leverde problemen op voor katholieke ontwikkelingswerkers in landen die vochten tegen de verspreiding van HIV en vonden dat condooms deel moesten uitmaken van hun strategie.

Het zei veel over Johannes Paulus' herderlijke attitude ten opzichte van seksuele zonden, toen aan het eind van het decennium, aan de vooravond van het millennium, een zuster en een Amerikaanse pater, die hun leven hadden gewijd aan de zielzorg van homoseksuelen, van het Vaticaan het verbod kregen hun werk voort te zetten. Zuster Jeanine Gramick en pater Bob Nugent, zo verklaarde het Vaticaan, werd 'permanent verboden door te gaan met hun zorg aan homoseksuele personen'. Volgens kardinaal Ratzingers Congregatie voor de Geloofsleer hadden de 'dubbelzinnigheden en dwalingen' van Nugent en Gramick gezorgd voor 'verwarring onder het katholieke volk' en 'schade toegebracht aan de gemeenschap van de Kerk'.

De gangbare houding van het Vaticaan van Johannes Paulus tegenover homoseksualiteit kreeg eind jaren negentig nog een staartje dat George Orwell gefascineerd zou hebben. De twee pastores, die meenden dat homoseksuelen recht hebben op dezelfde zorg als andere katholieken, werden door ambtenaren van het Vaticaan al tijdens het hele pontificaat van Johannes Paulus lastiggevallen. Wat er gebeurde in 1998, het jaar waarin ze werden geëxcommuniceerd, is leerzaam.

In augustus van dat jaar moesten de twee zielzorgers van het Vaticaan formeel hun standpunt over homoseksualiteit bevestigen. Pater Nugent verklaarde dat hij nooit 'met opzet enige katholieke leerstelling had ontkend of in twijfel getrokken, die de goedkeuring vereist van het leergezag'. Hij had nooit 'publiekelijk een stelling afgewezen of aangevochten' waaraan men zich definitief moest houden. Hij nam de 'volledige verantwoordelijkheid' voor alle mogelijke fouten in zijn boeken en vroeg daarvoor vergiffenis. Zuster Gramick ondertussen weigerde ronduit volgens het Vaticaan expliciet in te stemmen met wat de kerkleer zegt over homoseksualiteit, al gaf ze wel blijk van haar loyaliteit aan de Kerk.

In december liet het Vaticaan aan Nugent weten dat zijn verklaring niet duidelijk genoeg getuigde van 'interne adhesie aan verschillende aspecten van de kerkleer over homoseksualiteit'. Pater Nugent zegt dat hij onder druk stond om zijn 'interne adhesie' te verklaren aan wat de Kerk zegt over homoseksuele handelingen, namelijk dat die 'intrinsiek slecht' zijn en dat de homoseksuele geaardheid een 'objectieve stoornis' is. Weer probeerde Nugent zich te schikken – hij wilde per slot van rekening doorgaan met zijn zorg aan mensen die volgens hem werden buitengesloten. In zijn onder dwang geschreven geloofsbelijdenis bracht hij enkele wijzigingen aan, veranderde een paar woorden die hij pastoraal gesproken ongevoelig vond. Hij veranderde 'intrinsiek slecht' in 'objectief immoreel'.

In juli 1999 kreeg pater Nugent te horen dat het Vaticaan zijn geloofsbelijdenis niet accepteerde omdat zijn linguïstische wijzigingen de betekenis van de tekst hadden verduisterd en omdat hij met zijn argumenten, die de onfeilbaarheid betwistten van wat de paus over homoseksualiteit doceerde, impliceerde dat de leer 'openstond voor debat'. Daarom mochten hij en zuster Gramick niet doorgaan met hun verzorging van homoseksuelen.

De affaire-Nugent en Gramick gaf aan hoe dominant het Vaticaan van Johannes Paulus inmiddels was geworden toen hij zich voorbereidde op het nieuwe millennium. De eis van 'interne adhesie' aan de kerkelijke leer over homoseksualiteit die aan pater Nugent werd gesteld, betekende een terugkeer naar de koeionerende houding van de zogenaamde antimodernistische erfenis die Pius X had nagelaten in het eerste decennium van de vorige eeuw. Het Vaticaan eiste dat Nugent in het openbaar de pauselijke leer letterlijk zou accepteren zonder enig gemor, tot in de diepste krochten van zijn ziel en geweten – 'interne adhesie'. Dit druiste in tegen elke morele norm in het christelijke denken. Dit kwam neer op gedachtecontrole.

Even verontrustend was de basis waarop Nugent en Gramick werden beschuldigd. Het systeem van stiekeme 'rapportage' van 'wangedragingen' van pastores en ook bisschoppen, vooral als het ging om pastorale zorg aan minderheidsgroepen, draaide al binnen twee jaar na aanvang van Johannes Paulus' regime wijdverbreid op volle toeren. De term die in Vaticaanse kringen hiervoor werd gebezigd, was 'delatie', wat neerkwam op anonieme beschuldiging. De delatie hoeft niet te worden ondertekend, en ook is de Vaticaanse ambtenaar die de zaak oppakt niet verplicht de beschuldigde persoon te informeren waar de beschuldiging precies uit bestaat, of waar de beschuldiging vandaan komt (als dat al bekend is). Kardinaal Ratzinger, die uiteraard het volledige vertrouwen heeft van Johannes Paulus, heeft deze praktijk verdedigd door te zeggen dat zijn afdeling klein en onderbemand is: het is praktisch onmogelijk over de hele katholieke Kerk toezicht uit te oefenen.

Een van de favoriete 'wangedragingen' die aan Rome werden gerapporteerd en waar Johannes Paulus het vaakst op reageerde, is de zielzorg aan homoseksuele katholieken.

DEEL II

Op zoek naar het millennium

2000-2004

'Iedereen die goed bij zijn hoofd is, vraagt zich af of de Kerk wel gediend is bij de chronische ziekte van zijn belangrijkste herder, of wil weten welk onkruid er om hem woekert nu zijn krachten en scherpte hem in de steek laten.'

Eamon Duffy, The Tablet, *18 oktober 2003*

18
Millenniumkoorts

Al vanaf het begin van zijn pontificaat keek Johannes Paulus met een scherpe blik uit naar het derde millennium. Hij had een zwak voor synchroniciteiten, voorspellingen, herdenkingen, feestdagen, tekenen dat het leven op aarde niet geregeerd wordt door het toeval of ook maar anderszins op aardse wijze kan worden verklaard. Tijdens die bijzondere vastenretraite in 1976 had hij ten overstaan van Paulus VI in diens haren boetekleed en beslagen geselkoord gesproken over een Wederkomst, over een spirituele lente in de Kerk die zou samenvallen met het ingaan van het derde millennium. Maar ook had hij het op zeer onorthodoxe wijze gehad over een Tweede Val waarvan men door de komst van een Tweede Eva kon worden verlost.

Een van de meer zorgwekkende aspecten van het christendom is zijn vatbaarheid voor millenniumkoorts: de hoop dat er een wereldwijde omwenteling zal plaatsvinden. En het millenniumverhaal gaat onveranderlijk over een periode van beproeving die naar een climax leidt: de eindtijd, Apocalyps, utopie of hemelse staat.

Johannes Paulus heeft maar al te duidelijk gemaakt dat degenen die zoeken naar de sleutel van zijn bestaan, die zullen vinden in het derde millennium. Al in 1994 had hij in zijn apostolische brief *Tertio millennio adveniente* (De komst van het derde millennium) verklaard: 'De voorbereiding op het jaar 2000 is zelfs als het ware de hermeneutische sleutel van mijn pontificaat geworden.' Die uitspraak was duidelijk, ondanks de karakteristieke slag om de arm – 'als het ware'. De betekenis van zijn pontificaat lag in het nieuwe millennium, waarbij voor degenen die de tekenen konden zien, werd gezinspeeld op het Derde Geheim van Fátima.

'Ondanks de schijn van het tegendeel,' schreef hij, 'wacht de mensheid nog steeds op de openbaring van de kinderen van God, en leeft men verder met deze hoop, als een moeder die van een kind bevalt.' Wat er precies geopenbaard zou worden in en rondom het jaar 2000, wilde hij niet verklappen. Niettemin riep hij op tot afwachting en geduld in deze aanloopperiode om zeker te zijn van 'een verhoogde gevoeligheid voor alles wat de Geest heeft te zeggen aan de Kerk en de kerken'.

De verleidelijke belofte dat er iets nieuws staat te gebeuren, is intrigerend. Dit geldt ook voor de treffende overeenkomsten met het alternatieve, postmoderne millenniumdenken. Denk maar aan iemand die nauwelijks meer van Johannes Paulus kan verschillen dan de Franse feministe Luce Irigaray, wier hymnische proza frappante overeenkomsten vertoont met de gedachten die Johannes Paulus koesterde aan de vooravond van het millennium. 'De zinnen alert houden betekent zowel lichamelijk als geestelijk aandachtig zijn,' schreef ze, krap een jaar na de publicatie van Johannes Paulus' Adventsencycliek. 'Het Derde Tijdperk van het Westen zou uiteindelijk wel eens het tijdperk van het paar kunnen worden: van de geest en de bruid. Na de komst van de Vader die is beschreven in het Oude Testament, na de komst van de Zoon die is beschreven in het Nieuwe Testament, staan we nu misschien aan de vooravond van het tijdperk van de geest en de bruid.'

Het jubeljaar 2000 werd voorafgegaan door een golf van opknapbeurten en schilderklussen in de Eeuwige Stad. Onder de Janiculumheuvel werd een enorme ondergrondse parkeergarage gebouwd die plaats moest bieden aan duizenden auto's; het vliegveld Leonardo da Vinci onderging een facelift; er werd gezorgd voor nieuwe jeugdherbergen en accommodatie voor honderdduizenden jongeren; oude en zieke mensen, op ieder type pelgrim waren de stad en de zeven heuvelen voorbereid. Er waren speciale lijnen geopend met elektrische busjes die de pelgrims naar de zeven basilieken van Rome brachten, zodat ze hun volle aflaat konden bemachtigen (door Johannes Paulus ingesteld in een speciale pauselijke bul), het kaartje dat rechtstreeks toegang biedt tot de hemel zonder tussenstop in het vagevuur.

De agenda van Johannes Paulus stond vol rituelen en ceremonies waarvoor mensen in de rij stonden. Op kerstavond, gehuld in een glanzende, psychedelische mantel van lichtgewicht lurex en zijde, opende hij onder het geschal van ivoren hoorns de heilige deur in de Sint-Pieter. Zo'n achtduizend gelovigen keken in doodse stilte toe, alsof men dezelfde donderklap kon verwachten die in 1870 de ramen deed barsten tijdens het Eerste

Vaticaans Concilie op het moment dat de pauselijke onfeilbaarheid werd afgekondigd. Christus, vertelde Johannes Paulus de verwachtingsvolle menigte, stond 'aan de poort van onze redding', maar 'mensen zoeken vaak de waarheid ergens anders'. In een meer feestelijke stemming begroette hij de menigte vanuit zijn werkkamer toen de klok op oudejaarsavond twaalf uur sloeg en het vuurwerk oorverdovend knalde. Op nieuwjaarsdag opende hij alweer een heilige deur, ditmaal in de Santa Maria Maggiore.

In de eerste week van het millennium wees niets op een naderende omwenteling. Alles ging gewoon zijn gangetje. In China werden zonder raadpleging vooraf met de paus zes nieuwe bisschoppen gewijd door de Chinese hiërarchie, die door de overheid werd gecontroleerd. In Indonesië liepen de gewelddadigheden tussen moslims en christenen hoog op met bombardementen en beschietingen; moslims en kopten raakten in gevecht in een Egyptisch dorp ten zuiden van Caïro, en bekend werd dat in het voorafgaande jaar in Afrika en Zuid-Amerika 31 katholieke priesters en gelovigen om hun geloof waren vermoord.

Johannes Paulus haalde het millenniumjaar als een man die teerde op zijn laatste reserves. In de wandelgangen van het Vaticaan nam men alom aan dat hij uitgeput zou instorten, blij dat hij eindelijk in vrede kon gaan. Er was inderdaad sprake van een plotselinge terugval, alsof hij met een slee over een lange, zachte helling had gegleden en plotseling als een baksteen van een plateau viel. Hij kon nauwelijks lopen; ook praten ging moeizaam.

In januari woonde ik een van de vele vieringen bij op het Sint-Pietersplein. Meer dan vijftienduizend zieke mensen en verzorgers stonden om hem heen op een heldere frisse ochtend toen hij had besloten de mis buiten op te dragen. Hij had een diep gekromde houding, zijn krachtige nek stak als die van een oude schildpad in een hoek van negentig graden naar voren, zijn torso was aan een zijde verslapt, één oog zat bijna helemaal dicht, zijn linkerhand schudde onbedwingbaar, er droop onmiskenbaar speeksel uit zijn mondhoeken. Een monseigneur stond voortdurend klaar met een stapel papieren zakdoekjes om zijn kwijl op te vangen. Een klein deel van de mis stond hij nog op zijn benen, maar zijn preek werd gebrabbeld en hij versprak zich regelmatig. De mis duurde maar liefst twee slopende uren. Aan het eind zag hij eruit als een bokser die vijftien ronden in de ring heeft gestaan; we zouden het weten dat hij in die Poolse oorlogsjaren twaalf uur aan een stuk met emmers stenen aan een juk had gesjouwd.

Als hij meer dan een paar meter moest lopen, werd hij gereden op een rolwagentje dat na Kerstmis voor het eerst te zien was. Het was een soort *sedia gestatoria* uit de oude tijd, de draagstoel waarin de paus vroeger zat terwijl hij met struisvogelveren koelte kreeg toegewaaid, maar dan een op wieltjes. Dit geval met twee stangen aan de zijkant en twee aan de voorkant waaraan Johannes Paulus zich kon vasthouden en stabiliseren, wekte de indruk alsof de paus nog steeds op eigen benen stond: het leek haast of hij werkelijk liep, of zelfs op de lucht zweefde door de menigte, terwijl de kamerheren met witte vlinderdas discreet het rijdende looprek voortduwden. Veronderstellingen dat hij binnenkort totaal invalide zou worden, werden echter woedend weersproken door het Vaticaanse perscentrum. Toen John Follain, correspondent in Rome voor de Londense *Sunday Times*, in een krantenartikel (na consultatie van een deskundige op het gebied van de ziekte van Parkinson) voorspelde dat Johannes Paulus mogelijk binnen twee jaar in een rolstoel zou zitten, luidde de weerlegging van het Vaticaan dat dit artikel 'exacte bronnen en informatie ontbeerde'. Ondertussen kreeg David Willey, BBC-correspondent in Rome, van een curiekardinaal te horen dat Johannes Paulus vaak al om zes uur 's avonds op bed lag, een gegeven dat later eveneens woedend en honend werd weersproken.

Het zou nog enkele jaren duren voordat men toegaf dat de meer betrouwbare beschrijvingen van Johannes Paulus' ziekte daadwerkelijk klopten. De voormalige aartsbisschop van Canterbury George Carey schrijft in zijn memoires (*Know the truth*, 2004) over een ontmoeting die hij in 1997 had met Johannes Paulus; hij was geschrokken van de tol die de ziekte van Parkinson van hem had geëist. In een van de meer betrouwbare beschrijvingen van het ziektebeeld van de paus in dit stadium besprak hij de scherpe tegenstellingen in het welzijn van Johannes Paulus sinds hij ziek was en ook zijn functioneringsvermogen. Volgens Carey praatte de paus op een 'lage, uitdrukkingloze manier en leek hij soms in de war'. Hij moest door assistenten gesouffleerd worden en zag eruit als een man die 'aan het eind van zijn Latijn was'. Carey schrijft dat toen hij de encycliek over de oecumene ter sprake bracht, *Ut unum sint* (Dat zij één mogen worden, 1995), een aanwezige kardinaal, Edward Cassidy, de prefect van de Raad voor de Christelijke Eenheid, de paus eraan moest herinneren dat het ging om een encycliek die hij, Johannes Paulus, zelf had geschreven.

Kort na deze ontmoeting verbeterde de toestand van Johannes Paulus, grotendeels dankzij het regime van medicijnen die hij begon te slikken: 'Hij zat alert, aandachtig en betrokken tegenover me. Er was geen spoor meer over van de "afwezigheid" die ik eerder had waargenomen. We voerden uitgebreide gesprekken over de missie van de Kerk en de betrekkingen met de islam [...]. Het contrast met zijn eerdere uitputting was verbijsterend.'

De reactie op de bescheiden observaties van John Follain in het jaar

2000 waren echter niets vergeleken bij de storm die losbarstte na de suggestie dat de paus zijn functie misschien zou moeten neerleggen. In de tweede week van januari beweerde bisschop Karl Lehmann van Mainz, amper 63 jaar, dat de paus als hij wilde kon aftreden. Lehmann was twaalf jaar lang voorzitter geweest van de Duitse Bisschoppenconferentie en stond bekend als een verantwoordelijk mens. Maar een paar uur na zijn commentaar op de Duitse radio werd in heel Europa het nieuws uitgezonden dat de bisschoppen om het aftreden van de paus verzochten. De gelederen sloten zich meteen, de curiekardinalen wilden zich zo snel mogelijk van deze onzinnige suggestie distantiëren. Zijne Eminenties Vincenzo Fagiolo, Alfons Maria Stickler en Ersilio Tonini schoven meteen hun hele gewicht naar voren om nadrukkelijk en uitgebreid de geruchten over toenemende aftakeling te ontkennen – zo goed ze konden: Fagiolo was 82, Stickler 90, Tonini 86. Ondertussen zond het perscentrum van het Vaticaan koeltjes en zonder commentaar een vertaling uit van de bewuste uitspraak.

De bisschop had helemaal niet geëist dat de Heilige Vader zou aftreden. Maar hij had wel een pauselijk taboe doorbroken. Op de vraag van de interviewer van Deutschlandfunk Berlin of het millennium niet een geschikte gelegenheid was voor de paus om zich terug te trekken, had de bisschop geantwoord dat de paus 'altijd aandachtig was, de discussies volgde en de vragen begreep', en dat hij, Lehmann, onder de indruk was van de 'geestelijke aanwezigheid' van de paus. Behoorlijk patroniserend, zou je kunnen zeggen. Maar toen kwam het hoge woord eruit. Hij zei dat hij niet gekwalificeerd was om te oordelen 'of de zich duidelijk manifesterende ziekte van Parkinson gevolgen heeft voor zijn vermogen de Kerk te leiden en beslissingen te nemen'. Voor een instituut dat hooguit pas na de dood van de paus zou toegeven dat hij ziek was, betekende dit een ongekende inbreuk op het pauselijke protocol. Toen zei hij: 'Persoonlijk denk ik dat de Heilige Vader wel de moed zal kunnen opbrengen om toe te geven: "Ik kan mijn taak niet langer meer verantwoord vervullen zoals het moet." Ik geloof dat de paus dit wel zal durven zeggen als hij meent dat hij de Kerk niet langer meer op een gezaghebbende manier kan leiden.' De bisschop ging door tot het uiterste. 'Langzaam, langzaam,' oordeelde hij, 'nadert de cyclus van het leven zijn einde.' Dat bisschop Lehmann er voorzichtig aan herinnerde dat de Heilige Vader sterfelijk was, werd als regelrechte heiligschennis beschouwd, of op z'n minst als prematuur. Zoals monseigneur Dziwisz al eens bitter zalvend had opgemerkt, zaten de meeste mensen die ooit zoiets hadden beweerd, 'inmiddels zelf in de hemel'.

In elke andere context zou een door ziekte getroffen leider overwegen af te treden. Er zijn in totaal vier pausen afgetreden, onder wie twee die in de tweede eeuw door de Romeinse keizers waren verbannen. In 1294 trok paus Coelestinus V zich terug; deze heilige monnik die graag vastte en visioenen kreeg, bleek niet geschikt voor de complexe taak van het pauselijk bestuur. Zijn opvolger, kardinaal Benedetto Caetani, schreef de abdicatierede en hield Coelestinus vervolgens gevangen tot aan zijn dood op negentigjarige leeftijd.

Paus Gregorius XII trad vrijwillig terug in 1415 om een eind te maken aan het westers Schisma, toen er twee en later zelfs drie pauselijke pretendenten waren. Na deze rampzalige periode kon men zich op z'n minst indenken dat de paus verantwoording verschuldigd kon zijn aan een algemene raad binnen de Kerk. In theorie zou een ketterse paus door kardinalen of een speciale raad afgezet kunnen worden, maar dat is nog nooit voorgekomen. Ook is nog nooit een paus afgetreden wegens lichamelijke of mentale ziekte.

Maar ondanks de ontkenningen en de gesloten gelederen gingen de roddels onder oudgedienden binnen de curie in Rome inderdaad over de competentie van de paus. En in het verlengde van dit onderwerp werd er, in elk geval door Vaticaanwatchers, gespeculeerd over het onkruid dat welig kon tieren nu de vermogens van Johannes Paulus verder afnamen.

Een vroeg voorbeeld van het beperkte inzicht en de onevenredig grote invloed van de reactionaire naaste medewerkers was de aankondiging die de paus vlak voor Kerstmis deed en waar de meeste katholieken nauwelijks acht op sloegen. Het betrof de zaligverklaring, in de herfst van het jubeljaar, van Pius IX, ofwel Pio Nono. Pio Nono, wiens pontificaat van 1846 tot 1878 had geduurd, was de langst dienende paus in de geschiedenis. Hij was vooral bekend om zijn Eerste Vaticaans Concilie, waarin hij het dogma van de pauselijke onfeilbaarheid en het pauselijk primaat had vastgelegd, hoewel men hem ook nog kende van de beruchte *Syllabus errorum*, waarin hij de democratie, het pluralisme, de vakbonden en de pers aan de kaak stelde. Een fraai voorbeeld voor de eenentwintigste eeuw!

Minder bekend bij de gelovigen was zijn reputatie op het gebied van kindermisbruik wegens zijn aandeel in de ontvoering van het zevenjarige joodse jongetje Edgardo Mortara, die van zijn ouders in Bologna werd gescheiden. In 1856 had een christelijke dienstbode, een functie die gelijkstond aan kinderverzorgster, stiekem en illegaal een hoogstwaarschijnlijk ongeldig doopsel toegediend aan het kind van het echtpaar Mortara. Aan de plaatselijke groenteboer vertelde ze achteloos wat ze had gedaan, waarop de winkelbediende het feit aangaf bij de pauselijke politie (Bologna maakte toen deel uit van de pauselijke staat), die vervolgens aanklopte toen de ouders er niet waren en het jongetje mee naar Rome nam, zodat hij daar fatsoenlijk kon worden gedoopt in het speciale 'huis voor catechumenen', tegen zijn eigen wil en die van zijn ouders in.

Pio Nono, een epilepticus met woedeaanvallen en een morbide, zij het soms gerechtvaardigde overtuiging dat de hele wereld tegen hem was, adopteerde het kind en speelde ermee, waarbij hij hem onder zijn soutane verstoppertje liet spelen op een manier die we nu 'ongepast' zouden noemen. Zijn abjecte en onwettige relatie met de jongen duurde enkele jaren, waarin hij het appèl vanuit de hele wereld negeerde, inclusief de twintig redactionele commentaren in de *New York Times*, om het kind terug te geven aan zijn ouders. Uiteindelijk werd de jongen naar een klooster gestuurd en op zijn eenentwintigste tot priester gewijd, voor altijd vervreemd van zijn ontroostbare ouders.

Het was moeilijk de deugden te zien die werden aanbevolen in de beslissing om Pio Nono zalig te verklaren. Terwijl de crisis van de pederastische priesters met elke maand in omvang toenam en later in de Verenigde Staten een dieptepunt zou bereiken dat iedereen zou verbijsteren, gaf de paus met de mogelijke zaligverklaring van Pio Nono, die in deze tijd in elke beschaafde samenleving een gevangenisstraf zou krijgen wegens kindermishandeling en ontvoering, een totaal verkeerd signaal af. Het zalig-verklaren onder Johannes Paulus was echter van een religieus project ter verheffing van het volk verworden tot een kwestie van interne kerkpolitiek. Binnen het Vaticaan hielden degenen die de keuze op Pius IX betreurden omdat ze vreesden dat daarmee de praktijk van het zalig-verklaren in diskrediet werd gebracht, er hun eigen kijk op na. Mijn favoriete Vaticaanse informant zei hierover: 'Het is een rechts tegengif voor de geplande gelijktijdige zaligverklaring van paus Johannes XXIII, van wie iedereen hield en die progressief was. Pius IX staat symbool voor een gecentraliseerd en autocratisch pontificaat en voor bureaucratie.' Bovendien ging in die tijd het gerucht dat Pius IX eigenlijk in de plaats was gekomen voor Pius XII, die al jarenlang samen met Johannes XXIII voor zaligverklaring in aanmerking kwam, maar wiens reputatie een deuk had opgelopen door recent verschenen weinig flatterende monografieën. Afgezien van deze overwegingen werd opgemerkt dat er geen openbare cultus rondom paus Pius IX was geweest (een voorwaarde voor zaligverklaring). Integendeel, na zijn dood wilde een menigte in Rome zijn lijk in de Tiber gooien toen hij naar zijn laatste rustplaats werd gedragen.

Het pauselijk gezag van Pius IX had geleden onder de onverkwikkelijkheid die zo kenmerkend is voor pontificaten die door ouderdom en ziekte in verval raken. Kardinaal Henry Edward Manning van Westminster, die fanatiek achter Pio Nono stond tijdens de debatten van het Eerste Vaticaans Concilie en de grootste voorstander was van de pauselijke onfeilbaarheid tegenover degenen die deze onfeilbaarheid inopportuun achtten, vatte het twee jaar voor de dood van zijn paus bondig samen: 'Somberheid, verwarring, depressie [...] ledigheid en ziekte.' Hoge ouderdom lag aan al deze problemen ten grondslag, daar was Manning van overtuigd.

De tweejarige Karol en zijn ouders, Emilia en Karol senior, 1922
(Viviane Riviere/SAOLA/eyevine)

Karol Wojtyła, zeven jaar, doet zijn eerste heilige communie, 1927
(Bettman/Corbis)

Op het toneel in Wadowice, 1937
(Viviane Riviere/SAOLA/eyevine)

Karol Wojtyła als student in Kraków
(Viviane Riviere/SAOLA/eyevine)

Karol Wojtyła tijdens een militaire oefening in het oosten van Polen, 1939
(Adam Gatty-Kostyal/AP)

Pastoor Wojtyła met studenten, Heilige Florianparochie, Kraków 1950
(Viviane Riviere/SAOLA/eyevine)

Karol Wojtyła in het Tatragebergte
(Reuters)

Paus Johannes Paulus I begroet kardinaal Karol Wojtyła, aartsbisschop van Kraków
(Corbis Sygma)

Johannes Paulus verschijnt voor het eerst op het balkon van de Sint-Pieterskerk, 16 oktober 1978 *(Vittoriano Rastelli/Corbis)*

Paus Johannes Paulus wordt neergeschoten door de Turkse huurmoordenaar Mehmet Ali Ağça, 13 mei 1981 *(Reuters)*

Johannes Paulus bezoekt Mehmet Ali Ağça in zijn gevangeniscel in Rome *(Bettman/Corbis)*

De president van Polen Lech Wałęsa kust de hand van Johannes Paulus tijdens diens bezoek aan Polen, 8 juni 1991 *(AP/Rainer Klostermeier)*

Johannes Paulus kust de grond op het vliegveld van Managua, Nicaragua, 4 maart 1983 *(Bettman/Corbis)*

Johannes Paulus spreekt de Poolse leider, generaal Wojciech Jaruzelski toe, 16 juni 1983

Johannes Paulus met de Dalai Lama en de aartsbisschoppen van Thyateira en Canterbury op de eerste Gebedsdag voor de Wereldvrede, 27 oktober 1986 *(Corbis)*

Johannes Paulus met de eerwaarde Marcial Macia, stichter van de orde Legionairs van Christus, 3 januari 1991

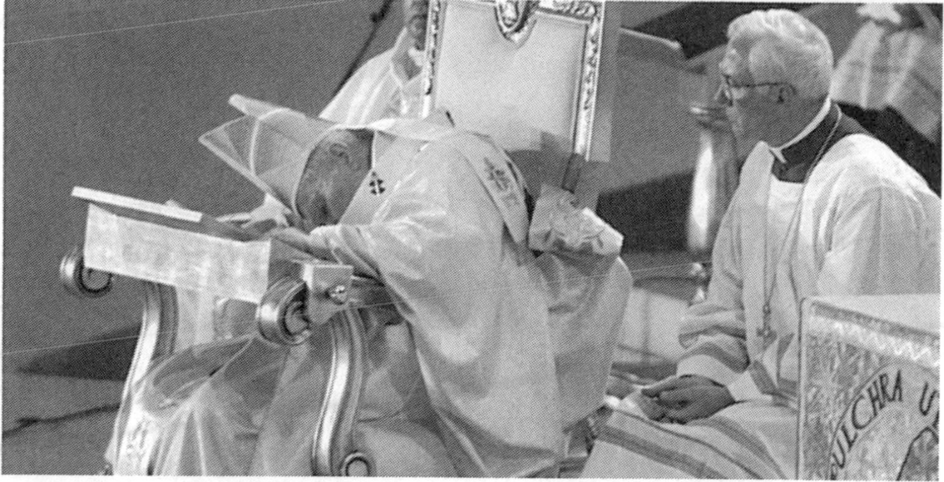

Johannes Paulus valt in slaap tijdens een heiligverklaringsmis in de basiliek van Onze Lieve Vrouwe van Guadalupe, Mexico, 31 juli 2002 *(Erich Schlegel/Dallas Morning News/Corbis Sygma)*

Johannes Paulus groet pelgrims vanuit zijn platform op wielen tijdens een audiëntie in de Paulus VI-hal, Vaticaanstad, 18 september 2002 *(AP Photo/Massimo Sambucetti)*

Johannes Paulus met kardinaal Joseph Ratzinger en aartsbisschop Stanisław Dziwisz, 16 oktober 2003 *(AP/Plinio Lepri)*

Johannes Paulus met president George Bush in het Vaticaan, 4 juni 2004 *(AP/Osservatore Romano)*

19
Ufficioso en *Ufficiale*

In de eerste weken van het jubeljaar 2000 heerste er ondanks al het feestelijk en ceremonieel vertoon onmiskenbaar een sfeer van malaise in en rondom het Vaticaan, een bijna tastbaar gevoel van verslagenheid en stress. Er werd steeds meer geroddeld over zenuwinzinkingen, de ziekte van Alzheimer, prostaatkanker, depressie, ouderdom en de naderende dood. Deze golf van roddels is echter niet ongewoon in de nadagen van een pontificaat. Hans Küng herinnert zich hoe in december 1962 in het Vaticaan het gerucht de ronde deed dat Johannes XXIII, de paus van het concilie, maagkanker had. Boze tongen beweerden dat daar de 'hand van God' achter zat, die wilde voorkomen dat de paus de Kerk nog meer schade zou berokkenen.

In 2000 heerste in het Vaticaan een alomtegenwoordige depressie, vooral onder prelaten die hoopten dat ze eens de kans zouden krijgen de Kerk in het volgende pontificaat onomkeerbaar naar links dan wel naar rechts te duwen. Maar hun hoop was vervlogen nu ze zelf oud waren geworden en treurden om hun gemiste kansen en verkalkte aderen. Vlak voor Kerstmis onderging op 67-jarige leeftijd kardinaal Camillo Ruini, de vicaris-generaal van het bisdom Rome die door velen werd beschouwd als de conservatieve opvolger van Johannes Paulus, niet het minst ook door hemzelf gezien de statige manier waarop hij in het openbaar poseerde, een vierdubbele bypassoperatie, waarmee de driedelige tiara voor eeuwig buiten zijn bereik bleef. De vooraanstaande kardinaal Carlo Maria Martini van Milaan, die jarenlang door progressieve geestelijken als uitzonderlijk *papabile* werd beschouwd, leed zelf ook aan parkinson en had voorbereidingen getroffen zich terug te trekken in Jeruzalem, waar hij zijn laatste levensjaren aan bijbelstudie wilde wijden.

In het begin van mijn tijd als verslaggever van Vaticaanse Zaken werd ik door een ambtenaar van de curie gewaarschuwd tegen twee soorten roddel: *ufficiale* en *ufficioso*. *Ufficiale* betekent zoals het woord al zegt, dat de bron bekend is, *ufficioso* betekent daarentegen dat de informant misschien wel betrouwbaar is, maar om een of andere reden geheim wil blijven en zijn informatie niet het stempel officieel wil geven. Verslag uitbrengen over Vaticaanse Zaken op basis van praatjes uit een geheime bron, heeft uiteraard zo zijn beperkingen. Maar toch, wie de vloedbeweging van de Vaticaanse roddel negeert, mist de ruis op de achtergrond die essentieel is voor het Vaticaanse leven en die aangeeft hoe het moreel ervoor staat. Rome is een stad van eethuisjes en restaurants: eten, drinken, roken en praten zijn de voornaamste vormen van vermaak. Een onderhoud met een verontwaardigde monseigneur in een hoekje van een restaurant laat beter zien hoe de Vaticaanse vlag erbij hangt dan duizend persberichten. In een interview in 1987 met aartsbisschop Marcinkus, hoofd van de Banca Vaticana die het doelwit was geweest van het door zijn collega's verspreide gerucht dat hij Johannes Paulus I, Roberto Calvi en Joeri Andropov had vermoord, vertelde de prelaat aan mij:

> Juist hier op deze plek... Je kunt verstrikt raken in die overdreven bureaucratie waarin alle slechte eigenschappen van de mens naar boven kunnen komen. Dat is wat er hier aan de hand is en dat is precies het probleem... Je vangt hier en daar wat op, daardoor ontstaat verwarring. Dit is een dorp, het spijt me dat ik het moet zeggen, een dorp van wasvrouwen. Je kent dat wel, ze gaan naar de rivier, doen de was, slaan die op de rotsen schoon, wringen al het vuil eruit. In het gewone leven gaan mensen eropuit en hebben ze andere interesses, maar hier – waar moeten ze het anders over hebben... als je in een gesloten gemeenschap leeft, is er niets anders te doen, kun je nergens heen, kun je nergens anders over praten...

Op een gure avond in januari 2000 zat ik in een *trattoria* vlak bij de Campo di Fiori in de oude stad, waar ik een ambtenaar van de Vaticaanse curie, mijn 'deep throat', monseigneur Sotto Voce had uitgenodigd, die inmiddels op leeftijd was sinds hij me dertien jaar daarvoor voor het eerst rijkelijk begon te voorzien van off-the-record informatie onder het nuttigen van zijn favoriete gerechten: met een dubbele hoeveelheid eieren gemaakte *fettuccine*, geroosterd speenvarken, twee flessen Villa Antinori en één of twee glazen frisse *prosecco* om 'weer helder te worden'.

We hadden het die avond over de functie van de Vaticaanse curie, haar bewoners en de sfeer aan het begin van het derde millennium van het christendom. De curie voert de vele gevarieerde werkzaamheden uit waar het bestuur van de universele Kerk op neerkomt: betrekkingen onderhouden met overheden overal ter wereld, regulering van de theologische orthodoxie, benoeming van bisschoppen, het priesteronderwijs, toezicht op priesteropleidingen, disciplinering van priesters en nonnen, commissies voor leken, voor oecumenische kwesties, voor levensvraagstukken, voor de missie, instituten voor het canoniek recht, voor de diplomatie, instellingen voor muziek en liturgie en er is zelfs ook een pauselijke bank. Deze hele, in hoge mate gecentraliseerde organisatie wordt door nog geen drieduizend employés bemand, onder wie leken en nonnen; maar alle hoge posten worden bezet door clerici die minder dan eenderde uitmaken van het totale aantal werknemers.

Medewerkers van het Vaticaan hebben maar een maand per jaar vakantie, meestal in augustus. Ze werken zes dagen per week, van negen tot halftwee, waarna ze gaan lunchen en een siësta houden, en vervolgens werken ze weer van vier tot halfacht 's avonds. Vaak moeten ze ook op zondag werken en regelmatig nemen ze werk mee naar huis. De salarissen variëren volgens mijn monseigneur van 1.000 tot 1.600 euro per maand, belastingvrij; inkomens kunnen worden aangevuld door middel van stipendia (gemiddeld honderd per jaar ter waarde van gemiddeld dertig euro per mis) die vanuit de hele wereld naar het Vaticaan worden gestuurd. Sommige werknemers hogen hun inkomen legaal op door als kapelaan te werken in een nonnenklooster. De pensioengerechtigde leeftijd was zeventig en het pensioen was ongeveer tweederde van het salaris.

In een stad met een bruisend nachtleven, waar *la dolce vita* wordt geleefd en geld wordt uitgegeven dat voornamelijk elders is verdiend, leiden de meeste Vaticaanse ambtenaren, vertelde hij me, een miserabel bestaan. 'Ze nemen hun kantoorwerk mee naar hun zolderkamertje ergens in de stad. Als ze soms met hun collega's naar een goedkoop restaurant gaan, praten ze over hun werk: achterklap, kantoorroddels, door wie ze zijn geschoffeerd, wie ze zelf hebben afgesnauwd.'

Het hoogste dat ze kunnen bereiken, is bisschop worden, dan aartsbisschop, dan 'prins der Kerk'. Dan krijgen ze een eigen appartement en een auto, en kunnen ze een nicht of tante laten inwonen die voor hen zorgt. Voor de meerderheid is dit uiteraard niet weggelegd. Het gevolg is dat velen de hoop opgeven en er seculier wat bijklussen in de journalistiek, het onderwijs, het toerisme of als consultants voor overheden en internationale bureaus. De bijklussers kunnen zich een meer extravagante levensstijl veroorloven – golf spelen, reizen, dure restaurants – waarmee een nieuwe bron van afgunst en roddel wordt aangeboord.

Terwijl hij zijn tweede fles Villa Antinori naar binnen werkte, kreeg ik het gevoel dat er iets ergs was gebeurd het afgelopen jaar of het jaar daarvoor in het leven van deze typische middenmanager binnen het Vaticaan. Ik bespeurde iets van woede en frustratie, verveling, een gevoel van fin de siècle. Hij had het over het schandaal dat het jaar daarvoor was losgebarsten toen een curiebeambte het boek *Via col vento i Vaticano* had gepubliceerd, dat vertaald zoiets betekent als 'Gejaagd door de wind van het Vaticaan'. Daarin werd gesproken over toenemend nepotisme, homoseksuele schandalen, corruptie en cliëntelisme. In zijn inleiding verklaarde de auteur: 'De tijd is gekomen voor de Kerk om Christus vergiffenis te vragen voor het veelvuldige verraad van haar dienaren, vooral van diegenen aan de top van de ecclesiastische hiërarchie.'

De ongelukkige prelaat monseigneur Luigi Marinelli, 73 jaar oud en voormalig lid van de Congregatie van Oosterse Kerken, werd ervan beschuldigd dit anonieme werk te hebben geschreven, dat talrijke sappige schandalen opdist. Hij werd 'gedaagd' voor een Vaticaans hof. In feite was het een gezamenlijke inspanning van een groep hoge ambtenaren die zichzelf de *Millenari* noemden, de 'Millenniumisten'. Het boek had het soortelijk gewicht van roddel, uiteraard; maar het feit alleen al dat het werd gepubliceerd en een groot succes werd (er werden zo'n honderdduizend exemplaren van verkocht aan het eind van het millennium) zei iets over het klimaat binnen het Vaticaan.

Een belangrijke stressfactor vormt volgens mijn monseigneur de overlap in competenties en gezag als gevolg van weloverwogen machtsscheidingen. Een voorbeeld daarvan waren de aloude conflicten tussen de verschillende media-instanties van de Heilige Stoel. De Commissie voor Maatschappelijke Communicatie, verantwoordelijk voor het hele mediabeleid, had op tal van punten overlap met het Vaticaanse Perscentrum, wat aanleiding gaf tot tegenstand en ruzies. Het hoofd van het perscentrum, het Spaanse Opus Dei-lid doctor Joaquín Navarro-Valls (voormalig stierenvechter en arts), zou 'uit de gunst' zijn gevallen (al beweerden anderen dat hij door vermoeidheid geen interesse meer had in zijn werk). En dan was er nog, alsof er al niet genoeg interne rivaliteit was, het Vaticaanse dagblad *Osservatore Romano*: een instituut op zichzelf, dat in principe direct geleid wordt door de paus. Radio Vaticana (dat Opus Dei vergeefs in handen had willen krijgen, volgens hardnekkige geruchten) werd nog steeds gedomineerd door de jezuïeten, die weer verslag uitbrachten aan een andere organisatie, die bekendstaat als het Informatiebureau en dat deel uitmaakt van het staatssecretariaat, het equivalent van een ministerie van Buitenlandse Zaken.

Lekenvrouwen die mogelijk een beschavende invloed hadden kunnen uitoefenen, waren in bedroevend kleine aantallen vertegenwoordigd in het Vaticaan. De neerbuigende manier waarop ze werden behandeld, toonde nog eens aan hoe misogyn de overheersende cultuur was. Een voormalige secretaresse die nu in Zwitserland woont, meldde dat ze eerder als een slavin dan als een mens werd behandeld en dat ze dagelijks letterlijk in haar kantoor werd opgesloten door haar baas, een eminente dominicaner priestertheoloog, en op de deur moest kloppen als ze naar de wc moest. Iemand anders vertelde me dat, nadat ze was aangenomen als persoonlijke assistente van een aartsbisschop, ambtenaren de gewoonte hadden de deur naar haar werkkamer voor haar open te houden en haar daarbij nors zwijgend aan te staren. In de kantine liepen mannelijke collega's weg als ze te dicht bij kwam zitten.

Monseigneur Sotto Voce sprak over het systeem van 'delatie', het anoniem verklikken van nonnen en geestelijken die van de leer afwijken, waar ter wereld ook. 'Naar iedere ignorante onverlaat die iemand haat om zijn progressieve standpunten, wordt geluisterd,' zei hij. 'Vervolgens wordt de dader verplicht zijn loyaliteit te zweren aan de paus en in het stof te bijten. Hij riskeert zijn baan en verlies van reputatie, zijn carrièrekansen.' Zelfs eerstejaarsstudenten aan de pauselijke Gregoriaanse Universiteit zouden volgens hem docenten hebben verklikt.

Controle over de katholieke media was een essentieel kenmerk geworden van het ontstane machtsvacuüm. Eerbied voor de mystieke rol van het pauselijk gezag vormde een cruciaal onderdeel van het conservatieve informatiemanagement. Het gevolg was dat er een psychologische barrière werd opgeworpen tegen kritische uitlatingen over het beleid, de verklaringen en acties van de paus. Conservatieve katholieke journalisten en woordvoerders, die katholicisme gelijkstelden aan eerbied voor het pauselijk gezag, hadden zich het recht toegeëigend iedereen openlijk te beledigen die de paus of de curie had gekritiseerd.

Maar er werd nog een pikanter roddelthema aangesneden op mijn avondje met monseigneur Sotto Voce, naar aanleiding van twee onopgeloste Vaticaanse schandalen. In het jaar daarvoor had een jonge soldaat van de Zwitserse Garde de kolonel van het korps en zijn vrouw neergeschoten midden in het apostolische paleis. Daarna pleegde hij zelfmoord. Er gingen geruchten over homoseksuele wraakacties en affaires. Een aantal Italiaanse forensische sociologen weet het incident aan een combinatie van werkstress en seksuele intriges in Vaticaanstad. Monseigneur Sotto Voce herinnerde zich dat vijf maanden daarvoor de pauselijke lakei Enrico Sini Luzi gewurgd werd aangetroffen in zijn appartement – waarschijnlijk slachtoffer van een afrekening. Deze incidenten hadden een undergroundsfeer van de homobar binnen de grenzen van Vaticaanstad gebracht. Tijdens het onderzoek bleek dat Luzi overdag vroom in jacquetkostuum en met witte handschoenen de paus assisteerde en 's avonds de hoerenjongens bezocht in de ranzige hoekjes van het park van de Villa Borghese. Het motief van de dubbelmoord van de Zwitserse wacht is nog steeds niet achterhaald, maar was het werkelijk een onverklaarbare, waanzinnige daad, zoals de woordvoerder van de paus de wereldpers liet weten? Of was het een teken dat er iets lag te rotten onder de oude pauselijke stadstaat? Zoals de Romeinen zeiden in de straten: *'Qualche cosa bolliva nella pentola!'* ('Er kookte iets in die pan!')

Het Vaticaan is ongetwijfeld generaties lang al een ongelukkige broedplaats geweest van hoogoplopende spanningen. Maar nu werd er aan dit licht ontvlambare mengsel nog een ingrediënt toegevoegd: de malaise van een versteend pontificaat, in combinatie met de steeds hogere ouderdom van het kardinalencollege. Veel van de curiekardinalen die in Vaticaanstad woonden, waren al ver in de zeventig of tachtig. Volgens de Vaticaanse apotheken werd valium het meest voorgeschreven aan curiemedewerkers.

Dan was er nog de paus zelf. Al in 1994 wist men dat Johannes Paulus een neurologische ziekte had, toen de bekende Vaticaankenner Peter Hebblethwaite in zijn boek *The next pope* opmerkte dat Johannes Paulus, toen 74, vaak lusteloos was en dat zijn linkerhand voortdurend trilde. In dat stadium van zijn leven had Johannes Paulus de levensgevaarlijke schotwond overleefd die hij in 1981 tijdens de aanslag op het Sint-Pietersplein had opgelopen, had hij een operatie ondergaan waarbij een darmtumor ter grootte van een sinaasappel was verwijderd en had hij zijn dijbeen gebroken bij een val in de badkamer. Bovendien leed hij niet alleen aan parkinson maar ook aan andere ouderdomsziekten, waaronder ernstige artritis. Ook moet men niet vergeten dat hij, ondanks het sterke gestel dat hij had als jongeman, bijna was omgekomen bij een verkeersongeluk met een vrachtwagen.

De naaste medewerkers van de paus troostten zich met het verzet dat de paus bood tegen zijn onheilsprofeten. Peter Hebblethwaite zelf overleed in 1994, nadat hij had verklaard dat het pauselijk gezag van Johannes Paulus inmiddels 'demissionair' was. In januari 2000 ging het echter niet zozeer om de naderende dood van de paus als wel om zijn denkvermogen. De huidige regering van het Vaticaan, de interne kliek aan het pauselijke hof, was uiteraard niet bereid toe te geven dat het pontificaat in feite demissionair was of ten einde liep, want daarmee zou meteen een discussie ontstaan over het nieuwe beleid en nieuwe personeel aan de top. Als een paus sterft, sterven zijn benoemingen ook. Elk manusje-van-alles binnen het pauselijk huishouden, iedere lieveling en pauselijke favoriet ziet zijn ontslag tegemoet. Ook als de paus vrijwillig zou aftreden.

Monseigneur Sotto Voce zei hierover tegen mij: 'Hij zal nooit aftreden, want je kunt geen twee pausen hebben.' Waarmee hij bedoelde dat wanneer Johannes Paulus zou abdiceren en zijn opvolger een ferm progressief dan wel conservatief beleid zou voeren, de 'verliezers' wel eens naar de loyaliteit van de nog levende, afgetreden paus zouden kunnen dingen.

Volgens een andere waarnemer echter had de koppige vastberadenheid waarmee Johannes Paulus gewoon doorging vooral een mystiek aspect. De hardnekkige suggestie dat de hemel al had vastgesteld wanneer de paus ermee zou ophouden, werd nu bevestigd door de beste vriend van de paus: kardinaal Andrzej Maria Deskur. Deskur, die bij aanvang van het conclaaf in oktober 1978 een beroerte had gekregen, bleef – 76 jaar oud in het jaar 2000 – de intiemste vertrouweling van de paus.

In 1987 werd ik uitgenodigd op de thee in het Vaticaanse appartement van kardinaal Deskur. Hij zat in een rolstoel naast een batterij van knopjes en telefoons. Hij kon nog uitstekend praten, maar er vielen lange stiltes. Op een gegeven moment zei hij: 'De paus leeft in een gouden kooi.' Ik probeerde van alles om het gesprek gaande te houden, maar mijn trukendoos was leeg, net als de glanzende schaal met boterzachte, zoete cakejes. En al die tijd bleef hij met zijn grote, gekwelde ogen van achter zijn jongensbril naar me staren.

Nu, meer dan tien jaar later, mengde Deskur zich op een vreemde manier in de kwestie over Johannes Paulus' aftreding. In een zeldzaam interview, dat hij gaf aan de gerenommeerde journalist Lucio Brunelli van het Romeinse dagblad *Il Tempo*, zei hij: 'Het motto *totus tuus* is voor Johannes Paulus geen lege uitdrukking. Hij legde plechtig de eed af aan de Madonna, en het maakt deel uit van deze gelofte om aan de Madonna het uur en de omstandigheden van zijn dood toe te vertrouwen.' Hij zei verder dat toen Paulus VI gekweld werd door de beslissing of hij wel of niet moest aftreden, hij een 'duidelijke waarschuwing kreeg vanuit de hemel'.

De Franse mystica Marthe Robin, ging hij verder, had een visioen gehad:

‘Onze Lieve Vrouwe had haar verteld dat de paus overwoog terug te treden en dat dit een zeer ernstige fout zou zijn.’ Welnu, ging hij verder, een aantal jaren geleden, toen Johannes Paulus terugkeerde van een reis naar India, woedde er een hevige sneeuwstorm bij Rome en moest het pauselijke vliegtuig een landing maken in Napels, vanwaar de paus met de trein naar Rome ging. ‘Tijdens die treinrit had de paus een boek van Jean Guitton in zijn handen. Raad eens welk boek?’ Waarop interviewer Brunelli meteen antwoordde: ‘Een boek over het leven van die Franse mystica?’ ‘Precies,’ antwoordde Deskur, ‘dát boek was hij aan het lezen.’

Op grond hiervan kwam deze vertrouweling van Johannes Paulus tot de stevige conclusie dat er mystieke redenen waren waarom de paus weigert af te treden.

20
De paus als patiënt

Welke boodschappen er ook vanuit bovennatuurlijke regionen werden gestuurd, ondertussen werd de kwestie over de competentie van Johannes Paulus openlijk besproken in het licht van de onverbiddelijke aard van zijn ziekte: parkinson. De wanhopige realiteit was de krabbengang van het proces: vanaf het eerste symptoom schreed de ziekte een klein beetje verder, daarna diende zich het volgende symptoom aan. Soms leken de symptomen te verdwijnen, waarna ze nog sterker terugkwamen en nog meer controle claimden over de motoriek van het lichaam.

Parkinson wordt veroorzaakt door verlies van kleine aantallen cellen in een diep gelegen gebied in de hersenen, de substantia nigra (zo genoemd vanwege de donkere kleur van de cellen onder een microscoop). Deze cellen produceren de natuurlijke hersenstof dopamine, die onze spraak en motoriek regelt. Iemand met een normale gezondheid kan leven met weinig of geen symptomen totdat tachtig procent van de cellen zijn verbruikt. Het begint met mobiliteitsverlies: veel patiënten lijden aan het symptoom festinatie, de neiging van de patiënt met kleine pasjes vooruit te rennen teneinde overeind te blijven. Dit verklaart misschien het verhaal dat Sotto Voce me een jaar eerder had verteld over Johannes Paulus die 'naar de lift rende'.

Er zijn perioden van remissie, die worden gevolgd door verdere aftakeling van het vermogen te bewegen, te praten, te ademen en te slikken. De werking van medicijnen moet bekocht worden met gebreken en problemen in andere delen van het brein en het zenuwstelsel. Het voornaamste medicijn is levodopa, een kunstmatige stof die werkt als vervanging voor de natuurlijke dopamine en aldus de symptomen reduceert. Het toedienen van de juiste dosis levodopa vereist constant meetonderzoek en bijstelling. Na verloop van tijd werkt levodopa niet meer omdat de neurale verbindingen in de hersenen verzwakken en effectieve overdracht van het medicijn naar de essentiële gebieden in de hersenschors wordt verstoord. Tijdens de millenniumwende leek de ziekte bij Johannes Paulus in het stadium te verkeren van verminderde effectiviteit van dit medicijn.

Neurologen waren al twee decennia op zoek naar chirurgische methoden om de symptomen te verlichten. Geen daarvan zou door de paus worden goedgekeurd. Een methode die wordt bevorderd door neurochirurgen onder professor Anders Björklund in het Zweedse Lund, betreft het inbrengen van een canule met hersenweefsel van geaborteerde foetussen in de hersenen van de patiënt. Er zijn ongeveer zes verse foetale hersenen nodig tijdens de operatie voor beide zijden van het brein. Een andere strategie, die nog in het onderzoeksstadium verkeert, is om stamcellen uit menselijke embryo's te gebruiken, een onderzoekspraktijk en -therapie die door de paus wordt afgekeurd. Nog een andere methode betreft de implantatie van twee elektroden in beide hersenhelften, die verbonden zijn aan een pacemaker of impulsgenerator die onder de huid wordt aangebracht, meestal onder het sleutelbeen. Deze aanpak geneest de ziekte van Parkinson niet, maar kan wel de stijfheid en de trillingen reduceren. Toen ik een van de belangrijkste implantatiechirurgen en parkinson-specialisten van Groot-Brittannië, professor Tipu Aziz van de Radcliffe Infirmary in Oxford vroeg naar de behandelingsmogelijkheden van de paus, bleek duidelijk dat hij al eens eerder geconsulteerd was over de pontifex. 'Het probleem is dat ik hem daarvoor zou moeten onderzoeken, en dat hebben ze me niet gevraagd. Maar er is geen reden om aan te nemen waarom hij niet bij deze behandeling gebaat zou zijn.' De theorie achter deze methode is dat parkinson de normale aanstuurpatronen beïnvloedt van neuronen in gebieden van het brein die onze motoriek besturen. Wanneer deze patronen met kunstmatige impulsen worden gestimuleerd, kan men zich indenken dat de symptomen aantoonbaar minder ernstig worden.

In het laatste stadium van de ziekte verschijnt mogelijk het meest gevreesde symptoom: acute depressie en psychose – met name in de vorm van steeds langduriger fases van paranoia. Een naaste medewerker van de paus vertelde mij dat zijn adviseurs buitenlandse reizen aanmoedigen omdat hij 'depressief wordt als hij niets heeft om naar uit te kijken'. Niets wees er in het jaar 2000 op dat de paus aan paranoia leed, maar er was wel een kleine kortsluiting geweest, aldus Sotto Voce. Hij had hem met zijn goede vuist 'op de tafel' zien 'rammen' wanneer hij gefrustreerd was of iets niet kon doen wat hij graag wilde doen.

De arts van de paus, Renato Buzzonetti, een man van in de zeventig die ook Paulus VI en Johannes Paulus I onder zijn hoede had, werd geadviseerd, zo heb ik ontdekt, door een netwerk van 's werelds beste neurologen, van wie er niet één uit Italië komt en wier identiteit men zorgvuldig geheimhoudt. Het was ondenkbaar dat de paus niet was geïnformeerd over de laatste gevaren en onwaardigheid van zijn ziekte. Het meest gebruikelijke medicijn tegen depressie is fluoxetine hydrochloride (prozac), dat de werkzaamheid van serotonine in de hersenen stimuleert; terwijl psychotrope medicijnen tegen paranoia zeer waarschijnlijk de motorische problemen als gevolg van parkinson verergeren. Dus, welke maatregelen had de paus getroffen in geval van psychose?

Paulus VI, zo werd onthuld na zijn dood door zijn privé-secretaris, monseigneur Pasquale Macchi, liet de eenregelige instructie na dat het pauselijk ambt als vacant moest worden beschouwd en er een conclaaf bijeen moest worden geroepen, wanneer hij niet meer bij zijn verstand was. Maar wie moet besluiten dat de paus niet meer bekwaam is? En bij geval van paranoia, wie moet uitmaken of de paus psychotisch is en niet het slachtoffer van een heuse samenzwering om hem af te zetten?

Hoewel er geen duidelijke precedenten van Johannes Paulus zijn, zijn er door de eeuwen heen genoeg samenzweringen geweest om zich van pausen te ontdoen. Benedictus XI zou gestorven zijn aan gemalen glas in zijn vijgen. Alexander VI, de beruchte Borgia-paus, stierf in 1503 waarschijnlijk aan arsenicumvergiftiging: zijn lichaam was zo opgezwollen dat na zijn dood de begrafenisondernemers op zijn maag moesten gaan staan om het deksel van de kist te kunnen sluiten. Een duidelijk geval van paranoia was de achttiende-eeuwse Clemens XIV, die ervan overtuigd was dat de jezuïeten van plan waren hem te vermoorden. Daarom weigerde hij zelfs de voeten te kussen van de crucifixen in het Vaticaan, omdat hij bang was dat die met gif waren besmeurd. Hij stierf een natuurlijke dood.

Er bestaan geen andere gevallen in de moderne geschiedenis van pausen met hetzelfde ziektebeeld als Johannes Paulus, met zijn toenemende verlies van geestelijke vermogens en zelfs ook periodes van verwarring. Leo XIII, die in 1903 op 93-jarige leeftijd stierf, werd in 1878 als tussenpaus gekozen, maar nam ontstellend lang de tijd om dood te gaan. Na wat zijn laatste adem leek te zijn, een week voordat hij daadwerkelijk stierf, liet hij pen en papier naar hem toe brengen en ging hij met een helder hoofd weer aan de slag. Pius X stierf plotseling in 1914, naar men zegt aan een 'gebroken hart' na het uitbreken van de Eerste Wereldoorlog. Pius XI was tien jaar lang diabetes- en hartpatiënt. Hij was invalide in de periode van Hitlers opkomst; maar hij bleef uitermate scherp tot aan zijn dood in 1939. Pius XII was een van de grootste hypochonders uit de twintigste eeuw. Hij had teams van specialisten tot zijn beschikking en was bijzonder gecharmeerd van alternatieve geneesmiddelen, waaronder een gevaarlijke chemische stof die in de leerlooierij werd gebruikt en die hij gebruikte als middel tegen zacht tandvlees. Hij werd behandeld door Paul Niehans, de Zwitserse pseudo-arts die cellen uit apenklieren bij patiënten inbracht in hun strijd tegen ouder worden en allerlei kwalen en ten gunste van hun seksuele potentie. Pius XII had vijf jaar lang last van de hik door dit chemische goedje uit de leerlooierij, maar was nog bij zijn verstand toen hij in 1958 op 82-jarige leeftijd overleed. Johannes XXIII had maagkanker, maar was bij zijn overlijden in 1963 nog in het bezit van al zijn geestelijke vermogens. Paulus VI leed aan prostaatkanker en bleef zijn taken vervullen met een katheter totdat hij in het Vaticaan een operatie onderging. Hij stierf in 1978 aan een zware hartaanval, helder van geest tot aan het allerlaatste eind. Johannes Paulus I, de voorganger van de huidige paus, overleed aan longembolie op 66-jarige leeftijd, na een pontificaat dat slechts 33 dagen had geduurd.

Bisschop Lehmanns redelijke, zij het wat onbezonnen mening dat Johannes Paulus zou kunnen aftreden als hij het gevoel kreeg dat het ambt hem te veel werd, hield geen rekening met zijn paranoia. Bovendien had hij geen rekening gehouden met de 'mystieke' visie die Johannes Paulus had op zijn pontificaat en op de wereldgeschiedenis, en de invloed daarvan op de toekomst en de garantie dat onze Lieve Heer, door tussenkomst van Maria, hem niet in de steek zou laten in de laatste dagen van zijn pontificaat.

Ondertussen leek het steeds duidelijker te worden dat het pauselijke hof steeds kleiner werd en steeds meer op zichzelf werd geworpen. Een bevriende jezuïet en hoogleraar aan de Gregoriaanse Universiteit verzekerde me: 'Hij is niet in staat gesprekken te voeren zoals vroeger. Hij luistert niet, hij communiceert niet.' Deze opinie werd net als het feit dat hij elke avond vroeg naar bed zou gaan, hevig bestreden door pater Richard John Neuhaus, de Amerikaanse lutheraan die zich tot het katholicisme heeft bekeerd, en hoofdredacteur is van *First Things*. In de pagina's van zijn tijdschrift verzekerde hij dat 'als de paus niet werkte op een tempo dat iedereen van twintig jaar jonger zou uitputten', hij in het gezelschap verkeerde van niemand minder dan pater Neuhaus. 'In de loop der jaren en de afgelopen maanden,' getuigde Neuhaus, 'heb ik uren met de paus doorgebracht, overdag en 's avonds bij de maaltijd.' Het vreemde aan deze ontboezeming van Neuhaus was niet alleen dat hij de overvloed van betrouwbare ooggetuigenverklaringen weersprak. De hele wereld kon duidelijk zien dat de paus ernstig ziek was, wat de absurde indruk van avondlijke feesten op intellectueel niveau met bevriende journalisten uitsloot. Neuhaus' verhaal richtte de aandacht op het bondgenootschap dat in de laatste jaren van Wojtyła's pausschap was ontstaan tussen het pauselijk gezag en conservatieve apologeten in de media. Ik deed een kleine rondvraag en ontdekte daarbij dat volgens betrouwbare Vaticaanse bronnen Johannes Paulus – chronisch ziek als hij was en de last torsend van de hele katholieke Kerk – pater Neuhaus inderdaad met zijn gezelschap had vereerd in een mate die grote verbazing wekte onder Vaticaanse monseigneurs. Geen wonder dat sommige conservatieve katholieke media beweerden dat zij exclusief voor en namens het pauselijk gezag spraken.

21
Naar het Heilige Land

Als het waar was wat zijn naaste medewerkers binnen de curie zeiden – namelijk dat Johannes Paulus in de nadagen van zijn pontificaat door te reizen uit zijn sombere stemming kon worden gehaald – dan moet zijn eerste en belangrijkste reis in het jubeljaar een ongekende oppepper voor hem zijn geweest. In de laatste week van maart, in de aanloop van de Goede Week en Pasen, realiseerde hij een van zijn meest gekoesterde ambities – enige tijd doorbrengen in het Heilige Land in het jaar der jaren.

Na weken van vooringenomen reacties in de Israëlische media en uitingen van roekeloos optimisme door Palestijnse moslims en christenen, arriveerde hij op woensdag 22 maart. Midden-Oostencorrespondent van *The Tablet* Trevor Mostyn noteerde bijvoorbeeld uit de monden van mensen op straat: 'Er staat iets wonderbaarlijks te gebeuren als de paus komt.' De vergelijking werd getrokken met het pauselijk bezoek aan Polen voor de val van het communisme. Het millenniumdenken leek alom te heersen. Maar er waren ook vijandige reacties van mensen die Johannes Paulus beschouwden als een representant van het Westen en om die reden onderdeel van het probleem en niet van de oplossing.

Het bezoek kwam voort uit persoonlijke devotie en was een persoonlijke pelgrimage die paste binnen Johannes Paulus' mystieke visie op het doel en de rode draad van zijn pontificaat, maar het was ook een kans om de juiste signalen af te geven van hoop op verzoening tussen de Israëli's en de Palestijnen. Bovendien was het een gelegenheid de banden tussen het katholicisme en jodendom weer eens aan te halen. Sinds de herfst van het jaar daarvoor ging voortdurend het gerucht dat Pius XII, de paus die tijdens de holocaust zijn mond had gehouden, zalig verklaard ging worden. De aankondiging dat Pio Nono als vervanger was genomineerd, had het gerucht dat Pius XII voor het einde van het jaar 'tot de eer der altaren zou worden verheven', niet de kop kunnen indrukken. De joodse opinie was onrustig onder deze kwestie.

Het wekte geen verbazing dat deze reis zowel voor de Palestijnen als de Israëli's een kans was het pauselijk bezoek voor eigen doelen aan te wenden. Yasser Arafat vloog per helikopter naar Bethlehem en gaf Johannes Paulus een officieel welkom toen hij uitstapte: 'Welkom, Uwe Heiligheid, in Palestina, Bethlehem en Jeruzalem, de eeuwige hoofdstad van Palestina.' De Palestijnse leider liet verder zijn waardering blijken voor de 'correcte standpunten' die de paus innam 'ten gunste van de Palestijnse zaak'.

Toen hij eindelijk aan het woord kwam, toonde hij zijn medelijden met het Palestijnse volk: 'Jullie ellende is voor de hele wereld zichtbaar. En duurt al te lang.' Er zou geen eind komen aan het conflict in het 'Heilige Land', zoals hij het voorzichtig uitdrukte, 'zonder stabiele garanties van rechten voor alle betrokken volkeren, op basis van het internationale recht en de betreffende resoluties en verklaringen van de Verenigde Naties'.

Vertegenwoordigers uit beide kampen vertaalden zijn boodschap snel in hun eigen voordeel. De vrouw van Yasser Arafat liet de verzamelde journalisten weten dat de pauselijke toespraak 'duidelijk een boodschap vóór de onafhankelijke Palestijnse staat' uitdroeg. De Israëlische autoriteiten wezen de toespraak af, omdat die 'niets nieuws' zou bevatten.

Vervolgens droeg de paus de mis op in de Geboortekerk. Toen een twaalfjarig meisje het 'Ave Maria' zong, leek Johannes Paulus in slaap te vallen. Een aanwezige franciscaner monnik verzekerde de journalisten dat de paus een groot mysticus was en verzonken was geweest in een 'diepe meditatie'.

Johannes Paulus werd nu in zijn pausmobiel naar het Palestijnse kamp Deheisha gereden, waar sinds 1948 zo'n honderdduizend vluchtelingen woonden in een gebied dat werd omgeven door Israëlische nederzettingen. Onder een spandoek waarop stond 'Palestijnen hebben recht op terugkeer', hield hij in krachtige bewoordingen een toespraak waarin hij zich medelevend uitliet over de armzalige kwaliteit van het Palestijnse leven: 'Jullie zijn beroofd van veel van de basale zaken die een mens nodig heeft: fatsoenlijke behuizing, gezondheidszorg, onderwijs en werk.' Hij sprak over een 'mensonterende situatie', het feit dat zij van hun naasten waren gescheiden, hun 'bijna onverdraaglijke' omstandigheden. Helaas hadden de Palestijnse autoriteiten niet gezorgd voor een Arabische vertaling van de toespraak. Nauwelijks was de paus uitgesproken, of een vertegenwoordiger van de PLO gaf op hoge toon zijn demagogische reactie.

De volgende dag werd hij verwelkomd door de Israëlische premier Ehud Barak tijdens een ceremonie die werd bijgewoond door een goed gekleed en ingetogen publiek bij het holocaustmuseum Yad Vashem in West-Jeruzalem. Johannes Paulus stak er de eeuwige vlam opnieuw aan en bad in stilte. Als de Israëli's al hadden verwacht dat hij schuld zou bekennen over het specifieke katholieke aandeel in de holocaust, dan kwamen ze bedrogen uit. Maar hij sprak wel de volgende gevoelige woorden: 'Als bisschop van Rome en opvolger van de apostel Petrus verzeker ik het joodse volk dat de katholieke Kerk diep bedroefd is door de haat, vervolgingen en het vertoon van antisemitisme gericht tegen joden door christenen, in elke tijd en op welke plek ook.' Het was niet meer dan een herhaling van zijn bekende spijtbetuiging voor de zonden van de kinderen van de Kerk, waarbij de Kerk en het pauselijk gezag zelf buiten schot bleven. Hij zei verder dat hij zijn 'eer bewees aan de miljoenen joden die, beroofd van alles, vooral van hun menselijke waardigheid, tijdens de holocaust waren vermoord'. Toen kwam Edith Tzirer naar voren, die hij na haar bevrijding uit een werkkamp drie kilometer lang op zijn rug had gedragen, om hem te danken voor zijn barmhartige daad.

De reis verliep niet zonder spanningen en treurnis. Het percentage christenen in Jeruzalem was gedaald van twintig naar 1,7 procent, ongeveer tienduizend in totaal. De kerken en heiligdommen waren vrijwel helemaal leeg. De Grieks-orthodoxe patriarch van Jeruzalem, Diodorus I, was boos omdat de paus doorgaans sprak namens alle christenen. Tijdens hun ontmoeting kritiseerde de patriarch de rooms-katholieke Kerk omdat zij probeerde haar aantal gelovigen te vergroten door misbruik te maken van de werkloosheid, het onderwijs en andere sociale behoeften in de regio. De paus antwoordde vredelievend dat het hem 'zeer verheugde' dat ze een poging deden elkaar beter te leren kennen.

De daaropvolgende geplande interreligieuze ontmoeting in het Pauselijk Instituut 'Notre Dame' in Jeruzalem verliep zoals verwacht gespannen. Het idee was om joodse, christelijke en islamitische leiders aan één tafel te krijgen, maar de grootmoefti van Jeruzalem nam op het laatste moment de uitnodiging niet aan, met als reden dat rabbijn Yisrael Lau in het openbaar de Israëlische bezetting van Oost-Jeruzalem had gesteund. Zijn plaats werd ingenomen door sjeik Taisiir al-Tamini, de opperrechter van de Palestijnse Autoriteit; dit kon echter een onaangenaam incident niet voorkomen. Toen de opperrabbijn sprak, zei hij dat hij de paus dankbaar was voor het erkennen van de staat Israël en 'voor uw erkenning van Jeruzalem als onze eeuwige en onverdeelde hoofdstad'. Dit veroorzaakte een geschreeuw vanuit het publiek, nadat deze woorden waren vertaald en doorgedrongen. Iemand schreeuwde: 'De paus heeft die erkenning helemaal niet gegeven!'

De paus, die via tolken de uitwisselingen volgde, hield zijn mond. Maar in zijn antwoord lukte het hem wel alle kampen te ontrieven door te stellen dat Jeruzalem een stad was voor alle drie de godsdiensten van de bijbel. Niemand echter was het oneens met zijn conclusie dat 'deze coëxistentie niet makkelijk is geweest en dat ook niet zal worden'.

Op vrijdag las hij voor honderdduizend jongeren de mis op de Berg der Zaligsprekingen, de meest massale bijeenkomst van christenen in het Heilige Land die ooit had plaatsgevonden. De bijeenkomst was georganiseerd door de neo-catechumenaten, de militante katholieke lekenorganisatie. Zijn preek kwam hard aan; hij hekelde de seculiere normen met een negatieve versie van Christus' bergrede: 'Gezegend zijn zij die arrogant en agressief zijn,' bulderde hij sarcastisch, 'degenen zonder geweten en mededogen, de konkelaars, degenen die oorlog verkiezen boven vrede, die iedereen vervolgen die hun in de weg staat. Ja, zegt de stem van het kwaad, want zij zijn degenen die overwinnen!' De 'neo-cat-jongeren' smulden ervan.

Op zijn laatste dag, een zondag, bracht Johannes Paulus een bezoek aan grootmoefti sjeik Ikrimah Sabri, in de tuin van de al-Aqsamoskee, het heiligste islamitische heiligdom in Jeruzalem. Boven de groep aanwezigen zweefde een ballon met de Palestijnse vlag in weerwil van het Israëlische verbod op deze vlag in Jeruzalem. Daarna ging hij naar de Klaagmuur, die was opgetuigd met Israëlische vlaggen, waar een rabbijn een voor de katholieke aanwezigen ongemakkelijke toespraak hield over het lijden in de 'kelders van de inquisitie' en in de veewagens naar Auschwitz. 'Gods aanwezigheid,' ging hij verder, 'is van de Westelijke Muur nooit geweken.'

Als reactie citeerde Johannes Paulus psalm 122. Toen legde hij zijn trillende hand op de muur en bad hij. Even later leek hij weg te schuifelen, maar plotseling draaide hij zich om, alsof hij iets belangrijks was vergeten. Nadat hij van Stanisław Dziwisz een papiertje had aangenomen, stopte hij dat in een spleet in de muur en zegende het. De tekst was al beschikbaar voor journalisten: 'God der vaderen, U koos Abraham en zijn nakomelingen om Uw naam te verspreiden. We zijn diep bedroefd om het gedrag van degenen die in de loop van de geschiedenis de oorzaak zijn geweest van het lijden van Uw kinderen, en terwijl wij U om vergiffenis smeken, streven wij ernaar in echte broederschap te leven met het volk van het Verbond.' De tekst werd later meegenomen naar de holocaustgedenkplaats Yad Vashem.

Die middag vertrok hij naar Rome in een vliegtuig van Alitalia dat 'Jeruzalem' was gedoopt. Toen hij aankwam op vliegveld Leonardo da Vinci, zei hij: 'Dit zijn intens emotionele dagen geweest. Een tijd waarin onze ziel niet alleen geroerd is door de herinnering aan wat God gedaan heeft, maar ook door Zijn eigen aanwezigheid, toen Hij weer met ons meeliep door het land van Christus' geboorte, dood en herrijzenis.'

22
Het derde geheim van Fátima

Zoals we hebben gezien, reisde Johannes Paulus in 1982 naar Fátima op de Dag van Onze Lieve Vrouwe van Fátima om de kogel die hem bijna fataal was geworden, in de kroon van de Maagd te zetten. Hij vertelde de gelovigen over de hand die de trekker had overgehaald, terwijl een andere hand, 'een moederlijke hand, die de kogel millimeters om vitale slagaders had gebogen, hem ook op de drempel van de dood had tegenhouden'.

Johannes Paulus' oude overtuiging over de interveniërende rol van de Maagd Maria in de wereldgeschiedenis werd aldus aan hem geopenbaard. Maria had die dag op het Sint-Pietersplein ingegrepen om zijn leven te redden. Hij wekte de indruk dat hij werd gered omwille van een goddelijk doel. Het besef drong tot hem door dat de belangrijke gebeurtenissen aan het eind van de jaren tachtig verband hielden met de signalen die de Maagd had gegeven aan de drie Portugese boerenkinderen. Na de moordaanslag en volgens zijn diepe overtuiging over de rol van de Maagd van Fátima nam Johannes Paulus in 1984 stappen om Rusland, eerder impliciet dan met name genoemd, te wijden aan het Onbevlekte Hart van Maria. Het sterkst komt zijn mystieke kijk op de geschiedenis, de val van het communisme en de Maagd van Fátima tot uiting in het autobiografische *Over de drempel van de hoop* uit 1994. Daarin schreef hij:

> En zo komen we aan bij 13 mei 1981, toen ik gewond raakte door pistoolschoten op het Sint-Pietersplein. Aanvankelijk besteedde ik geen aandacht aan het feit dat de aanslag was gepleegd op dezelfde dag waarop Maria was verschenen

aan de drie kinderen bij Fátima in Portugal en de woorden uitsprak die nu, aan het eind van deze eeuw, op het punt staan uit te komen.

De woorden waar hij op zinspeelde, gingen uiteraard over de profetie van de Maagd dat Rusland zijn dwaling zou inzien en zich tot het christendom zou bekeren. In 1994 was weliswaar het sovjetcommunisme gevallen, maar in het jaar 2000 leek de vrome hoop dat Rusland zich zou bekeren verder weg dan ooit. Johannes Paulus had daar echter niet over geklaagd. Hij had nog meer te doen, namelijk de betekenis zoeken die het Derde Geheim van Fátima had voor hém.

Op de Dag van Onze Lieve Vrouwe van Fátima, zaterdag 13 mei 2000, vond er in het Portugese Fátima een groots evenement plaats. De dag daarvoor was Johannes Paulus met zijn staatssecretaris kardinaal Angelo Sodano aangekomen bij het heiligdom. Die avond bad hij in de Kapel van de Verschijningen en legde hij een rood doosje aan de voeten van het beeld van Onze Lieve Vrouwe van Fátima. In dat doosje zat de ring die hij van kardinaal Stefan Wyszyński, de voormalige primaat van Polen, had gekregen toen hij tot paus was gekozen.

De volgende dag droeg Johannes Paulus voor een menigte van een miljoen gelovigen een mis op ter zaligmaking van de twee visionairs van Fátima, Francisco en Jacinta Marto. De twee zaligen waren respectievelijk op elf- en tienjarige leeftijd gestorven, kort na de laatste reeks verschijningen op 13 oktober 1917. Zuster Lucia dos Santos, de inmiddels 93-jarige overlevende zieneres, woonde met de paus en enkele kardinalen en aartsbisschoppen de ceremonie van zaligmaking bij.

De enorme menigte die zoals gebruikelijk afkomt op de Fátima-herdenking, was verbijsterd toen kardinaal Sodano verkondigde dat hij toestemming had gekregen van de paus om het geheim te onthullen, nadat men het 56 jaar lang had bewaard. Men dient hierbij niet te vergeten dat de zieneres de toenmalige paus Pius XII, een aanhanger van de cultus, had opgedragen de envelop niet voor 1960 te openen. Beide tussenliggende pausen (Johannes Paulus I, die maar drie weken paus was, niet meegerekend) hadden ervan afgezien het geheim te openbaren. Het besluit van Johannes Paulus II om het wél te onthullen in het millenniumjaar, zei de wereld veel over zijn geestesgesteldheid.

De kardinaal vertelde de verzamelde menigte dat het geheim een 'profetisch visioen' behelsde, vergelijkbaar met de voorspellingen in de bijbel. Hij legde verder uit dat de elementen van het geheim niet met 'fotografische precisie' moesten worden geduid, alvast rekening houdend met de bezwaren dat het profetische visioen geen accurate beschrijving was van wat de kardinaal (of meer precies de paus) meende dat het beschreef. Sodano vertelde bovendien dat het visioen 'tot één geheel samengevoegd en ingedikt tegen een gelijkvormige achtergrond, de gebeurtenissen verspreid in de tijd laat afspelen, waarbij volgorde en duur niet zijn gespecificeerd'.

Hij beweerde dat de inhoud van het visioen op een symbolische manier moest worden geïnterpreteerd, maar dat de belangrijkste boodschap ging over 'de oorlog van atheïstische systemen tegen de Kerk en de christenen'. Ook ging het visioen over het 'immense lijden waaronder getuigen van het geloof gebukt gingen in de laatste eeuw van het tweede millennium'. Toen werd het Derde Geheim zelf uitgesproken. De visionairs, zei hij, verklaarden dat 'een bisschop, in het wit gekleed, zich met grote moeite naar het kruis begeeft door de lijken heen van gemartelde bisschoppen, priesters, mannelijke en vrouwelijke geestelijken en talloze leken. Ook hij valt neer, ogenschijnlijk dood, onder een salvo van kanonnengeschut.' Deze versie van het Derde Geheim bleek zwaar geredigeerd, want het origineel sprak van een in het wit geklede bisschop die werd 'vermoord door een groep soldaten die kogels en pijlen op hem afvuurden'. Zuster Lucia en de andere visionairs, zei de kardinaal, hadden aangenomen dat de figuur in het wit de paus was.

Hieronder staat de volledige tekst van het Derde Geheim, met behoud van de vreemde interpunctie, waarin aanhalingstekens worden gebruikt als ronde haakjes:

> En we zagen in een oneindig licht dat God was: 'zoiets als hoe mensen in een spiegel verschijnen wanneer ze deze passeren' een bisschop in het wit gekleed 'waarvan wij de indruk hadden dat het de Heilige Vader was'. Andere bisschoppen, priesters, mannelijke en vrouwelijke religieuzen die een steile berg op gingen waar op de top een groot Kruis was van ruw gekapte stammen van een kurkboom met de schors; alvorens daar aan te komen passeerde de Heilige Vader een grote stad half in ruïnes, en half trillend op de plaats stilstaand, gekweld door pijn en verdriet, bad hij voor de zielen van de lichamen die hij onderweg tegenkwam. Toen hij de top bereikt had, werd hij, geknield aan de voet van het grote Kruis, gedood door een groep soldaten die kogels en pijlpunten op hem afvuurden en op eenzelfde wijze doodden zij stuk voor stuk de andere bisschoppen, priesters, mannelijke en vrouwelijke religieuzen en vele leken van verschillende rangen en standen.
> Onder de twee armen van het Kruis stonden twee Engelen met ieder een kristallen schaal in hun hand waarin zij het bloed van de Martelaren verzamelden en waarmee zij de zielen besprenkelden die op weg waren naar God.

Een maand na deze onthulling, die in Fátima bijna extatisch werd onthaald door aanhangers van de cultus, publiceerde kardinaal Ratzinger, hoofdambtenaar van de doctrinaire orthodoxie in de wereld, een commentaar waarin hij bevestigde dat de voorspelling inderdaad over Johannes Paulus II zelf ging. Hij schreef: 'Was het niet onontkoombaar dat de Heilige Vader, toen hij na de moordaanslag op 13 mei 1981 om de tekst van het derde deel van het geheim vroeg, daarin zijn eigen lot zag?'

Toen Sodano het volk waarschuwde tegen de verwachting van 'fotografische precisie', was dat om geen andere reden dan seculiere sceptici de wind uit de zeilen te nemen. Ratzinger wees erop dat bij het interpreteren van visioenen uiteraard een 'foutmarge' mogelijk is. Minstens één sceptische schrijver, de achtenswaardige katholieke Amerikaanse professor en schrijver Gary Wills, zou zakken voor de test van Ratzinger, omdat hij zocht naar fotografische letterlijkheid. In de *New York Review of Books* van 10 augustus 2000 schreef hij:

> De Turkse moordenaar Ağça was geen groep, geen soldaat, hij vuurde geen pijlen af en heeft zijn man in het wit niet vermoord. Ook stapte de paus niet over lijken toen hij werd neergeschoten, noch beklom hij een heuvel of strompelde hij 'half trillend op de plaats stilstaand'. Hij werd toegejuicht in zijn pausmobiel, een witte jeep. De kristallen bol van de Maagd was ofwel troebel in 1917, óf Lucia's verbeelding in 1944 was overspannen.

Die Gary Wills toch. Gij kleingelovige!

Voor een religie zo oud als de katholieke Kerk is geheimhouding, in al haar facetten en dimensies, af en toe een essentieel geloofsaspect. De heilige Augustinus van Hippo, die geweldige kerkvader uit de vijfde eeuw, legde de nadruk op het in wezen onzegbare, verborgen karakter van het geloof. De eucharistie, het centrale mysterie van het katholicisme, is volgens de middeleeuwse theoloog en filosoof Thomas van Aquino de *'latens deitas'*, de verborgen godheid. En vanaf het begin van het christendom was geheimhouding een overlevingsstrategie. Soms moesten christenen onderduiken om hun achtervolgers van zich af te schudden. Christenen herkenden elkaar aan geheime tekens. Het geheime teken van de vis, *ICHTHUS* in het Grieks, was het acroniem van 'Jezus Christus, de zoon van God, (is onze) Redder'.

In latere perioden, toen het christendom machtig genoeg was om zelf tegenstanders te bedreigen, met name de islam, schoten de coterieën en geheime genootschappen als paddestoelen uit de grond, even waakzaam over hun speciale privileges en hun eigen kennis als de vrijmetselarij van tegenwoordig. En alsof ze het spiegelbeeld van haar voormalige tegenstanders wilde projecteren, schreef de Kerk graag geheime rituelen toe aan haar vijanden: het smadelijke bloedsprookje tegen de joden draaide om de beschuldiging dat christenkinderen werden weggelokt om midden in de nacht tijdens geheime joodse rituelen te worden opgeofferd.

Ondertussen wekte het geheime netwerk van nuntii en jezuïtische missionarissen van de Heilige Stoel, dat werd ingezet tegen protestantse vijanden als koningin Elizabeth van Engeland, grote afgunst in de diplomatieke wereld. De eerste cryptografische sleutels, die dateren van de veertiende eeuw, worden nu nog in het Vaticaan bewaard. In de zestiende eeuw gebruikten Giovanni en Mateo Argenti, geheimschriftschrijvers voor zes verschillende pausen, als eersten geheugensleutels in hun cijferschrift.

Pauselijke geheimhouding als machtsinstrument, meestal nu ten goede, heeft de moderne tijd overleefd. Tijdens de Tweede Wereldoorlog wendde het Vaticaan geavanceerde spionagetechnieken aan, toen het Vaticaan van alle kanten werd bedreigd en afhankelijk was van Mussolini, zelfs voor water en licht. Pius XII hield zijn diplomatieke kanalen open door middel van de ingewikkelde geheime code 'Green', die tot op de dag van vandaag niet is ontcijferd. In 1940 waarschuwde hij in het geheim de Belgen en de Nederlanders dat Hitler op het punt stond hun landen binnen te vallen. Het leven van vele joden (hoewel niet genoeg, volgens sommigen) en andere ongewenste personen werd gered door geheime Vaticaanse initiatieven. Tijdens de Koude Oorlog kon de katholieke Kerk ondanks Stalins wrede vervolgingen in Oost-Europa overleven dankzij eeuwenoude moedige verbergtechnieken.

Maar wat vertelt het Derde Geheim ons over de richting die de Kerk en het beleid van Johannes Paulus inslaan in het nieuwe millennium van het christendom? Geheimen blijven geheim, zelfs nadat de inhoud ervan aan een groot publiek is onthuld: geheimen bevatten onveranderlijk metaforen die geïnterpreteerd moeten worden. Wat is het innerlijk geheim van het Derde Geheim, en wie is bij machte de code te kraken?

Johannes Paulus gelooft dat het Derde Geheim over hem gaat. Het visioen sprak zowel van Johannes Paulus als eerbiedwaardige martelaar als van een hemels besluit dat hij zou overleven omwille van een goddelijk doel – de uitvoering van zijn agenda. Het nu onthullen van het geheim, aan het begin van het nieuwe millennium van het christendom, garandeerde de maximale impact van de geheime profetie.

Religieuze geheimen hebben religieuze kracht. En louter doordat hij het Derde Geheim aan de vergetelheid had ontrukt (de meesten onder ons waren het immers min of meer vergeten), had Johannes Paulus in één klap het enthousiasme voor het paranormale aangemoedigd van een grote groep vrome gelovigen en vervaagde hij de grenzen tussen een besloten (ofwel geheime) en een openbare onthulling. Hij die bij machte is om publiekelijk geheimen te onthullen die in besloten visioenen zijn geopenbaard, staat aan de top van een oneindig ongelijke machtsverhouding met de rest van de katholieke geloofsgemeenschap. Tijdens de Koude Oorlog sidderden veel katholieken bij het vooruitzicht dat het Derde Geheim zou worden vrijgegeven uit angst voor de naderende Apocalyps. Nu het was onthuld en officieel geïnterpreteerd, was er veel dat katholieken verontrustte, vooral in de Verenigde Staten, waar de scheiding tussen conservatieven en vooruitstrevenden steeds groter werd. De katholieke vrijzinnigen hadden zelfs liever gezien dat Johannes Paulus het voorbeeld van zijn voorganger Johannes XXIII had gevolgd en het Derde Geheim had laten vermolmen in een donkere Vaticaanse kelder. Sommige geheimen kan men per slot van rekening maar beter voor eeuwig geheimhouden.

Alsof hij een dergelijk conflict tussen vrijzinnigen en orthodoxen de kop in wilde drukken, kondigde Joaquín Navarro-Valls aan dat het Derde Geheim 'geen pauselijke ondersteuning biedt voor traditionalisten die tegen de oecumene zijn'. Sommige orthodoxe groeperingen, zei hij, hadden 'zich ten onrechte een aantal aspecten van de Fátima-boodschap toegeëigend en al millenniumdenkend gespeculeerd over de mogelijke, zij het foutieve, inhoud van de boodschap'. Hij zei verder dat 'de beslissing het geheim te publiceren is ingegeven door de overtuiging dat Fátima door geen enkele groepering mag worden geannexeerd'.

Dat was een redelijk uitgangspunt. De zaligverklaring van de jonge visionairs van Fátima op 13 mei was een beslissende legitimatie van de boodschap van de visioenen, ondanks de Vaticaanse slagen om de arm. Er bestonden al websites over Fátima die het geloof aanwakkerden dat de boodschap 'gelijkstond aan een orthodoxe aanhankelijkheid aan de leerstellingen, rituelen en traditionele praktijken en lessen van de rooms-katholieke Kerk'. De propagandisten van Fátima beweerden dat de wereld verwikkeld zou raken in een 'reeks erger wordende crises [...] die niet door mensen kunnen worden gedempt of opgelost'. Dit was precies de interpretatie die Johannes Paulus al die tijd had aangehangen.

Op 18 mei, een week na de Dag van Onze Lieve Vrouwe van Fátima, vierde Johannes Paulus zijn tachtigste verjaardag. Hij concelebreerde de mis op het Sint-Pietersplein met 78 kardinalen uit zes continenten; in zijn preek verwees hij naar hen die 'ziek of alleen zijn, of in moeilijkheden verkeren'. Hij wijdde ook nog een gedachte aan degenen die 'om verschillende redenen hun geestelijk ambt niet meer uitoefenen', maar die nog steeds 'de gelijkvorming aan Christus in zich dragen die het onuitwisbaar merkteken is van het priesterschap'. Voor wie in die tijd dacht aan de status van priesters die kinderen en jongeren hadden misbruikt, kwam dit terzijde als een verrassing.

Die dag gaf kardinaal Ratzinger een interview in *La Repubblica* waarin hij nadrukkelijk ontkende dat de paus ooit zou aftreden. 'Ik geloof absoluut niet in die mogelijkheid,' zei hij. Volgens hem kon de paus het zich niet eens voorstellen om af te treden, zelfs niet in de nabije toekomst, zei hij. De paus voerde zijn pastorale missie uit, en 'zijn aanwezigheid is van vitaal belang voor de Kerk van vandaag'. Het Derde Geheim van Fátima, dat nog duidelijk vanuit de vorige eeuw naklonk, was voldoende bewijs dat Johannes Paulus door de voorzienigheid was uitverkoren om te overleven.

23
Jubileumvoorstellingen

Tijdens de non-stop pausshow in het millenniumjaar vond een groot aantal opvallende bijeenkomsten plaats ter ere van het jubileum en Johannes Paulus, die een aantal intrigerende aspecten blootlegden van zijn pontificaat. Een typisch voorbeeld van de meer frivole festiviteiten in Italiaanse stijl was het Giubileo Pizzaoli, het jubileum van de pizzabakkers. Johannes Paulus verleende op het Sint-Pietersplein audiëntie aan tweeduizend pizzabakkers, van wie sommigen helemaal uit Australië, Spanje en de Verenigde Staten waren gekomen. Ze hadden gigantische pizza's in de kleuren van het Vaticaan gebakken en overal in Rome zo'n vijftigduizend pizzapunten uitgedeeld aan pelgrims en bedelaars.

Een van de belangrijkere religieuze bijeenkomsten was de ceremonie voor de verschillende denominaties die plaatsvond in de eerste week van mei in het Colosseum, een markante plek van vroeg-christelijk martelaarschap. Johannes Paulus had deze viering bestemd om de martelaren te gedenken van verschillende christelijke denominaties die in de twintigste eeuw waren vermoord. Volgens het Vaticaan waren 12.962 mensen wegens hun geloof omgekomen: niemand kon kritiek hebben op Johannes Paulus voor het slim aangrijpen van deze herdenkingskans. Nadat hij de ceremonie in het Colosseum had geopend, trok Johannes Paulus naar een ruimte tegenover de Palatijn, waar hij onder een kruis stond dat was geschilderd door een Bulgaarse orthodoxe kunstenaar, terwijl de trompetten schetterden. Ten overstaan van een groep van tienduizend gelovigen trok hij een vergelijking tussen het antieke Rome en de recente geschiedenis en noemde hij de 'talloze aantallen' die 'niet wilden zwichten voor de afgodencultus van de twintigste eeuw en werden geofferd aan het communisme, het nazisme en de rassenwaan'. Het was een warme, benauwde dag, en de recitals van de 'getuigenissen van het geloof' werden breed uitgesponnen, en waren gegroepeerd in acht verschillende categorieën: slachtoffers van verschillende typen vervolgingen, van verschillende ideologieën, in verschillende delen van de wereld; iedere groep werd apart genoemd, voor iedere groep werd gebeden en een ceremonie opgevoerd, waarbij lampen werden aangestoken. Ondanks zijn zichtbare ongemak en zwakheid hield Johannes Paulus zich staande, alsof zijn uithoudingsvermogen toenam door de langdradigheid van het optreden. Tot veler verrassing werd bij de martelaren van de Amerikaanse aartsbisschop Oscar Romero kort genoemd (volgens Vaticaanse verslaggevers was zijn naam door Johannes Paulus op het allerlaatste moment toegevoegd, alsof hij dat met tegenzin had gedaan; dit was per slot van rekening het millennium). Het noemen van aartsbisschop Romero, de martelaar van El Salvador, herinnerde er niettemin aan dat Johannes Paulus jarenlang een man had veronachtzaamd die miljoenen katholieken graag zalig verklaard zouden zien.

Het Colosseum werd ook het toneel van een ander soort extreem theater, dat de heilige verontwaardiging zou oproepen van de Heilige Vader en hem deed verklaren dat het jubileumjaar was besmeurd en ontheiligd. Voorvechters van homorechten hadden het weekend van 8 juli uitgekozen voor de parade van het World Gay Pride Festival, die over de grenzen van het Sint-Pietersplein dreigde te gaan richting Via della Conciliazione. Op de hoogste niveaus van zowel nationaal als lokaal bestuur was consternatie ontstaan, uiteraard ook in het Vaticaan.

Om te beginnen had de socialistische burgermeester van Rome, Francesco Rutelli, beloofd de mars bij te wonen. Plotseling trok hij zich terug, al had hij wel een subsidie toegezegd van 150.000 euro en liet hij het festival doorgaan. Beschuldigingen vlogen over en weer. De centrum-rechtse parlementariër Marco Taradash zei dat Rutelli en zijn aanhangers 'steeds meer op hielenlikkers van het Vaticaan begonnen te lijken'. Een aantal linkse katholieke organisaties gaf steun aan de homo's. Pax Christi, een katholieke vredesgroep, betreurde het dat niemand, ook de paus niet, had geprotesteerd tegen een militaire parade van de nationale strijdkrachten in het weekend voorafgaand aan de geplande homodemonstratie. Zoveel hypocrisie 'strookte niet met de sfeer van het jubileumjaar, waarin gesproken wordt van verzoening en vrede', terwijl men wel een evenement accepteert dat gebaseerd is op een 'macabere trots op wapens'. De Italiaanse premier Giulio Amato zei, in een klassiek voorbeeld van *compromesso*, dat de timing van het festival 'ongepast' was, maar hield vol dat de regering niet bij machte was het tegen te houden.

Na veel gelobby en aanstellerij kwamen zo'n tweehonderdduizend homoseksuelen en lesbiennes en hun medestanders uit alle delen van de wereld in de Eeuwige Stad bij elkaar voor wat het meest extravagante vertoon van trotse pracht en praal zou worden die deze stad van extravagante parades ooit gezien had. Onder temperaturen van boven de dertig graden poseerden de doorgaans zwaar opgemaakte deelnemers in verschillende graden van naaktheid en bizarre travestie. Geweerd uit wijken dicht bij Vaticaanstad paradeerden de demonstranten rondom heidense plaatsen als het Circus Maximus. Verschillende antihomogroepen hadden gedreigd de parade te verstoren, waaronder een grote groep conservatieve Poolse pelgrims die de eer van de paus wilden verdedigen. Uiteindelijk vonden er geen botsingen plaats en kon de bizarre parade geweldloos doorgaan. Er deden verschillende figuren uit het Italiaanse openbare leven aan mee, onder wie de Italiaanse minister van Gelijke Kansen, Katia Bellillo. Een van de demonstranten droeg een grote witte papieren mijter als de paus waarop stond: 'God also loves me'. Een priester uit Avellino hield een toespraak waarin hij enkele bekende hoge curiebeambten ontmaskerde als homoseksuelen.

Ik was dat weekend in de Eeuwige Stad en maakte met de taxichauffeur een praatje over de demonstratie terwijl ik naar het vliegveld werd gereden. 'Dus die homoparade is doorgegaan,' zei hij onbewogen. 'Waar klaagt de paus toch over? Wie een homoparade wil zien, hoeft maar op een willekeurige dag van de week de Sint-Pieter in te lopen.' Die onverbeterlijke Romeinen toch!

De volgende dag kwam de paus aan de beurt toen hij een massaal toegestroomde menigte op het Sint-Pietersplein toesprak. Hij sprak zijn 'bitterheid' uit over de homodemonstratie. Hij zei dat het een 'affront was tegen het grootse jubileum'. Het was 'een belediging voor de christelijke waarden van een stad die vele katholieken in de wereld zo dierbaar was'. Vervolgens citeerde de paus langdradig alles wat de *Catechismus van de katholieke Kerk* over homoseksualiteit heeft te zeggen. Hij zei dat homoseksuele handelingen tegennatuurlijk zijn, maar erkende dat 'het aantal mannen en vrouwen met homoseksuele neigingen niet verwaarloosbaar is'. Ze hebben niet gekozen voor hun homoseksuele geaardheid, vertelde hij de in vervoering gebrachte menigte, 'voor de meeste is het een beproeving'. Hij benadrukte dat, volgens de *Catechismus*, homoseksuelen 'met respect, compassie en tact geaccepteerd moeten worden' en dat 'het minste teken van onrechtmatige discriminatie van hen moet worden gemeden'. Ze werden opgeroepen 'te leven volgens Gods wil' en als ze christenen waren, 'de moeilijkheden die zij vanwege hun geaardheid tegenkomen, te relateren aan het offer van het Kruis van de Heer'. Met andere woorden, homoseksuelen kunnen er misschien niets aan doen dat ze zo zijn, maar zij mogen geen lichamelijke affectie zoeken bij elkaar. De menigte op het Sint-Pietersplein juichte hem toe toen de preek was afgelopen, maar in heel Italië en vele andere delen van de wereld stuitten zijn woorden op kritiek en controversen onder katholieken, zowel onder homo's als hetero's.

Van alle theatrale massabijeenkomsten in het jubileumjaar was de meest indrukwekkende, en volgens sommigen tevens de meest zorgwekkende, de bijeenkomst op 20 augustus, die de finale werd genoemd van Wereldjongerendag 2000, toen naar schatting twee miljoen jongeren zich al vanaf drie uur 's ochtends verzamelde op Tor Vergata, de universiteitscampus in een Romeinse buitenwijk. Johannes Paulus had bij eerdere gelegenheden al zijn enthousiasme voor massabijeenkomsten met jongeren laten zien: in Denver in 1993, in Manila in 1995 en in Parijs in 1997. Hij wilde er een om de twee jaar, maar had deze in Rome uitgesteld tot het jubeljaar.

Er waren vier dagen met activiteiten gepland terwijl jongeren uit alle delen van de wereld invlogen. Het is interessant hoe deze grote menigte bij elkaar is gekomen: vele van de drieduizend bisschoppen in de wereld hadden een gezamenlijke poging ondernomen om jonge mensen te werven via hun pastoors, die geld inzamelden en de reis organiseerden. In het bisdom Denver in de Verenigde Staten bijvoorbeeld werd genoeg geld ingezameld om driehonderd jongeren naar Rome te sturen. Ook de grotere katholieke bewegingen en groeperingen stuurden delegaties: Gemeenschap en Bevrijding, Focolare en Opus Dei. De organisatoren beweerden dat het charisma van Johannes Paulus zo veel mensen op de been had gebracht, maar anderen zagen het als een gigantisch jubileumgeschenk aan Johannes Paulus, omdat hij zo graag optrad voor gigantische jongerenmassa's.

Er werd massaal de biecht afgenomen: honderden priesters luisterden naar tienduizenden afzonderlijk biechtende jongeren in het Circus Maximus in Rome, dat kort daarvoor nog het toneel was geweest van die laaghartige homoparade. De biecht werd non-stop 24 uur afgenomen en men beweerde dat ongeveer driehonderdduizend jongeren hun zonden hadden opgebiecht en absolutie hadden gekregen.

Op de dag van de bijeenkomst was het bloedheet, maar terwijl de jongeren uren onder behoorlijk oncomfortabele omstandigheden op de komst van de paus wachtten, vermaakten ze zich door muziek te maken en te zingen, waaronder deze slogan: 'Johannes Paulus, het dichtst bij God op aarde!'

Johannes Paulus daalde in hun midden neer vanuit een helikopter onder gezang en gejuich. Het uitstel en de valse verwachtingen hadden een spanning opgebouwd die op het punt stond te exploderen, en die bij een oudere generatie herinneringen opriep aan een heel ander soort bijeenkomst.

In de loop van de avond werd de bijeenkomst steeds emotioneler; jongeren getuigden om beurten van hun geloof in evangelische stijl, waarna er een groepsgetuigenis 'van doopgelofte' volgde, waarbij 'Satan en al zijn mechanismen en verleidingen', werden afgezworen. Toen begon Johannes Paulus zijn boodschap te verkondigen. Hij wilde dat de jongeren zichzelf niet zozeer beoordeelden zoals ze waren als wel 'zoals ze zouden moeten zijn'. Ze werden opgeroepen 'tegen de stroom' in te gaan, tot aan het punt van een nieuw martelaarschap. Hij gaf toe dat het moeilijk was 'voor verloofde stellen trouw te blijven aan de zuiverheid tot aan het huwelijk', maar daar moesten ze voor werken en vechten. Het was een gevecht dat 'zo vele van jullie winnen door Gods genade', zei hij. Of het kwam door pure uitbundigheid of verveling wegens de lengte van zijn preek en het onderwerp ervan, die in verschillende talen werd herhaald, maar voortdurend onderbrak de jeugd de paus met de slogan 'John Paul Two, we love you.' Uiteindelijk zei de paus, gefrustreerd door deze onderbrekingen, laconiek: 'Ach, misschien praat ik wel te veel.' Maar het publiek pikte de hint niet op en bleef doorgaan met luidruchtige onderbrekingen, gezang, supporterachtige uitbarstingen. 'Ik ben nog niet klaar,' zei de oude jongeman nu een beetje geïrriteerd, 'deze les is nog niet voorbij!' De jongeren begonnen nog harder te schreeuwen, twee miljoen van hen opgezweept door een golf van bijna-hysterie. Op een gegeven moment werden zijn woorden zo luid onderbroken dat hij spottend opmerkte: 'Bedankt voor de dialoog!' Toen kon hij nog het volgende kwijt: 'In de loop van de afgelopen eeuw heeft men jongeren als jullie opgeroepen grote bijeenkomsten bij te wonen ten dienste van de haat.' Johannes Paulus had kennelijk lucht gekregen van iets wat minder heilig was in deze gang van zaken. 'Vandaag zijn jullie bij elkaar gekomen om te beloven dat jullie in deze komende eeuw van jullie zelf geen instrumenten laten maken van geweld en vernietiging.'

Hierna verscheen de helikopter, en vertrok hij naar het Vaticaan.

De massa bracht de nacht door op het veld, wachtte op de mis die de volgende ochtend door Johannes Paulus zou worden opgedragen.

En dus keerde de paus de volgende ochtend terug en kreeg hij een iets ingetogener onthaal na een nacht van feesten. Tijdens zijn preek werden de jongeren weer een beetje feestelijk toen hij vertelde dat alleen Jezus het verlangen van de mens kan bevredigen, en dat ze het dichtst tot Hem komen in de eucharistie. Tijdens de preek riep hij op tot het priesterschap, een oproep die met applaus werd begroet, voornamelijk van de bisschoppen en clerici die in groten getale rondom het altaar aanwezig waren. Zijn laatste boodschap aan de ongekende jongerenmassa was dat zij 'de verkondiging van de Christus moesten meenemen naar het nieuwe millennium' en dat ze de geest van Wereldjongerendag levend moesten houden wanneer ze naar huis gingen.

Daar draaide het natuurlijk om. In veel landen, dat wist Johannes Paulus maar al te goed, gingen jongeren niet meer naar de kerk. In Frankrijk, waar het katholieke geloof in naam de belangrijkste religie is, zegt slechts zeven procent van de jongeren onder de zestien slechts één keer per jaar naar de kerk te gaan. De paus genoot zichtbaar van de aanblik van twee miljoen katholieke jongeren. Maar wezen alle emoties en de opwinding van massale 'aanbidding' op ware betrokkenheid? De massale aanwezigheid duidde misschien op een behoefte aan religie, maar de statistieken lieten zien dat het parochiale geloof van hun ouders niet aan jongeren was besteed.

De schoonmaakploeg vond bij het opruimen van Tor Vergata, zo werd gemeld, massa's condooms naast een van de grotere tenten.

24
Het berouw en de joden

Het was een nog nooit eerder vertoond theaterstuk in de lange geschiedenis van de katholieke Kerk. In de tweede week van maart 2000, tijdens een speciaal voor deze gelegenheid gechoreografeerde ceremonie in de Sint-Pieterskerk, vroeg Johannes Paulus publiekelijk God om vergiffenis voor de zonden die door de eeuwen heen waren begaan door de 'zonen en dochters van de Kerk'; tegelijk vergaf hij al het kwaad dat anderen de Kerk hadden aangedaan.

De ceremonie begon met een mis met dertig kardinalen. Er waren ongeveer tweehonderd bisschoppen aanwezig, te midden van een menigte van achtduizend zielen. In het paars, de liturgische kleur voor boetedoening, bad Johannes Paulus eerst op zijn knieën voor de beroemde *Pietà* van Michelangelo rechts van de ingang van de basiliek en daarna werd hij op zijn speciale rijdende platform naar het hoogaltaar geduwd terwijl het Sixtijnse Koor de Litanie van alle heiligen zong.

Hij vertelde de gelovigen dat de Kerk op het punt stond 'te knielen voor God en vergiffenis vraagt voor de oude en huidige zonden van haar kinderen' in de hoop dat 'het geheugen wordt gereinigd'. De woordkeus was buitengewoon belangrijk: Johannes Paulus ging niet expliciet bekennen dat de Kerk – de vlekkeloze bruid van Christus – zelf fouten had gemaakt, en ook niet dat het pauselijk gezag op een of andere manier fout was geweest. Maar er waren er, onder wie ook kardinalen, die zich afvroegen of het wel verstandig en legitiem was van de paus om ook om gerechtvaardigde vergiffenis te vragen, of om inderdaad aan anderen de zonden te vergeven die zij tegen de katholieke Kerk hadden begaan. Ook aan Hitler? Stalin?

Nero? Wie anders dan de slachtoffers hebben het recht om te vergeven?

Niet het minste van de theologische problemen was het spektakel van de paus van het derde millennium die zichzelf opwierp als rechter van de Kerk en het hele verleden. De kruistochten bijvoorbeeld en de inquisitie waren eeuwenlang door de Kerk goedgekeurd: pausen en heiligen hadden er zich achter geschaard. Betekende dit dat deze paus zich een magistrale autoriteit had aangematigd die groter was dan die van de pausen uit vervlogen eeuwen? Georges Cottier, de pauselijke theoloog en nogal mompelende Franse dominicaner priester, voerde het woord tijdens een persconferentie waarbij hij ontkende dat de paus dat deed: maar het was moeilijk die conclusie niet te trekken.

'We moeten herkennen,' zei Johannes Paulus, 'dat enkele van onze broeders' ontrouw waren geweest aan het evangelie, voornamelijk in het laatste millennium. Dus 'vragen wij om vergiffenis', zei hij, 'voor de verdeeldheid onder christenen; voor het geweld dat sommigen gebruikten ten dienste van de waarheid; en voor de beschroomde en vijandelijke houdingen die men aannam jegens volgelingen van andere godsdiensten'. Ook veroordeelde hij christenen voor hun aandeel in de 'kwaden van nu'. Deze lijst prijkte hoog op Johannes Paulus' agenda en er werd meer dan alleen een hint gegeven naar de zonden van katholieke theologische dissidenten – de vrijzinnigen en de progressieven: hun religieuze onverschilligheid, seculiere denken, ethisch relativisme (met andere woorden, de zonden van het pluralisme) en de schending van het recht om te leven (de 'cultuur des doods') – anticonceptie, abortus, homoseksuele handelingen. Op dezelfde wijze verklaarde hij dat de Kerk de fouten vergaf die anderen 'ons' hebben aangedaan.

In een stukje nieuwe, voor deze gelegenheid ontworpen liturgie vroeg Johannes Paulus om vergeving van de zeven hoofdzonden: bij elk type zonde dat werd genoemd, werd er door een belangrijke kardinaal een kaars aangestoken, een voor een, zeven in totaal. En zeven keer herhaalde Johannes Paulus daarbij theatraal 'Mea culpa' – door mijn schuld. Kardinaal Bernard Gantin, de 48-jarige zwarte Afrikaan uit Benin, was als eerste aan de beurt en riep de hulp in van de Heilige Geest. Daarna kwam kardinaal Ratzinger, de waakhond van de orthodoxie, en precies op dat moment, *mirabile visu*, toen deze goede prins der Kerk zijn kaars aanstak, fladderde er – was het opzet of toeval? – een duif boven en rondom de biechtstoel van de Sint-Pieter vlak voor de pontifex maximus, waarna hij weer weg vloog naar waar hij vandaan kwam, hoog in een zijbeuk van de basiliek. Ten minste één van de aanwezige kardinalen, de Fransman Paul Poupard, suggereerde dat het een wonderbaarlijke gebeurtenis was – hij moest in zijn ogen wrijven om zich ervan te vergewissen dat hij niet had gedroomd.

Kardinaal Roger Etchegaray, de Franse voorzitter van de Raad voor Rechtvaardigheid en Vrede, bekende nu de zonde tegen de eenheid van het 'lichaam van Christus en de geschonden broederliefde'. Kardinaal Edward Cassidy uit Australië, verantwoordelijk voor de Vaticaanse betrekkingen met joden, bekende de zonden begaan tegen het judaïsme, waaraan de paus toevoegde: 'We zijn uiterst bedroefd door het gedrag van hen die in de loop van de geschiedenis verantwoordelijk zijn geweest voor het leed van deze kinderen van U.' Zo ging het door: bekentenissen van zonden tegen vrede, tegen vrouwen, 'die te vaak zijn vernederd en gemarginaliseerd', tegen de armen, de achtergestelden en het ongeboren, in de baarmoeder vermoorde leven.

Vervolgens maakte Johannes Paulus een geaffecteerd gebaar, toen hij zich vasthield aan het grote kruis op het altaar en er bedroefd zijn hoofd tegenaan liet leunen. Doodse stilte vulde de basiliek. Nooit eerder had men in de Sint-Pieter zo veel pauselijk pathos aanschouwd, die des te meer impact kreeg door zijn verzwakte staat.

Men kon verwachten dat er stilzwijgen, cynische commentaren en vragen volgden op deze ongewone gebeurtenis. Een aantal verslaggevers van Vaticaanse zaken herinnerde er meteen aan dat een paar dagen eerder de paus een internationaal symposium had gehouden om de ontwikkelingen vanaf het Tweede Vaticaans Concilie te evalueren: vrouwen en de media werden van het symposium geweerd. Zoals ook het geval was bij twee eerdere evaluatiesessies, een over het antisemitisme en de ander over de inquisitie, wisten de organisatoren van dit symposium de hoge verwachtingen teleur te stellen en het publiek te beledigen. Zo'n tweehonderdvijftig 'deskundigen' werden verwelkomd op deze evaluatie van Vaticanum II, maar slechts twee van de veertig vrouwelijke observanten waren uitgenodigd. Ook geleerden die men 'onbetrouwbaar' vond of 'afwijkend', waren buitengesloten. Journalisten kregen niet de kans het verloop te volgen.

De meest gehoorde kritiek op de vergiffenisceremonie in de Sint-Pieter ging over het gebrek aan precisie over de misstappen van de Kerk tegen de joden; met name de pauselijke schuld. In Duitsland reageerden de religieuze gemeenschappen verdeeld in deze kwestie. Bisschop Karl Lehmann van Mainz en enkele belangrijke lutherse bisschoppen prezen het initiatief, maar de vice-president van de Duitse Joodse Raad vond het 'halfslachtig en teleurstellend'.

In het jubeljaar 2000 had de controverse over de diplomatie van Eugenio Pacelli als kardinaal-staatssecretaris in de jaren dertig, en als Pius XII tijdens de oorlog, een kookpunt bereikt. Ondertussen werd duidelijk dat men nog steeds bezig was met de voorbereidingen om deze oorlogspaus zalig te verklaren. Er waren in de voorafgaande veertig jaar veel pauselijke initiatieven geweest om de breuk tussen jodendom en christendom te helen: de ruiterlijke erkenning door Johannes XXIII van religieus anti-judaïsme door de eeuwen heen; het bezoek van Paulus VI aan Israël; de twee synagogebezoeken van Johannes Paulus II; en zijn 'Herinnerings'-verklaring in de lente van 1998 over de geschiedenis van tegen joden gerichte wandaden. De toenemende impact van Johannes Paulus' inzet voor joods-christelijke betrekkingen was aanzienlijk, zoals ook zijn invloed, een nauwelijks bekend feit in het Westen, groot was geweest op het lesmateriaal voor godsdienst op scholen en seminaries, om antisemitische relicten in Oost-Europa te verwijderen. Maar ondanks dit alles had Johannes Paulus de gelegenheid van zijn 'Herinnerings'-document gebruikt om nadrukkelijk het oorlogsgedrag van Pius XII goed te praten, waarbij hij in een uitgebreide voetnoot beweerde dat de oorlogspaus niets had gedaan waarvoor hij zich moest verontschuldigen, maar juist alleen maar dingen waar hij trots op kon zijn. 'De wijsheid van de diplomatie van paus Pius XII werd publiekelijk erkend bij verschillende gelegenheden door representatieve joodse organisaties en beroemdheden,' schreef Johannes Paulus in een voetnoot.

Hoewel in brede kring geaccepteerd werd dat Johannes Paulus meer dan welke andere paus ook in de moderne tijd had gedaan om de relatie tussen joden en christenen te herstellen, bleven veel joden van mening dat er nog steeds een schaduw over deze relatie lag. In een essay in *The Tablet* schreef professor David Cesarini, die de leerstoel Moderne Joodse Geschiedenis bezette aan de Universiteit van Southampton in Groot-Brittannië, een week na de 'vergiffenis'-ceremonie het volgende:

> Joden blijft het verbazen waarom hij niet in staat was [zijn verontschuldigingen aan te bieden voor Pius XII]. Zijn uitvluchten, zoals zij dat zien, wekken achterdocht over zijn persoonlijke agenda en over die van de Kerk in het algemeen. Het gevolg is dat sommige joden het pauselijk beleid zodanig interpreteren dat datgene waar Johannes Paulus II naar streeft, juist wordt ondermijnd.

Er kwamen bijvoorbeeld vragen over Johannes Paulus' bezoek aan Auschwitz in 1979 tijdens die eerste beroemde pauselijke reis aan zijn vaderland een jaar na zijn verkiezing, toen hij tot ontzetting van de aanwezige joden joodse en niet-joodse slachtoffers van de nazi-vervolging op één lijn stelde. Weer werd over joodse gevoeligheden gebanjerd toen in 1984 een groep karmelieter nonnen een klooster tegen de muren van Auschwitz wilde bouwen. Zij wilden bidden ter compensatie van de misdaden die in het kamp waren begaan en om hun solidariteit te betuigen met de joodse slachtoffers van deze plek. In de joodse traditie echter wordt een martelaarsplaats achtergelaten; er wordt nooit een heilig oord van gemaakt. Vervolgens was er een discussie over een acht meter hoog kruis dat in de tuin van het klooster moest verrijzen en de plek markeerde waar honderdveertig Poolse verzetsstrijders waren vermoord. Maar weer leek het op een gebaar van christelijk triomfalisme: een poging de holocaust te verchristelijken. Toen volgde er een geschil over Edith Stein. Was de filosofe Edith Stein door de nazi's vermoord omdat ze joods was of omdat ze katholiek was? De geciteerde teksten bij haar zaligverklaring spraken over haar als een katholiek slachtoffer van de holocaust, tot ongenoegen van veel joden. Bovendien werd opgemerkt in het 'Herinnerings'-document dat door Johannes Paulus werd goedgekeurd, dat het antisemitisme een neo-paganistisch verschijnsel zou zijn, zonder verwijzing naar de eeuwen van christelijk geïnspireerde haat tegen het judaïsme. Wel wordt in het document aandacht besteed aan de joodse vervolging van christenen als een soort verzachtende omstandigheid.

In de eerste maanden van 2000, het jaar waarin men ervan uit kon gaan dat Pius XII zalig zou worden verklaard samen met Johannes XXIII, werd Pius IX vervangen. Zoals we hebben gezien was de reputatie van Pius IX gekoppeld aan de moderne traditie van pauselijk centralisme, die kennelijk een tegenwicht moest vormen voor Johannes XXIII's streven naar collegialiteit. Helaas werd Pius IX ook in verband gebracht met de schandalige geschiedenis van de ontvoering van Edgardo Mortara, het zevenjarige joodse jongetje dat onder dwang werd gedoopt en zijn ouders nooit meer terugzag.

Professor Cesarini stelt: 'Het lukte [Johannes Paulus] niet zodanig te handelen om een trend in het Vaticaans beleid te keren die als negatief, ja zelfs als vijandig, werd gezien. Rest ons de vraag: wat is er aan de hand? Wie is er precies verantwoordelijk voor het "joods beleid" van de Heilige Stoel? Wil de echte Wojtyła opstaan alstublieft? Hoewel weinigen de details kennen, is het duidelijk dat het pauselijk beleid door strijdende facties wordt gevormd.'

Volgens Cesarini en andere joodse commentatoren over deze kwestie kan de gordiaanse knoop van de holocaust en het katholieke aandeel daarin onmogelijk worden doorgehakt zonder excuses te vragen om Pius XII.

In het licht van de debatten en bewijzen in de nasleep van *Hitlers paus* zou ik nu willen beweren dat Pius XII zo weinig bewegingsvrijheid had dat het onmogelijk is te oordelen over zijn motieven om te zwijgen tijdens de oorlog, toen Rome onder de knoet van Mussolini zat en later door de Duitsers werd bezet. Hij liet geen persoonlijke dagboeken na of brieven met aanwijzingen over wat er in hem omging. Maar zelfs al waren zijn uitvluchten en stiltes met de beste bedoelingen bedacht en getimed, dan nog had hij de verplichting dat na de oorlog uit te leggen. Dubbelzinnige, diplomatieke taal (zoals Pius XII die bezigde in zijn beroemde kerstuitzending in 1942) is begrijpelijk wanneer het geweten van een individu onder grote druk staat. Ook al kan men die toespraak van Pacelli uit 1942, waarin hij naliet de joden als slachtoffers en de nazi's als daders te noemen, vergoelijkend toeschrijven aan zijn angst om de gruweldaden te verergeren, dan nog had hij het recht niet tot in het oneindige te zwijgen. Hij was de wereld een verklaring verschuldigd. Vanaf het moment dat hij niet meer onder druk stond, had hij de plicht de *Endlösung* te veroordelen. Maar in werkelijkheid verzuimde hij niet alleen zijn zwijgzaamheid uit te leggen en te verontschuldigen, met terugwerkende kracht liet hij zich zelfs staan op morele superioriteit omdat hij zo vrijelijk had gesproken.

Ten overstaan van gedelegeerden van de Hoge Raad van het Arabische Palestijnse Volk op 3 augustus 1946 zei hij: 'Ik hoef u niet te vertellen dat wij alle vormen van dwang of geweld afkeuren, waar die ook vandaan komen, zoals we ook bij verschillende gelegenheden in het verleden de fanatiek antisemitische vervolgingen hebben veroordeeld die het Hebreeuwse volk hebben geteisterd.' En zo werd zijn verzuim om zijn dubbelzinnige oorlogsgedrag uit te leggen ten slotte afgekocht met een poging achteraf zichzelf neer te zetten als uitgesproken verdediger van het joodse volk tegen de nazi's. Met alle bewijzen die we nu hebben, weten we dat hij dat niet was.

Op 1 april 2000 schreef professor David Cesarini het volgende:

> Misschien zal de gordiaanse knoop worden doorgehakt door een pauselijke opvolger die jonger is, of uit de Derde Wereld komt, en daardoor een objectievere kijk heeft op het verleden van de Kerk in de nazi-periode. Dan wordt het misschien mogelijk een formule uit te werken die erkenning toestaat van de relatie tussen anti-joodse acties en de katholieke leer, en het institutionele antisemitisme binnen de Kerk dat meehielp de verkeerde beoordelingen van Pius XII te koesteren, zonder de boodschap van het katholicisme te ontkrachten of het gezag van de Heilige Stoel te ondermijnen.

In oktober 1999 stelde het Vaticaan een commissie in van zes geleerden, onder wie drie joodse specialisten, om het oorlogsverleden van Pius XII te bestuderen. Helaas achtte het Vaticaan het voldoende om ieder lid te voorzien van de gedrukte versies van documenten die grotendeels waren gedrukt tijdens het pontificaat van Paulus VI. Deze boeken waren al bijna twee decennia te koop in alle Romeinse boekhandels. In oktober 2000 eiste de commissie werkelijke toegang tot de oorspronkelijke archieven en legde ze het Vaticaan 47 vragen voor over de manier waarop Pius XII had gereageerd op gedetailleerde informatie over het joodse lijden. Ook wees ze erop dat er belangrijke bewijsstukken ontbraken in de publicaties.

Deze verzoeken ontlokten onmiddellijk zware kritiek aan de man die verantwoordelijk was voor de canonisering van Pius XII, de jezuïet Peter Gumpel, omdat ze in zijn visie buiten de opdracht vielen. De joodse geleerden trokken zich daarop uit de commissie terug, terwijl ze klaagden dat het Vaticaan niet bereid was de waarheid te onthullen over zijn rol in de holocaust. Pater Gumpel beschuldigde de joodse historici ervan dat ze 'een ernstige aanval' deden op de katholieke Kerk. Zoals bekend vallen beslissingen over de pauselijke archieven uiteindelijk onder het gezag van de paus zelf.

Ondertussen liet Johannes Paulus een combinatie zien van koppigheid en perversiteit toen hij vasthield aan zijn besluit Jörg Haider privé te ontvangen, de extreem-rechtse Oostenrijkse politicus die beschuldigd werd van xenofobie en banden met neo-nazi's. Israëlische diplomaten hadden Johannes Paulus gesmeekt Haider niet te ontvangen, en verschillende Italiaanse kranten berichtten over toenemende spanningen in Rome. Een aantal joodse winkelpuien werd besmeurd met antisemitische leuzen, Italiaanse rechtse partijen als Fiamma Tricolore en Forza Nuova juichten de ontmoeting van Haider met de paus toe, maar linkse organisaties en de Groenen organiseerden geweldloze demonstraties tegen het bezoek.

Alweer had Johannes Paulus zijn talent laten zien om een theatrale handreiking te doen naar de joden, terwijl hij vastberaden een koers volgde die precies de andere kant leek op te gaan. En hetzelfde zou hij doen met vriendschapsbetuigingen aan alle andere godsdiensten en niet-katholieke denominaties.

25
Bent u gered?

De kwestie was al controversieel binnen de katholieke Kerk sinds Vaticanum II en werd dat elk jaar een beetje meer. Hoe kon Johannes Paulus zichzelf enerzijds uitroepen tot opperpriester van de enige ware Kerk, onfeilbaar op het gebied van het geloof en de moraal, en tegelijk oprecht andere religies en christelijke kerken respecteren?

De vraag of katholieken moeten geloven dat hun godsdienst de enige weg is naar verlossing, is oud en ongemakkelijk. In het feestelijke jubeljaar zond Johannes Paulus tegengestelde signalen uit, die de indruk wekten dat katholieken van twee walletjes aten.

Een historisch terzijde is hier op zijn plaats. In 1953 werd de fanatieke Amerikaanse jezuïet Leonard Feeney (stichter van de nieuwe orde Slaven van het Onbevlekte Hart van Maria) geëxcommuniceerd omdat hij weigerde zijn beschuldiging in te trekken dat Pius XII, de toenmalige paus, een ketter was, aangezien die had gesuggereerd dat er redding mogelijk zou zijn buiten het katholieke geloof. Feeney had deze kwestie jarenlang obsessief bestudeerd, door notulen van kerkvergaderingen en pauselijke documenten door te ploegen, en hij had een duidelijke uitspraak ontdekt in het Vierde Lateraans Concilie uit 1215, dat er voor de gelovigen slechts één universele Kerk bestaat 'waarbuiten geen mens wordt gered'. Paus Pius XII maakte niet alleen bezwaar tegen het feit dat een Amerikaanse jezuïet hem een ketter noemde, maar wees ook het standpunt grondig af door op te merken dat er een verschil bestaat tussen degenen die tot de Kerk horen door hun geloof en het doopsel, en degenen die erbij horen door een zeker onbewust 'verlangen'. Maar betekende dit dat men andere godsdiensten moest beschouwen als onbewust verbonden met het ene, ware katholieke geloof? Hadden die van zichzelf geen intrinsieke merites? Paulus VI trok Feeneys excommunicatie vlak voor zijn dood in, maar desondanks ging de pater Feeney zijn graf in met de woorden 'Buiten de kerk: geen redding' in zijn grafsteen gebeiteld.

Vaticanum II had in het document *Nostra aetate* gesteld: 'De katholieke Kerk verwerpt niets van wat waar en heilig is in deze godsdiensten. Zij heeft hoge achting voor de levens- en gedragswijze, de voorschriften en het onderricht die, ofschoon in veel opzichten verschillend van haar eigen leerstellingen, niettemin een straal weerspiegelen van die waarheid die alle mensen verlicht.'

Sinds de tweede helft van de jaren zestig zijn er tal van Vaticaanse initiatieven geweest tot een interreligieuze gebedsdag voor vrede. In 1986 had Johannes Paulus vertegenwoordigers uitgenodigd van alle wereldreligies om met hem te bidden in het Italiaanse Assisi, de geboorteplaats van de heilige Franciscus, een gebaar dat bij sommige katholieke conservatieven kritiek uitlokte. In 1991 vroeg hij weer om respect voor andere religies in *Redemptoris missio* (Over de missie van de verlosser), zijn encycliek over de missionaire rol van de Kerk.

Er zijn verschillende pogingen geweest sinds de Tweede Wereldoorlog om een katholieke theologische *modus vivendi* te vinden met andere godsdiensten, dan wel een regelrechte oplossing. De Duitse theoloog Karl Rahner stelde voor dat alle goede mensen, gelovig of niet, omschreven zouden kunnen worden als 'anonieme christenen', in de zin dat zij aan de horizon van hun bewustzijn de drie-enige God herkennen. De meeste niet-katholieke belanghebbenden bij een echte dialoog wezen deze formule af vanwege het onmogelijk neerbuigende karakter. Toen kwam vlak voor het millenniumjaar een voorstel waarop op het oog niets viel aan te merken. De jezuïet Jacques Dupuis, een Belgische hoogleraar die doceerde aan de Gregoriaanse Universiteit in Rome, publiceerde zijn boek *Toward a christian theology of religious pluralism.* Kardinaal Franz König noemde het 'meesterlijk' en Gerald O'Collins, ook een jezuïet en hoogleraar Fundamentele Theologie aan dezelfde universiteit, vond het boek 'een belangrijke bijdrage aan de hedendaagse interreligieuze dialoog'. Expert in interreligieuze zaken binnen de curie, de Vaticaanse aartsbisschop Michael Fitz-Gerald vond het naar eigen zeggen 'geweldig'.

Dupuis, die het christendom en niet het katholicisme als uitgangspunt nam, stelde voor dat de volheid van de waarheid niet vóór het eind der tijden en de Wederkomst volledig kan worden geopenbaard. Hoewel hij de uniciteit van de christelijke openbaring niet ontkende, suggereerde hij wel dat andere godsdiensten net als het christendom op reis waren naar die volheid, en dat iedereen in ootmoed was verenigd doordat niemand die kennis volledig bezat. Hij zei niet dat alle godsdiensten gelijk waren, of dat het katholieke geloof geen claim mag maken op het enige ware geloof, maar hij zei onmiskenbaar wel dat christenen nog niet het voordeel hadden van de volledige openbaring, ook de katholieken niet. Dupuis en zijn collega's drongen erop aan dat hun visie orthodox was en gebaseerd op de bijbel. 'Het is op eigen risico,' schreef professor O'Collins, 'dat we ervan afzien Johannes en Paulus te volgen en erkennen dat we in één, heel belangrijke, betekenis de volheid of voltooiing van de goddelijke openbaring nog niet hebben.'

Maar daar nam Johannes Paulus geen genoegen mee. Het leidde zelfs tot een tijdelijk doceerverbod voor Dupuis en een onaangenaam kruisverhoor van de hoogleraar ten kantore van kardinaal Ratzinger. Op een gegeven moment werd Dupuis ervan beschuldigd 'onjuiste vragen' te stellen. In zijn commentaar op deze beschuldiging zei professor O'Collins: 'De *Summa* van de heilige Thomas staat boordevol onjuiste vragen: zo maken theologen vorderingen.' Dupuis belandde in een Romeins ziekenhuis wegens een geperforeerde twaalfvingerige-darmzweer.

Daarna volgde de publiekelijke veroordeling aan het begin van het millenniumjaar. Op 28 januari 2000 las Johannes Paulus een verklaring voor in aanwezigheid van kardinaal Ratzinger tijdens een speciale gelegenheid om het werk te huldigen van de Congregatie voor de Geloofsleer, de Vaticaanse instantie die het orthodoxe leergezag bewaakt. De Openbaring van Jezus Christus, zei de paus, is 'definitief en volledig'. Vervolgens insisteerde hij dat alle andere godsdiensten onvolledig zijn vergeleken bij het geloof 'dat de volheid bezit van de reddende middelen binnen de Kerk'. Hij bedoelde daarmee uiteraard de katholieke Kerk. Jezuïtische medewerkers aan de Gregoriana reageerden door godsdienstjournalisten erop te wijzen dat deze verklaring van de paus 'pure ketterij' was, dat die door de afdeling van kardinaal Ratzinger voor de Heilige Vader was uitgeschreven als onderdeel van een campagne om de zienswijze van de eerwaarde Dupuis de kop in te drukken.

Het volgende salvo in deze onbetamelijke theologische ruzie was de krachtige 'verklaring' *Dominus Jesus*, gepubliceerd op 6 augustus. Die was ondertekend door kardinaal Joseph Ratzinger, maar kort daarna publiekelijk goedgekeurd, welbewust en onomstotelijk, door Johannes Paulus. Het onderwerp was de dwaling van 'relativistische theorieën' die een religieus pluralisme beogen te verantwoorden. De dwalingen werden als volgt omschreven:

> Relativistische houdingen ten opzichte van de waarheid zelf, volgens welke wat waar is voor sommigen, voor anderen niet waar hoeft te zijn; de radicale tegenstelling tussen de logische mentaliteit van het Westen en de symbolische mentaliteit van het Oosten; het subjectivisme dat, door de rede als de enige bron van kennis te beschouwen, niet in staat is de 'blik omhoog te richten, niet durft te stijgen naar de waarheid van het bestaan'.

Tegelijkertijd maakte de paus duidelijk dat christelijke kerken die niet als apostolisch beschouwd kunnen worden (omdat ze 'het geldige episcopaat en de ware en integrale substantie van het mysterie van de eucharistie niet hadden behouden'), geen echte kerken zijn. Dat gold ook voor de anglicaanse Kerk, aangezien de paus meer dan eens had beweerd dat de katholieke leer over de geldigheid van de anglicaanse priesterwijding *de facto* onfeilbaar is. De aartsbisschop van Canterbury zou volgens deze redenering een leek zijn met dubieuze religieuze aannames in plaats van het hoofd van een authentieke kerk.

In Engeland was de anglicaanse aartsbisschop van Canterbury George Carey verbijsterd toen hij de verklaring had gelezen. '*Dominus Jesus* leek mij,' schreef hij, 'een ontkenning van wat vlak daarvoor nog werd beaamd over de ecclesiastische realiteit van andere kerken.' Carey liet onmiddellijk een persbericht uitgaan waarin hij stelde dat de anglicaanse gemeenschap 'deel meent uit te maken van de Enige, Heilige, Katholieke en Apostolische kerk van Jezus Christus', en waarin hij de negatieve toonzetting van *Dominus Jesus* betreurde. Kardinaal Cassidy, hoofd van de pauselijke Raad voor de Eenheid der Christenen, belde aartsbisschop Carey op om te zeggen dat hij niets met het document te maken had, een actie die Carey als 'buitengewoon onbehouwen' ondervond.

De storm die uitbrak over *Dominus Jesus* binnen de katholieke Kerk, was anders dan eerdere reacties op harde leerstellige verklaringen. Tom Reese, hoofdredacteur van het jezuïtische weekblad *America* en pastoor in New York, gaf mij op het hoogtepunt van de polemiek die was ontstaan, het volgende commentaar: 'Dit is nou zo'n Vaticaanse verklaring die gewone kerkgangers woedend maakt. Veel argumenten over het leergezag zijn puur theoretisch. Maar toch zien zij *Dominus Jesus* als een belediging van mensen van wie zij houden en met wie ze dagelijks samenwerken. Ze pikken het niet.'

De *National Catholic Reporter* overtrof zichzelf door op 13 oktober 2000 maar liefst vier brievenpagina's over het onderwerp in te ruimen. Daar zaten voor de zekerheid ook twee brieven bij waarin de verklaring werd gesteund, waaronder een van een priester, die de uitermate verontrustende manier blootlegt waarop het document gelezen zou kunnen worden:

> Na *Dominus Jesus* gelezen te hebben ben ik het er helemaal mee eens. Dat de 'theologie van religieus pluralisme' in de kiem moet worden gesmoord. Deze nieuwe ideologie van religieuze tolerantie, sinds 1950 in zwang, heeft gezorgd voor toenemende verwarring, niet alleen in de hoofden van het onnozele lekendom, maar ook onder de intelligentsia in theologische kringen.

Het klonk als een oprisping uit het graf van de eerwaarde Feeney. Ongetwijfeld zou een conservatief blad veel meer brieven hebben geplaatst van voorstanders van de verklaring, maar de rest van de door gewone katholieken ingezonden brieven gaf blijk van angst en frustratie die kenmerkend is voor wat waarschijnlijk de pluralistische meerderheid is van katholieken in Amerika. 'Zo veel politieke arrogantie in een door internet verbonden wereld duidt erop dat de rooms-katholieke Kerk in allerijl terug naar de veertiende eeuw rent,' schreef iemand. 'Volgens mij is Jezus iets tactischer, hoopgevender en liefdevoller dan *Dominus Jesus*,' schreef een ander.

Het was een kwestie van tijd voordat het reactionaire driemaandelijkse tijdschrift *First Things* zich in het debat mengde en de media beschuldigde van overdrijving en kwaadwillende onnauwkeurigheid. 'Ja,' beweerde pater Neuhaus, 'een groot deel van het onbegrip was moedwillig. Maar het feit dat de berichtgeving in de media [...] eensluidend negatief was, net als de reactie van verschillende gemeenschappen die betrokken zijn bij een oecumenische dialoog met de katholieke Kerk.'

Maar de bron van de controverse was niet zozeer de pers als wel een diepgaande interne tegenstelling in de tekst die tot verontwaardiging leidde, en daardoor tot een pr-ramp voor Johannes Paulus, die de media wel haast naar buiten moesten brengen.

Het joodse geloof, de moedergodsdienst van het christendom, had een sterke legitieme grief. De tekst van *Dominus Jesus* accepteert dat de spirituele schatten van de niet-christelijke wereldreligies werken zijn van God en vanuit goddelijk initiatief zijn voortgekomen. Maar dit wordt pas gezegd nadat de tekst die spirituele schatten heeft gedefinieerd als voortgekomen zijnde uit een puur menselijke zoektocht naar God. Het Vaticaanse document is schrijnend inconsistent. Als God deze initiatieven neemt met betrekking tot de andere religies, waarom wordt dan gedaan alsof die uit louter menselijke overtuigingen bestaan? Want Gods initiatief is altijd het voornaamste; en daar waar mensen reageren op Gods initiatieven, is sprake van geloof.

Het onbegrip van degenen die aanstoot hadden genomen aan het document, was zeker niet 'moedwillig'. De oudgedienden onder de deelnemers aan de interreligieuze dialoog met katholieken, met name de joden, opperden terecht dat de paus de interreligieuze verstandhouding tientallen jaren had teruggedraaid met het herhalen van het standpunt dat niet-katholieken zich in een 'ernstig onvolledige' positie bevinden.

Afgezien van de enorme contradictie met het jubeljaar, waarin Johannes Paulus alle mensen van goede wil aanmoedigde elkaar de hand te reiken, was het debacle van *Dominus Jesus* ook aanleiding om te speculeren over het functioneren van de paus zelf. In één klap leken zijn gedachten over oecumene en religieus pluralisme onoprecht. Edward Kessler, directeur van het Centrum voor Joods-Christelijke Relaties in Cambridge zei: 'Mogelijk zijn hier gewoon conservatieve figuren binnen de Kerk aan het werk die vechten om de aandacht van de paus in de nadagen van zijn gezag.' Hoe dan ook, het leek er meer op dat Johannes Paulus op z'n best hooguit gedeeltelijk zijn eigen geest, dan wel de beslissingen van zijn naaste medewerkers onder controle had.

Maar daarnaast had de kwestie nog onmiddellijke en praktische gevolgen. Na een ramp met een skitrein in Kaprun waren de protestanten in de omgeving van Salzburg woedend omdat aartsbisschop George Eder, de katholieke bisschop, een katholieke uitvaartmis eiste voor de slachtoffers in plaats van een oecumenische dienst. Al snel werd duidelijk dat de controverse over de requiemmis slechts het topje van de ijsberg was. Protestanten klaagden over 'katholieke arrogantie'. Een prominente protestantse dominee in Salzburg merkte op dat oecumene voor de paus inhield dat alle andere kerken zich weer onder roomse hoede zouden scharen. Zelfs de katholieke hulpbisschop van Wenen, Helmut Kratzl, weet de twist aan de stemming die door *Dominus Jesus* was ontstaan, en kardinaal Franz König klaagde dat *Dominus Jesus* 'misschien wel wat beleefder verwoord had kunnen worden en een grotere bereidheid tot dialoog had kunnen tonen'. König zou veel verder gaan in zijn kritiek op de Vaticaanse aanvallen op professor Dupuis, die hij 'onhoffelijk en negatief' noemde, en 'niet alleen onpersoonlijk, maar ook dor, alsof ze waren overgenomen uit een zestiende-eeuwse catechismus'. In een kritiek die zowel Johannes Paulus als kardinaal Ratzinger betrof, beschuldigde König de Heilige Stoel ervan 'het menselijk aspect' over het hoofd te zien, 'door de diepe kwetsing die men had veroorzaakt [...]. Niemand verliest zijn gezag vanwege hoffelijkheid.' Kardinaal Maria Martini van Milaan was net zo uitgesproken toen hij zei dat het document naar zijn idee 'te sterk' was, dat het gezien moest worden in de context van vele andere verklaringen over hetzelfde onderwerp in de afgelopen dertig jaar. Hans Küng, niet te vergeten, schreef dat *Dominus Jesus* het zoveelste voorbeeld was van 'Vaticaanse megalomanie'.

Zeker, zelfs in Oostenrijk waren er katholieke bisschoppen die een tegengesteld standpunt innamen, wat het polariserende effect van het document nog eens laat zien. Neem bisschop Kurt Krenn van Sankt Pölten. Nadat hij eerst gevraagd had om een 'pauze' in de oecumenische dialoog, verklaarde Krenn dat de oecumene 'bedroevend misbruikt' werd; er bestond volgens hem een 'ongelukkige' tendens om de verschillen tussen de kerken te nivelleren.

Maar er waren tragische gevolgen op een gebied waar veel mensen lang en hard hadden gewerkt om contact te krijgen met de andere kant, indachtig de verschrikkelijke herinneringen aan het verleden. In september 2000 moest het Vaticaan een jubeljaarbijeenkomst voor een 'dialoog tussen christenen en joden' annuleren nadat twee Italiaanse rabbijnen zich uit protest tegen het document hadden teruggetrokken. De opperrabbijn van Rome, Elio Toaff, en zijn plaatsvervanger rabbijn Abramo Piatelli, zouden spreken tijdens een symposium aan de Lateraanse Universiteit. De rabbijnen lieten in een verklaring weten dat ze hun medewerking introkken vanwege het door *Dominus Jesus* 'ontstane klimaat'. Rabbijn Toaff, die in 1996 Johannes Paulus verwelkomde in de Romeinse synagoge, had ook een interreligieuze ontmoeting geannuleerd die was georganiseerd door de Sant'Egidio-gemeenschap in Lissabon.

Weinig commentatoren spraken met zo veel gezag over de discrepantie tussen de pauselijke arrogantie enerzijds en het pauselijk vertoon van tolerantie anderzijds, als Tullia Zevi, de voormalige voorzitter van de Italiaanse Joodse gemeenschap en momenteel verantwoordelijk voor interreligieuze relaties voor het Europees Joods Congres. Zij zei met klem dat de rabbijnen niet plotseling of emotioneel tot hun beslissing waren gekomen, en dat de beslissing niet in isolement tot stand was gekomen: ze werd 'breed gesteund door Italiaanse joden', zei ze, 'die zich helemaal niet op hun gemak voelden onder de discrepantie in het hart van de katholieke Kerk tussen het openen van een dialoog en een terugkeer naar het triomfalisme'.

Ondertussen herinnert George Carey, aartsbisschop van Canterbury, zich dat hij zich in die tijd bewust werd dat de gezondheidstoestand van de paus een diepe invloed had op het bestuur van de Kerk. 'Het betekende onmiskenbaar,' heeft hij geschreven, 'dat anderen binnen de curie, met name kardinaal Ratzinger [...] en kardinaal Sodano [...] meer verantwoordelijkheden op zich namen.'

Deze situatie, ging hij verder, veroorzaakte paniek onder rooms-katholieke geleerden en bisschoppen overal ter wereld, die het gevoel hadden dat dit 'wees op een verharding van het centrum die de persoonlijke missie van paus Johannes Paulus tegenwerkt'. De paniek bestond al enige tijd. Carey merkt op dat al in 1996, tijdens een ontmoeting met kardinaal Joseph Bernardin van Chicago, een van de belangrijkste katholieke leiders in de twintigste eeuw, de prelaat 'tegenover mij zijn zorgen had geuit over de toenemende macht van de curie'. Bernardin had gezegd dat deze machtstoename rechtstreeks indruiste tegen het beleid van Vaticanum II om het gezag en de macht te versterken van nationale kerken en de lokale bisschop 'in verbondenheid met de Heilige Stoel'.

26

Wie runt de Kerk?

In een bleek zonnetje op het Sint-Pietersplein keek Johannes Paulus uit over een groep prelaten in helderrood. Deze illustere kleur, het kardinaalrood, duidt niet zozeer op triomfalisme of praalzucht als wel op het martelaarsbloed dat kardinalen hebben gezworen te willen vergieten ter verdediging van het geloof.

Het was half februari 2001 en Johannes Paulus stelde 44 nieuwe kardinalen voor uit alle hoeken van de wereld. De ceremonie, die bekendstaat als het consistorie (letterlijk: 'samen staan'), was ongebruikelijk, want nog nooit eerder had hij zo veel kardinalen in één keer benoemd. Daar zaten ze dan, de nieuwe jongens, tussen de rijen ervaren kardinalen: onder de bezoekers bevond zich het gevolg van de nieuwe aanwas: familieleden, vrienden en nieuwsgierige omstanders. In die zee van rood zat naar alle waarschijnlijkheid ook de toekomstige paus. Een duizendkoppige groep Hondurezen was ervan overtuigd dat hun man dat zou worden, aartsbisschop Oscar Andrés Rodríguez Maradiaga. Toen zijn naam werd voorgelezen ging er een groot gejuich op vanuit de groep opgewonden aanhangers.

Johannes Paulus was inmiddels bijna 23 jaar paus, en 125 van de 135 kardinalen (inclusief de nieuwkomers) waren door hem gekozen. In feite had Johannes Paulus dit orgaan van machtige geestelijken die straks de nieuwe paus zouden kiezen, zelf gevormd.

Als paus van verrassingen deed hij ook nu weer iets bijzonders. Allereerst las hij 37 namen voor van de kandidaat-kardinalen, pas meer dan een week later noemde hij de overige zeven. Wilde hij nagaan hoe de bisdommen en de curie zouden reageren op mogelijke hiaten in de lijst – alleen om iedereen op het verkeerde been te zetten door ze later na een pauze toch nog op de lijst te zetten? Een van die extra zeven kardinalen was bisschop Karl Lehmann van Mainz, voorzitter van de Duitse Bisschoppenconferentie, de man die een jaar daarvoor openlijk het aftreden van de paus ter sprake had gebracht. Niemand was verbaasder, aldus het Vaticaanse roddelcircuit, dan Lehmann zelf, want Lehmann was tegen de paus ingegaan en had verloren toen hij de Duitse katholieke adviescentra inzake zwangerschap open wilde houden, die volgens Johannes Paulus een samenzwering vormden met abortusaanhangers.

Johannes Paulus, die zo zichtbaar ziek was maar toch opleefde bij deze luisterrijke gelegenheid, begon te spreken. Hij verwelkomde de nieuwe kardinalen, waarbij hij het belang van hun ambt onderstreepte. Hij zei: 'We vragen enkele van onze broeders deel uit te maken van het College van Kardinalen in de hoop dat zij zich als leden van de Romeinse clerus meer verbonden voelen met de Stoel van Petrus.' Iedere kardinaal krijgt een van de vele honderden parochies in Rome toegewezen en wordt meestal benoemd op een hogere post binnen enkele van de vele congregaties en afdelingen die de Kerk besturen – collectief aangeduid als de curie.

Toen werd Johannes Paulus begroet door een van de belangrijkere, oude kardinalen, Giovanni Battista Re, prefect van de Congregatie voor de Bisschoppen, de Vaticaanse afdeling die de bisschoppen kiest. Onder overweldigend applaus verklaarde de kardinaal dat de wereld als nooit tevoren afhankelijk was van zijn voortdurende overleving.

Tijdens de mis vergeleek Johannes Paulus in zijn preek de groep kardinalen met een schip, een 'mystiek' schip, dat op het punt staat 'uit te varen, zijn zeilen te hijsen om de wind te vangen van de Heilige Geest'. Hij had het over de enorm complexe moderne wereld waarin de wetenschappelijke en technologische vorderingen elkaar in hoog tempo opvolgen en waarin de communicatiemiddelen almaar sneller en indringender worden, middelen die de Kerk zou kunnen gebruiken om in dialoog te blijven met 'alle mensen uit welke klasse ook om hun de hoop te geven die wij in onze harten koesteren'. Vervolgens citeerde hij John Henry Newman, de bekende negentiende-eeuwse Britse theoloog en vroegere anglicaan die zich tot het katholicisme had bekeerd. Toen Pius IX Newman tot kardinaal benoemde, had de bekeerling gezegd: 'De Kerk hoeft niet meer te doen dan in vertrouwen en vrede haar missie voort te zetten; zij moet altijd kalm en standvastig blijven, in afwachting van Gods redding.' De arme Newman had zelf genoeg stormen en ontwrichtingen gekend. Hij was in aanvaring gekomen met het kerkelijk gezag en had ook conflicten gehad met niet-katholieke critici als Charles Kingsley, die hem van 'dubbelhartigheid' had beschuldigd.

Sommigen onder die in het rood gehulde mannen, bijvoorbeeld kardinaal Bernard Law van Boston, vroegen zich ondertussen misschien af hoe zij straks als zij weer thuis waren, kalm en standvastig moesten blijven onder de steeds ernstiger wordende crisis van de pederastische geestelijken en onder de lastige situatie van bisschoppen en zelfs ook kardinalen die het pederastische gedrag hadden aangemoedigd door een oogje dicht te knijpen.

Maar op de Romeinse agenda van die week stond de grondige hervorming van het bestuur van de Kerk. Johannes Paulus had in het verleden gesproken over het belang van collegialiteit, hoewel hij daar steevast zijn eigen autocratische voorwaarden aan stelde. Nu, een jaar verder in het nieuwe millennium, deed hij nieuwe voorstellen voor werkelijke collegialiteit. Maar hoe oprecht was deze ambitie?

Al in 1995 had Johannes Paulus zijn oecumenische document *Ut unum sint* (Dat allen een zijn) geschreven, waarin hij theologen en zelfs leden van andere christelijke kerken (waarvan hij sommige later zou betitelen als 'geen kerken in de strikte zin') uitnodigde 'met mij deel te nemen aan een geduldige en broederlijke dialoog' met als doel 'vormen te [vinden] waarin dit [pauselijk] ambt een dienst van liefde kan vervullen'. Al snel zou blijken dat Johannes Paulus weer zijn bekende spelletje speelde – dat hij zichzelf afficheerde als de collegiale paus, maar ondertussen de autoritaire teugels nog strakker aantrok in zijn onvaste handen.

De uitnodiging tot een dialoog en opbouwende kritiek maakte in dat jaar nog een bijzonder veelbelovende indruk, totdat een paar dappere zielen de paus aan zijn woord hielden. Eerst verscheen in 1997 *Papal power* van Paul Collins. Deze priester en bekende radio- en televisiecommentator over religieuze zaken in Australië uitte zich met name kritisch over de toenemende macht van het pauselijk gezag in het canoniek recht, een proces dat in het eerste decennium van de twintigste eeuw was begonnen met de autoritaire methoden van Pius X in zijn antimodernistische campagne. Daarna, in 1999, kwam John Quinn, emeritus aartsbisschop van San Francisco, met zijn kristalheldere en zonder meer ootmoedige *Reform of the papacy. The costly call to christian unity*. Terecht wees Quinn erop dat als de paus het serieus meende met de christelijke eenheid, hij zich niet moest gedragen als de *chief executive* van een multinational. Hij zou zijn bisschoppen moeten behandelen als leiders van de lokale Kerk, niet als filiaalmanagers van zijn hoofdkantoor. Beide mannen hadden hooguit gehoor gegeven aan wat Johannes Paulus had voorgesteld – 'deelnemen aan een broederlijke dialoog' – maar toch werden hun visies onmiddellijk gekenschetst als deloyaal en, in het geval van Collins, ketterij. De jezuïet Avery Dulles beschuldigde aartsbisschop Quinn bovendien van bedrog; hij zou er alleen maar op uit zijn het kerkelijke standpunt over anticonceptie onderuit te halen (later zou Dulles zelf de rode kardinaalshoed ontvangen, terwijl Quinn, die hem zeker verdiende, er geen kreeg). Paul Collins, een goede priester en een briljant doorgeefluik van religieuze zaken, werd door de Congregatie voor de Geloofsleer onderzocht op ketterij en uit het priesterschap getreiterd.

Ondertussen echter leek Johannes Paulus op deze februaridag in 2001 zoals altijd alles onder controle te hebben. Wie een katholieke krant opensloeg of een katholieke nieuwsdienst of website raadpleegde, zou op elke dag van die week kunnen lezen dat de paus een ontmoeting met wereldleiders had gehad, bisschoppen had benoemd, raden en commissies had voorgezeten, nieuwe richtlijnen had doen uitgaan, preken had gehouden en zich in het algemeen had uitgesproken over alles wat er speelde onder de zon. Niet gezegd werd dat hij de afgelopen jaren heimelijk steeds meer had gedelegeerd aan zijn staatssecretaris kardinaal Angelo Sodano en aan kardinaal Joseph Ratzinger. Later zou de buitensporige macht van Stanisław Dziwisz bekend worden. Ondertussen werd ook duidelijk dat de macht van de bisschoppen in hun bisdommen verspreid over de wereld drastisch afnam. Bisschoppen klaagden dat wanneer zij voor 'overleg' met de Heilige Vader naar Rome kwamen, er weinig of geen overleg plaatsvond, maar dat ze des te meer richtlijnen kregen over wat zij moesten doen. Wanneer bisschoppen aftraden, of overleden, of waren overgeplaatst, begon het steeds langer te duren voordat er een nieuwe werd benoemd. Elke benoeming moest worden voorgelegd aan de paus, wiens werkbelasting drastisch was verlaagd, al bleef zijn publiciteitsapparaat rondbazuinen dat hij nog steeds het werk verzette van een man die twintig jaar jonger was dan hij.

Maar op de dag van dit magnifieke consistorie was hij aanwezig en stelde hij weer eens vast dat het hoog tijd werd dat zijn bisschoppen meer gezag en inspraak kregen. In zijn preek citeerde hij uit de apostolische brief die hij in de maand daarvoor had geschreven, *Novo millennio ineunte* (Aan het begin van het nieuwe millennium), en kondigde hij aan dat de Kerk 'opnieuw vanuit Christus moest beginnen'. In de nasleep van het jubeljaar verklaarde hij dat de Kerk 'forums en structuren' moest ontwikkelen die 'de onderlinge gemeenschap bewaken zowel in het petrinische ambt als de episcopale collegialiteit'. Voorts beweerde hij dat er 'absoluut nog veel moet worden gedaan om alle kracht te halen uit deze instrumenten van gemeenschap'.

Nauwelijks waren de kardinalen terug naar huis gevlogen, of Johannes Paulus kondigde een paar dagen later aan dat hij ze in mei allemaal weer terug zou laten komen voor het eerste 'buitengewone consistorie' sinds zeven jaar. Hij liet doorschemeren dat er iets sensationeels, iets historisch stond te gebeuren. Inderdaad verklaarde de pauselijke woordvoerder Joaquín Navarro-Valls in een persbericht dat het thema van dit consistorie zou gaan over 'de toekomst van de Kerk in het derde millennium, bezien vanuit het perspectief van de recente apostolische brief van de Heilige Vader', dus over de besluitvormende macht van de bisschoppen. In de Vaticaanse wandelgangen en de trattoria's die door de monseigneurs worden gefrequenteerd, werd opgewonden gekwekt over het nieuwe 'collegiale' tijdperk dat zou aanbreken.

Het onderwerp van menig verhitte discussie was de kardinaalshoed voor Karl Lehmann. Er was iets vreemds gebeurd. Bij de eerste groep kardinale benoemingen die was aangekondigd, zat Walter Kasper en misschien was hij het geweest die de curie aan het denken had gezet over bisschop Lehmann. Kasper had de dag na zijn benoeming op de radio gezegd dat hij het diep betreurde dat Lehmann niet genoemd was. Later werd opgemerkt en uitgebreid becommentarieerd dat tijdens de ceremonie van het consistorie kardinaal Sodano Lehmann met zichtbare vreugde en genegenheid had begroet bij de vredeskus, terwijl Ratzinger zijn landgenoot duidelijk minder hartelijk had gefeliciteerd. Hadden Kasper en Lehmann een belangrijke strijd tegen Ratzinger gewonnen? Waren de dagen van Ratzinger, die de tachtig naderde, eindelijk geteld?

De kern van de interne strijd tussen de Duitsers raakte het hart van het kerkbestuur en de bisschoppelijke ruzie met Johannes Paulus, die al aan het begin van zijn bestuur was begonnen. Deze strijd werd onthuld in *Die Zeit* door Robert Leicht, de eminente politieke correspondent van het Duitse weekblad.

In 1999 had de toenmalige bisschop Kasper een essay geschreven over collegialiteit in een liber amicorum waarover in Vaticaanse kringen breed werd gespeculeerd en gediscussieerd. Kasper was van mening dat 'de progressieve interpretatie van Vaticanum II als kritiek en overwinning op het centralisme van Vaticanum I wordt gedwarsboomd'. In een duidelijke veroordeling van Johannes Paulus II en Ratzinger zei hij verder dat 'er een poging wordt gedaan het centralisme te herstellen terwijl een meerderheid op het Tweede Vaticaans Concilie daar duidelijk van af wilde'. Toen citeerde hij een document dat in 1992 door Ratzinger was geschreven, *De Kerk als gemeenschap*, en stelde hij dat die tekst 'min of meer neerkomt op het terugdraaien' van Vaticanum II. Kasper beweerde nu dat de werkelijke bedoeling van de Kerk en de universele Kerk te vinden was in de Handelingen der Apostelen. Volgens Kasper stelde de evangelist Lucas 'deze Kerk voor als een universele én lokale kerk. Dat is zijn perspectief, hoewel er historisch gesproken waarschijnlijk al vanaf het begin enkele gemeenschappen waren: er was er een in Jeruzalem, maar er waren er ook in Galilea. Die ene Kerk bestond dus al vanaf het begin uit lokale kerken.' Ratzinger meent volgens Kasper dat de universele Kerk boven de lokale Kerk staat, wat 'werkelijk problematisch' wordt 'wanneer met de enige universele Kerk stiekem bedoeld wordt de Kerk in Rome, en het *de facto* om de paus en de Romeinse curie gaat. Als dat zo is, kunnen we het document van de Congregatie voor de Geloofsleer niet beschouwen als een verduidelijking van de leerstelling uit Vaticanum II over de Kerk als gemeenschap, maar als een afwijking daarvan en als een poging het Romeins centralisme weer in te voeren.'

Ratzinger sloeg terug in een even gewichtig ander Duits kwaliteitsmedium, de *Frankfurter Allgemeine Zeitung* (22 december 2000). Hij begon met de snibbige observatie dat 'iedere zichzelf respecterende' theoloog het kennelijk als zijn plicht zag het Vaticaan aan te vallen. Vervolgens verloor hij zich in haarkloverijen over Kaspers interpretatie van de Handelingen, om daarna weer het primaat van het universele over het lokale te verdedigen. Dit leidde tot een tegenzet van Kasper, ditmaal in het jezuïtische tijdschrift *Stimmen der Zeit*, waarin hij zijn standpunt herhaalde en niet van zins bleek ook maar iets van zijn betoog terug te nemen.

Deze ecclesiastische trammelant, die grotendeels onopgemerkt voorbijging behalve aan degenen die met goedkeuring of afschuw de richting volgden waarin Johannes Paulus de Kerk duwde, had grote betekenis voor het bisschoppelijk pastorale functioneren. Moest bisschoppen worden toegestaan zelf oplossingen te zoeken voor belangrijke pastorale problemen? In Duitsland wilden drie bisschoppen toestaan dat mensen die na een scheiding opnieuw trouwden, onder bepaalde voorwaarden de communie mochten ontvangen. Maar Johannes Paulus verbood dit nadrukkelijk. Op een ander cruciaal gebied, op een punt waar katholieken en lutheranen hoopten en baden voor meer eenheid, had Ratzinger, met goedkeuring van Johannes Paulus, het document *Dominus Jesus* gepubliceerd, waarin de wereld kond werd gedaan dat vele christelijke denominaties, inclusief de lutherse, 'in strikte zin geen kerken zijn'.

Dit is een belangrijk punt, want het geeft aan dat vooruitgang in de christelijke eenheid afhangt van erkenning van de lokale Kerk. Zoals Kasper schreef: 'Het ultieme oecumenische doel is niet een uniforme verenigde Kerk, maar een Kerk verzoend in diversiteit.'

Wie echter in 2001 dacht dat Ratzingers dagen waren geteld en dat Kasper en Lehmann de *jeunes premiers* waren die met een schone lei mochten beginnen, zou snel van een koude kermis thuiskomen. Ratzinger zou machtig als altijd in het zadel blijven zitten als hoofd van de Congregatie voor de Geloofsleer, die de jongere, hervormingsgezinde Kasper als hoofd van de Raad voor de Christelijke Eenheid, stevig onder de duim hield. Hoopte Johannes Paulus hiermee het Duitse heidebrandje te hebben bedwongen, of hoopte hij in zijn nadagen echt op een nieuw begin?

Johannes Paulus riep op 21 mei een buitengewoon consistorie bijeen om het kerkbestuur te bespreken en het belang van hervorming. De bijeenkomst eindigde op 24 mei zonder duidelijke beslissingen of toekomstplan. Zolang de paus nog leefde, leek wel, zou het meer van hetzelfde zijn. Enkele onder de aanwezige kardinalen waren rechtstreeks de confrontatie aangegaan over de kwestie van het bestuur. Kardinaal Murphy O'Connor, aartsbisschop van Westminster, vond dat er meer debat moest zijn – permanent en niet om de drie jaar wanneer de bisschoppen elkaar in Rome ontmoetten. Kardinaal Godfried Danneels van Brussel beweerde ongeveer hetzelfde: volgens het katholieke leergezag, zei hij, zou de Kerk bestuurd moeten worden door de bisschoppen in samenwerking met de paus. Zijn kritiek op de synoden was vernietigend: hij vond dat de regels voor het debat en het samenvatten van conclusies ontoereikend waren, op het bedrieglijke af. Maar tijdens het cruciale onderdeel van het consistorie dat bedoeld was voor discussie over het bestuur, spraken maar weinig kardinalen zich uit, en ging men over op andere, minder brandgevaarlijke kwesties. Op het eind van het consistorie, dat niet toegankelijk was voor de media, zou niemand zich tegenover de pers uitlaten over wat er was gezegd. De kardinalen hadden de zwijgplicht opgelegd gekregen. Een Latijns-Amerikaanse kardinaal zei: 'Ze zeiden ons dat alles wat er in de hal gezegd was, tot het consistorie behoort.'

27
11 september 2001

Op 11 september 2001 rustte Johannes Paulus uit in zijn zomerpaleis aan het Meer van Albano toen het nieuws kwam dat alle hoop die hij had op een periode van een spirituele lente in het derde millennium, de bodem in werd geslagen. Het nieuws voorspelde eerder een periode van zware beproevingen.

Net als de rest van de wereld hoorde Johannes Paulus dat er duizenden mensen waren omgekomen toen twee gekaapte vliegtuigen met passagiers aan boord zich in de torens van het World Trade Center in New York hadden geboord. Twee uur later waren de torens ingestort. Inmiddels was een ander gekaapt vliegtuig gecrasht op het Pentagon, waarbij bijna tweehonderd slachtoffers vielen, en was er een vliegtuig met onbekende bestemming neergestort in Pennsylvania, niet ver van het presidentiële vakantieverblijf Camp David. Al snel zou blijken dat de aanvallen het werk waren geweest van moslimextremisten: het zou iets langer duren om vast te stellen dat de duistere organisator van deze gruwelijkheden Osama bin Laden was en zijn terroristische groepering al-Qaida.

De paus ging onmiddellijk naar zijn kapel om te bidden en smeekte de Heer 'een einde te maken aan al het broedermoordzuchtige geweld'. Op dit soort momenten werd er vanzelfsprekend zowel door katholieken als niet-katholieken naar hem gekeken en hij voldeed meer dan voldoende als belangrijke en unieke religieuze leider, door troost te bieden en een pleidooi te houden voor terughoudendheid in afgewogen en krachtige woorden, die door de diepte van zijn medelijden nog authentieker klonken.

Aan zijn staatssecretaris, kardinaal Angelo Sodano, gaf hij de boodschap die hij de wereld in moest sturen: dat hij met afschuw de 'onmenselijke terroristische aanvallen' had gezien, dat hij bad voor de slachtoffers en alle Amerikanen in wat hij 'deze duistere en tragische tijden' noemde.

Later stuurde hij een telegram naar president George Bush. 'Gechoqueerd door de onuitsprekelijke gruwel van de onmenselijke terroristische aanslagen vandaag op onschuldige mensen in verschillende delen van de Verenigde Staten,' schreef Johannes Paulus, 'wil ik hierbij aan u en uw medeburgers mijn diepe verdriet uitdrukken en mijn betrokkenheid in gebed bij uw natie in deze duistere en tragische tijden.'

Op 12 september werd hij per helikopter terug naar het Vaticaan gevlogen halverwege de woensdagochtend om het publiek op het Sint-Pietersplein toe te spreken, waarbij hij de bezoekers vroeg niet te applaudisseren en stil te bidden. Hij zei tot de menigte dat hij diep verontrust was door deze 'zwarte dag in de geschiedenis van de mensheid, dit verschrikkelijk affront voor de menselijke waardigheid'. Voortbordurend op dit thema zei hij dat 'het menselijk hart diepten kent waar soms plannen ontstaan van een ongekende wreedheid, die de macht hebben om met een vingerknip het normale dagelijkse leven van een volk te vernietigen'. Maar 'het geloof biedt hulp in deze tijden als woorden tekortschieten'. Hij zei verder:

> Het woord van Christus is het enige dat antwoord kan geven op de vragen die ons vanbinnen kwellen. Zelfs als duistere machten lijken te winnen, weten degenen die in God geloven dat het kwaad en de dood niet het laatste woord hebben. De christelijke hoop is op deze waarheid gebaseerd. In deze tijden put ons vrome vertrouwen daar kracht uit.

Zijn laatste gebed was voor de 'leiders van naties, dat zij zich niet laten verteren door haat en wraakzucht'.

Monseigneur Sotto Voce vertelde me later dat in Vaticaanse kringen werd gevreesd dat de Sint-Pieterskerk het volgende doelwit zou zijn, omdat Johannes Paulus zou worden beschouwd als de kapelaan van de westerse wereld – wat hij, uiteraard, niet was. Het gerucht ging zelfs dat er binnen een paar maanden een aanval dreigde. Bij tijd en wijle verbood de Italiaanse overheid vliegtuigen over Vaticaanstad te vliegen.

Ondertussen vierde Johannes Paulus, zoals al was gepland, zijn eerste openbare zondagsmis in het bergplaatsje Frosinone, zo'n zestig kilometer ten zuidoosten van Rome. Ongeveer veertigduizend mensen bezochten deze mis in de buitenlucht, aan wie hij vertelde dat hij 'diepbedroefd' was. Zich wendend tot Maria, wat zijn gewoonte was in tijden van crisis, zei hij: 'Moge de Maagd Maria allen helpen niet toe te geven aan de verleiding van haat en geweld, maar zich te wijden aan rechtvaardigheid en vrede.'

In Rome werd door het daarvoor geëigende kanaal, de Vaticaanse Raad voor Interreligieuze Dialoog, opgemerkt dat moslimleiders op het hoogste niveau in Pakistan, Libanon, Afghanistan en de Palestijnse Autoriteit hun condoleances naar de Amerikaanse president hadden gestuurd, maar dat 'niet iedereen zich veroordelend heeft uitgesproken. Sommigen zijn verheugd om deze aanslag op Amerika, al lijkt de algehele stemming er een van walging te zijn.' De verklaring, die uitermate *ufficiale* was, leek zowel te zijn ingegeven om aanvallen en dreigementen tegen bepaalde islamitische landen te ontmoedigen, Arafat in het bijzonder, als om diegenen te berispen die geen medelijden hadden getoond.

Er werden nog twee conclusies getrokken op het eind van dat eerste weekend, duidelijk *ufficiale*, namelijk dat volgens de paus de wereld te maken had met een onderstroom die vroeg om een diepgaande analyse en oplossingen voor de lange termijn. Kardinaal Walter Kasper, de nieuwe voorzitter van de Raad voor de Christelijke Eenheid, droeg de mis op in de Santa Maria in Trastevere; ten overstaan van de Sant'Egidio-gemeenschap, die door de paus belast is met de vredestaak, zei hij dat 'we moeten zoeken naar de dieper liggende oorzaken van deze ramp'. Voor christenen, zei hij, kan het 'antwoord niet simpelweg een kwestie zijn van het leger of van voorzorgs- en beveiligingsmaatregelen. Het christelijke antwoord moet een intensieve en betrokken dialoog zijn tussen culturen en godsdiensten, en deze dialoog moet geïnspireerd zijn en worden geleid door een dialoog met God, die als enige wonden kan helen en mensen verzoenen.'

Op Radio Vaticana zei kardinaal Roberto Tucci, de organisator van buitenlandse pausreizen, dat 'het gevaar nu was dat we geen duidelijk gedefinieerde doelstellingen kunnen formuleren'. Hij zei dat het verkeerd zou zijn 'hele bevolkingen aan te vallen, alleen omdat moslimextremisten zich onder hen bevinden'. Het was duidelijk dat Johannes Paulus en enkele van zijn gelijkgestemde medewerkers vreesden dat de wereld een bloedbad ging worden, en Johannes Paulus bereidde zich voor om zich hard op te stellen tegen militair ingrijpen.

Tucci was verantwoordelijk voor het aanstaande pausbezoek aan Kazachstan, de voormalige Centraal-Aziatische sovjetrepubliek, een bezoek dat maanden eerder al was gepland en de zaterdag daarop zou beginnen. Zowel in het Vaticaan als in Kazachstan klonk luid de roep om annulering van de reis, maar daar wilde Johannes Paulus niet van horen. Johannes Paulus zag zijn reis, tussen Bush' oorlogsverklaring aan het terrorisme in het Congres en de verwachte militaire actie in, als een uitgelezen kans gehoord en gezien te worden – actief en betrokken bij de wereld. Bovendien zou het bezoek hem iets dichter brengen bij een van zijn laatste grote wensen voor zijn pontificaat – een bezoek aan Rusland. Kazachstan was al sinds de tsarentijd door de Russen gebruikt als verbanningsoord; er woonden Polen, Duitsers en Oekraïners die in de jaren dertig en veertig van de vorige eeuw door Stalin waren gedeporteerd, maar ook moslims. Nu dreigde Kazachstan gedestabiliseerd te raken door in Afghanistan opgeleide moslimterroristen, die het jaar daarvoor al twee zuiderburen hadden aangevallen, Oezbekistan en Kirgizië. De meeste Kazachen, 44 procent van de zestien miljoen inwoners in totaal, zijn soennitische moslims, terwijl de meeste van de 36 procent Russen Russisch-orthodox zijn. In het voorgaande decennium waren missionarissen van verschillende godsdiensten en overtuigingen, onder wie evangelische protestanten, naar het land gevlogen voor evangelisatie. Als gevolg daarvan probeerde de overheid een wetswijziging door te voeren aangaande de vrijheid van godsdienst en 'niet-traditionele' godsdiensten te verbieden – het katholicisme mogelijk ook. Een paar dagen voor het pausbezoek werd de maatregel ingetrokken.

Tijdens de zes uur durende vlucht vanuit Rome zat Johannes Paulus meestentijds de Congresspeech van Bush en zijn verklaring van een langdurige oorlog tegen het terrorisme te bestuderen. Daarna schreef hij een toevoeging aan de preek die hij voor de volgende dag had voorbereid. Op het vliegveld werd hij door president Noersoeltan Nazarbajev onthaald, die zijn dankbaarheid voor de komst van de paus betuigde 'ondanks de uiterst zorgwekkende toestand van de wereld'. Hij zei dat door deze tragedie een 'kloof en confrontatie' dreigde 'tussen beschavingen en godsdiensten'.

De volgende dag celebreerde Johannes Paulus op het Plein van het Vaderland in de hoofdstad Astana de mis, tegen de felblauwe achtergrond van de traditionele tent waarin de nomadische inwoners van Kazachstan vroeger leefden. Hij begon in het Russisch met de woorden: 'Ik ken jullie geschiedenis. Ik ken het lijden dat velen onder jullie hebben doorstaan toen het voormalige regime jullie land en oorsprong afnam en jullie deporteerde naar een situatie van ellende en ontberingen.' Toen schakelde hij over op het Engels en zei dat religie nooit ten grondslag mag liggen aan een conflict.

Gedurende de rest van zijn bezoek legde hij herhaaldelijk de nadruk op het respect dat de katholieke Kerk heeft voor de echte islam, 'de islam die bidt en zich bekommert om hen in nood'. Ook wees Johannes Paulus weer op het belang van een geweldloos antwoord op deze aanvallen. De avond voor zijn vertrek uit Astana naar Armenië echter, toen de geruchten toenamen over mogelijke Amerikaanse aanvallen op trainingskampen en mogelijke schuilplaatsen van Osama bin Laden in Afghanistan, werden er verwarrende *ufficiose* signalen vanuit het pauselijk gezelschap uitgezonden. Tijdens de vlucht vanuit Kazachstan vertelde de pauselijke woordvoerder Navarro-Valls de Rome-correspondent van Reuters dat de paus het kon begrijpen als de Verenigde Staten overgingen tot geweld om Amerikaanse burgers te beschermen tegen toekomstige aanvallen. Dit was in tegenspraak met de pauselijke roep om een vreedzame oplossing, en ook met de *ufficiale* opmerkingen van Kasper en Tucci in dat weekend. Toen Navarro-Valls er later naar werd gevraagd, weigerde hij toe te geven dat er sprake was geweest van een contradictie. Hij ontweek verdere vragen met het antwoord: 'Ik herhaalde alleen maar wat er over rechtvaardige oorlogen wordt gezegd in de katholieke sociale leer.'

Het debat over wat Johannes Paulus zei over een rechtvaardige oorlog, en wat anderen vonden dat hij zou moeten zeggen, was nog maar net begonnen.

Op zondag 7 oktober, een week nadat Johannes Paulus naar het Vaticaan was teruggekeerd, lanceerden de Verenigde Staten en Groot-Brittannië het aanvalsplan 'Enduring Freedom' op militaire doelen van de Taliban in Afghanistan, met gebruikmaking van Tomahawkraketten en langeafstandsbommenwerpers. Om zes uur 's avonds (Nederlandse tijd) sprak de president het Amerikaanse volk toe en bevestigde hij dat Britse troepen de Amerikaanse militaire actie zouden ondersteunen. In de voorafgaande weken had zich een indrukwekkende vloot van vliegdekschepen, onderzeeërs en andere vaartuigen verzameld in de Indische Oceaan, en verschillende landen in het Middellandse-Zeegebied en het Midden-Oosten hadden hun vliegvelden en havens ter beschikking gesteld. De Italiaanse premier Silvio Berlusconi was een onwankelbare voorstander van de oorlog tegen het terrorisme en had Italiaanse troepen beloofd. Het Italiaanse volk was meteen verdeeld over de kwestie en ging de straat op om te demonstreren, hoewel hierbij zij opgemerkt dat Berlusconi ongeveer negentig procent van de Italiaanse media onder controle had.

Er laaide een debat op over de oorlog, zowel binnen het Vaticaan als onder verschillende individuen daarbuiten die meenden dat ze het gezag hadden, of de toestemming om de gedachten van Johannes Paulus over deze kwestie te interpreteren. De Vaticaanse minister van Buitenlandse Zaken aartsbisschop Jean-Louis Tauran zei in een interview met de Franse katholieke krant *La Croix*: 'We erkennen allemaal dat de Amerikaanse regering het recht heeft op zelfverdediging, omdat het haar taak is de veiligheid van haar burgers te garanderen.' Ondertussen waren de opmerkingen van Navarro-Valls in het vliegtuig vanuit Kazachstan door CNN al geïnterpreteerd als een pauselijke zegen op de luchtaanvallen op Afghanistan. Gezien het bereik van CNN, vooral in het Midden-Oosten en Azië, was dit niet minder dan een ramp. Had Navarro-Valls ook zo aanmatigend kunnen zijn als Johannes Paulus jonger en scherper was geweest? Net als Navarro-Valls had Tauran zijn uitspraak verdedigd met een beroep op de katholieke sociale leer. Zoals velen zouden doen in de komende maanden, herhaalde hij het belang van 'welomschreven doelen', 'de bescherming van onschuldige mensen', 'evenredigheid'. Ook noemde hij de noodzaak van een akkoord in het Midden-Oosten. Maar het hoofd van de Duitse Bisschoppenconferentie Karl Lehmann (die het jaar daarvoor het aftreden van de paus had aangeroerd) zei daarop, alsof hij Tauran op de vingers wilde tikken, dat hij niet wilde horen over 'rechtvaardige oorlogen', maar over 'een rechtvaardige vrede'.

Even resoluut daarentegen pleitte pausbiograaf George Weigel voor militaire actie in een interview dat hij gaf aan het in Rome gebaseerde persbureau Zenit. Hij was inmiddels de zelfbenoemde explicateur geworden van de pauselijke geest en soms ook, net als Michael Novak en Richard John Neuhaus, een zelfbenoemde souffleur die pauselijke hiaten en onafgemaakte zinnen aanvulde. Hij geloofde, zei hij, dat de aanslagen op 11 september oorlogshandelingen waren en niet gewoon misdadige acties. Hij zei dat de aanslagen 'niet juist beoordeeld kunnen worden binnen het strafrecht', omdat het duidelijk was dat ze gericht waren op vernietiging van de Amerikaanse regering. 'Ik ben ervan overtuigd,' vervolgde hij, 'dat militair ingrijpen om aanvallen te voorkomen, moreel gesproken legitiem is volgens de principes van de rechtvaardige oorlog.' Net als zijn collega's Novak en Neuhaus was Weigel duidelijk meer dan louter de verslaggever van de pauselijke geest, maar een heuse katholieke opinieleider geworden, een rol die hij in de daaropvolgende maanden en jaren trouw zou blijven vervullen als het om de oorlogskwestie en de katholieke Kerk ging.

Diezelfde dag echter merkte aartsbisschop Olorunfemi Onaijekan, de voorzitter van de Nigeriaanse Bisschoppenconferentie, op dat men van de kosten van één kruisraket die men op dat moment naar Afghanistan stuurde, twintig ziekenhuizen in Nigeria zou kunnen bouwen. Hij sprak van de woede en wanhoop die door armoede en onderdrukking worden gevoed, waardoor er 'altijd wel een zelfmoordpiloot te vinden is die denkt: ik heb toch niks te verliezen.' Hij zei verder dat 'het bouwen van tientallen ziekenhuizen in Afghanistan' een effectievere methode zou zijn om Osama bin Laden te traceren en gevangen te nemen 'dan het droppen van honderden bommen in de woestijn'.

De officiële positie van de katholieke Kerk in de ogen van de wereld, vooral van de islamitische wereld, was van urgent en voortdurend belang. In die week overvielen vier gemaskerde en gewapende overvallers de katholieke kerk Saint Dominic in de Pakistaanse plaats Bahawalpur en openden het vuur, waarbij achttien mensen om het leven kwamen en velen gewond raakten terwijl ze in gebed waren. Acht van de slachtoffers waren vrouwen en kinderen. De gelovigen in de kerk vormden een groep christenen van verschillende denominaties. Een Pakistaanse katholieke missionarispriester zei in een interview dat christenen zich al hadden voorbereid op een wraakactie tegen de bombardementen in Afghanistan. Hij zei dat de aanslag voor 'Pakistaanse christenen de ergste nachtmerrie is die maar kan uitkomen'.

Ondertussen werden er in de straten van Rome, buiten de grenzen van Vaticaanstad, rivaliserende demonstraties voor en tegen de oorlog gehouden. Op een bijeenkomst ter ondersteuning van de Amerikaanse militaire acties spraken Sophia Loren, Luciano Pavarotti en de burgemeester van New York Rudolph Giuliani via een videoverbinding met het Italiaanse volk. De Italiaanse tenor Andrea Bocelli zong live op het podium en Silvio Berlusconi hield zwaaiend met de Amerikaanse vlag een emotionele slotrede vóór militair ingrijpen.

In de laatste week van oktober kwam het bericht dat Osama bin Laden Italië beschouwde als vijand van islamitische landen, waarna de geruchten over een mogelijke aanslag op de Sint-Pieterskerk toenamen. Bij de ingangen tot het Sint-Pietersplein werden metaaldetectors geplaatst, en de grote groepen pelgrims werden door de opvallend aanwezige politie geïnspecteerd. Officiële Vaticaanse bronnen bevestigden bovendien dat Johannes Paulus een vriend was van het Palestijnse volk, en van Yasser Arafat in het bijzonder, en dat hij de Amerikaanse Golfoorlog tegen Irak destijds sterk had bekritiseerd. Sinds die verwarrende signalen, voornamelijk van anderen, aan het eind van zijn bezoek aan Kazachstan, had Johannes Paulus zich niet meer over deze kwestie uitgelaten, op het herhaaldelijke verzoek aan de gelovigen na de rozenkrans te bidden – de boodschap van Onze Lieve Vrouwe van Fátima.

Vreemd was echter dat het vredesprotest en de vredesdemonstraties zo veel onheilige heisa konden veroorzaken; zelfs de paus raakte erbij betrokken.

Johannes Paulus' eigen krant *Osservatore Romano* raakte begin oktober verwikkeld in een ruzietje over een meer dan twintig kilometer lange vredesmars van Perugia naar Assisi, waaraan een kwart miljoen demonstranten deelnamen. Deze mars, die jaarlijks wordt gehouden, vond voor het eerst plaats in de herfst van 1961 naar aanleiding van de Cubaanse rakettencrisis en trok een allegaartje van politieke en religieuze groeperingen aan die doorgaans niets van elkaar moesten hebben. Aan de mars in 2001 deden franciscaner broeders mee, de Latijns Patriarch van Jeruzalem en verschillende groeperingen voor vrede en rechtvaardigheid. De *Osservatore* bestempelde de mars als een 'onwaardig spektakel', omdat er ook deelnemers bij aanwezig waren die de aanvallen op Afghanistan verdedigden. De krant stelde dat de resulterende scheldpartijen en ruzies onder de deelnemers aan 'blasfemie' grensden. Jongeren van de Katholieke Actie hadden de mars vol walging geboycot en hun eigen protestdemonstraties georganiseerd op meer dan honderd verschillende marktpleinen in Italië. Ondertussen leidde Johannes Paulus een rozenkransgroep in de San Giovanni in Laterano samen met de bisschoppen die voor de synode in Rome waren, waarna er een gezamenlijk gebed plaatsvond met joodse, islamitische en christelijke vertegenwoordigers, en verschillende Italiaanse politieke leiders en ambassadeurs. Deze gebeurtenis werd ongekend zwaar beveiligd door leger en politie.

De initiatieven van Johannes Paulus om oecumenische gebedsontmoetingen aan te moedigen, wekte echter een aantal sterke xenofobische sentimenten in geestelijke en bestuurlijke Italiaanse kringen, waarbij werd gesuggereerd dat de mislukking van Johannes Paulus om een voorbeeld te stellen als interreligieuze leider (het debacle van *Dominus Jesus* bijvoorbeeld) had geleid tot voorspelbare gevolgen in deze tijden van crisis. Toen Johannes Paulus de wereld opriep te vasten voor vrede aan het begin van de islamitische ramadanmaand, deden onder leiding van de aartsbisschop van Milaan Carlo Maria Martini vele niet-katholieken in Italië daar enthousiast aan mee, onder wie communisten en boeddhisten. Maar een groep reactionaire katholieke bisschoppen tekende onmiddellijk heftige bezwaren aan. Bisschop Alessandro Maggiolini van Como bijvoorbeeld liet het Italiaanse publiek weten dat een katholiek hier beter niet aan mee kon doen, 'want mijn geloof is het ware; de islam niet'. Wat min of meer dezelfde boodschap was als van het document *Dominus Jesus* dat Johannes Paulus onlangs nog publiekelijk had goedgekeurd. Silvio Berlusconi, die in de hitte van de 11-septembercrisis had verklaard dat de islam een achterlijke cultuur was vergeleken bij het christendom, had een zekere pater Gianni Baget Bozzo, zijn persoonlijke religieuze raadsman, achter zich, die het woord voor hem voerde. 'Het gevaar is dat mensen in verwarring raken met een andere god,' meende hij, 'die niet de God van Jezus Christus is.'

Aan het einde van de herfst kwam Johannes Paulus zelf nog onder vuur te liggen wegens een fonds dat het Vaticaan had ingesteld voor slachtoffers van terreur. De Comboni-missionarissen klaagden in hun tijdschrift *Nigrizia* dat de paus de liefdadigheidscontributies liet beheren door de Banca di Roma, terwijl algemeen bekend was dat deze bank een belangrijke financier was van de wapenhandel.

Geen wonder dat Johannes Paulus zich in die weken steeds discreter uitliet over de crisis en de militaire acties en steeds droeviger en apocalyptischer werd. Tijdens een openluchtmis op de Piazza di Spagna zei hij: 'Dikke wolken pakken zich samen aan de horizon van de wereld. De mensheid, die met hoop het derde millennium inging, gaat nu gebukt onder de dreiging van nieuwe, beangstigende conflicten. De wereldvrede staat op het spel.' Tijdens een andere mis zei hij dat de wereld het nieuwe millennium met de hoop op vrede was ingegaan, maar dat de gebeurtenissen van 11 september 'dit gekoesterde ideaal genadeloos hebben verpletterd'. Een vurig gekoesterde wens van hem was dat er vrede kwam in het Heilige Land. Hij was met name aangeslagen door de recente berichten over gevechten rondom de heilige plaatsen in Israël en de Palestijnse gebieden.

Verwijzend naar het voorbeeld dat hij had gegeven in de Sint-Pieter toen hij om vergeving had gevraagd voor alle zonden die de Kerk door de eeuwen heen had begaan, eindigde Johannes Paulus het *annus horribilis* 2001 in de overtuiging dat vergeving het enige antwoord was. In een document van zestien pagina's dat als een vredesboodschap de wereld in werd gestuurd, betoogde Johannes Paulus met klem dat hoewel zelfverdediging gerechtvaardigd is, vergeving 'altijd ogenschijnlijk verlies op de korte termijn betekent omwille van echte winst op de lange termijn. Bij geweld ligt dat precies andersom. Terwijl geweld kiest voor duidelijke winst op de korte termijn, resulteert het in een feitelijk en permanent verlies.' Johannes Paulus leek, zoals hij zelf al had gezegd in Frosinone in de week van 11 september, 'diepbedroefd'. Bovendien leek zijn gezondheid een dieptepunt te hebben bereikt. Zijn boodschap maakte echter een onrealistische indruk tegen de achtergrond van de snelle militaire successen in Afghanistan; het was een boodschap van een oude man wiens ogen gericht waren op de wereld van het hiernamaals, niet de hedendaagse. Want wie dacht nu werkelijk dat officiële vergeving van Osama bin Laden een einde zou maken aan de onvoorspelbare massamoordterreur zoals die in New York had plaatsgevonden? Maar voor de paus was de ellende in dit nieuwe millennium nog maar net begonnen. Hij zou te maken krijgen met een ander soort zonde, begaan door de zonen van de Kerk, die zijn beleid van vergevingsgezindheid tot het uiterste toe zou rekken.

28
Klerikale seksschandalen

Terwijl de Kerk het nieuwe millennium inging, die spirituele lente waarnaar Johannes Paulus zo had uitgekeken, waren paus en Kerk voortdurend in conflict over maar één kwestie: de schandalen omtrent pederastische priesters. De analyse en het beheer van deze crisis door Johannes Paulus, zijn naaste medewerkers en zijn curiebeambten vormden een van de grootste problemen in zijn pontificaat.

Het is belangrijk allereerst op te merken dat het in de meeste gevallen van seksueel misbruik door priesters ging om tienerjongens aan het begin of vlak na de puberteit, en niet om jonge kinderen. Op basis hiervan concludeert een aantal conservatieve katholieke commentatoren dat de crisis voortkomt uit homoseksualiteit onder priesters. Volgens vele deskundigen ligt de oorzaak van het probleem echter in de persoonlijke en seksuele onrijpheid van de dader. Misbruik door priesters draait in de eerste plaats en onveranderlijk om ongelijke machtsverhoudingen en pas dan om seksuele genotzucht. Het probleem heeft ook te maken met de slapheid van de bisschoppen en de verzwakking van de lokale Kerk, waarvoor Johannes Paulus in aanzienlijke mate verantwoordelijk kan worden gesteld.

Alle aandacht ging uit naar de Verenigde Staten, hoewel het probleem ook elders voorkwam. Zes of zeven jaar daarvoor waren er in Groot-Brittannië ongeveer 120 priesters verdacht van seksuele aanranding van minderjarigen, waarbij 21 veroordelingen vielen; in dezelfde periode waren in Frankrijk ongeveer 20 priesters veroordeeld wegens verkrachting en misbruik van kinderen; in het katholieke Ierland werden zo'n 150 priesters voor hetzelfde veroordeeld en er waren ook gevallen in Italië, Oostenrijk,

Spanje, Mexico, Australië, Canada en Afrikaanse landen.

De hoogste niveaus werden beschuldigd en aansprakelijk gesteld. In België werd de onverzettelijke, progressieve, door velen als papabile beschouwde kardinaal Godfried Danneels in de rechtszaal berispt omdat hij het seksueel misbruik van priesters onder zijn jurisdictie te luchtig had opgevat. Wijlen Hans Hermann Groër, de voormalige kardinaal-aartsbisschop van Wenen, voorheen een benedictijner abt, werd beschuldigd van seksueel misbruik van jonge novicen. In 1995 beweerde een ex-monnikstudent dat Groër hem een paar jaar daarvoor had misbruikt. In 1995 wilde bisschop Johan Weber van Oostenrijk een onderzoekscommissie naar het handelen van Groër instellen, omdat het schandaal de Oostenrijkse Kerk in een van haar diepste crises sinds de Tweede Wereldoorlog had gestort, maar de paus weigerde zijn goedkeuring. In 2001 wilde Weber vervroegd aftreden, wat de paus onmiddellijk toestond. In Honduras is Rodríguez Maradiaga, de jongste kardinaal ter wereld en tevens gedoodverfd pausopvolger, ervan beschuldigd dat hij een pederastische priester heeft overgeplaatst naar een parochie in het buitenland om hem te laten ontsnappen aan een veroordeling.

Maar het meest verontrustend was de situatie in de Verenigde Staten. In de eerste maanden van het jaar 2000 werd de katholieke Kerk in Amerika door het Federale Hof vervolgd als een criminele organisatie. Een van de zeven misbruikte ex-seminaristen van het bisschoppelijk seminarium in Palm Beach, Florida, was een rechtszaak begonnen tegen de katholieke Kerk in Amerika op basis van wetgeving ter bestrijding van de maffia. De RICO-wet (*Racketeer-Influenced and Corrupt Organizations*) bestrijdt groeperingen en instellingen die een 'patroon' van illegaal gedrag vertonen. De voormalige seminarist beweerde dat de katholieke Kerk zo'n soort organisatie was, en dat alle bisschoppen deel uitmaakten van een samenzwering.

Het was een moeilijke vastentijd voor katholiek Boston in 2002, een stad die al meer dan honderdvijftig jaar loyale steun betuigt aan de Heilige Stoel. De in katholiek Boston wonende schrijver James Keenan leverde het volgende commentaar: 'De schandalen zijn zo ernstig dat iedereen het boetekleed kan aantrekken. Als vasten een gezamenlijk gevoel van ootmoed cultiveert, dan is dit de vruchtbaarste vastentijd in mijn vijftig jaar; geen andere stemming treft beter wat wij katholieken vinden van onze Kerk en haar leiders in deze walgelijke en schandelijke tragedie.' Er ging zelden een dag voorbij in die vastenperiode of ergens in de Verenigde Staten werd een priester uit het ambt gezet. Meer dan 55 priesters waren er sinds nieuwjaar ontslagen. De schadevergoedingen waren opgelopen tot vijfhonderd miljoen dollar, en alleen in Boston waren 89 priesters veroordeeld. Nu startte men in het ene na het andere bisdom een onderzoek, waarbij telkens weer aan het licht kwam dat bisschoppen, geschat werd vijftig procent in totaal, systematisch hadden gezwegen over het pederastische misbruik van hun priesters. Keenan herinnerde zich dat hij, terwijl hij bezig was aan een artikel voor een katholiek weekblad, drie nieuwe berichten op de radio hoorde over een bisschop in een ander bisdom, een eminente priester in Boston en een plaatselijke priester. In de *New York Times* van 20 maart vatte men de ramp zo samen: 'De berichten die naar buiten zijn gekomen over het seksueel misbruik binnen de rooms-katholieke Kerk, zijn afschuwelijk: misdienaars die door priesters naar bed worden gelokt; kinderen, aan de zorg van de Kerk toevertrouwd, die gedwongen worden tot orale seks.'

Men was vooral geschrokken van de omvang van de crisis, meer dan van het feit zelf. Seksueel pederastisch misbruik door priesters is geen onbekend verschijnsel in de lange geschiedenis van de Kerk, noch in de vroege, noch in de moderne kerkgeschiedenis. Karen Liebreich onthulde in haar wetenschappelijke studie *Fallen order* hoe routinematig piaristen, leden van een congregatie die zich wijdt aan onderwijs aan arme kinderen, zich in de zeventiende eeuw schuldig maakten aan seksueel misbruik van kinderen. Ook onthulde zij hoe José de Calasanz, de stichter van de orde der piaristen die later heilig werd verklaard, van het schandaal op de hoogte was en geprobeerd had het te verbergen. Ook pausen bleven niet buiten schot. Haar studie toont aan dat paus Innocentius X een onverbeterlijke pederast had benoemd om de leiding van de orde over te nemen. In de daaropvolgende periode van de Contrareformatie, toen priesters zichzelf nog meer discipline moesten opleggen, laat het schandaal van de piaristenorde een nauwelijks te geloven wildgroei zien van corruptie en misbruik. De grootste schurk was Stefano Cherubini, hoofd van een piaristenschool in Napels, die dreigde de orde op te heffen als de beschuldigingen tegen hem van seksueel misbruik bekend werden gemaakt. We zien de heilige stichter van de piaristenorde een brief schrijven aan een collega, waarin hij hem adviseert 'zijn grote schande verborgen te houden zodat onze superieuren er geen lucht van krijgen'.

Pederastische praktijken van priesters waren ook al bekend uit de middeleeuwse geschiedenis van de Kerk. In het jaar 1050 zou de latere heilige Petrus Damiani een verslag sturen naar paus Leo IX over de wijdverbreide praktijk van klerikale pederastie, waarin hij niet alleen de beoefenaren ervan hekelde maar ook de 'superieuren die omkeken' en volgens hem 'medeschuldig' waren. In de elfde eeuw reageerden de paus en de Kerk verontwaardigd op deze regelrechte kritiek.

Als klerikaal misbruik in golven komt, dan was het Vaticaan al in september 1982 gewaarschuwd voor wat er in het verschiet lag toen een geval in Lafayette, Louisiana, gerapporteerd werd aan de Vaticaanse Congregatie voor de Clerus (die onder andere verantwoordelijk is voor disciplinering van de clerus). Een pater, Gilbert Gauthe, werd door een jury veroordeeld voor 34 gevallen van seksueel misbruik waarbij negen jongens waren betrokken; één aanklacht betrof verkrachting, waarvoor de doodstraf wordt gegeven in die staat. De bisschoppelijke advocaten maakten zich op voor een schadevergoeding van vier miljoen dollar, maar dergelijke schikkingsbedragen voor misdaden zouden helaas al snel ontoereikend blijken; in 1986 moest hetzelfde bisdom een schikking van zeshonderdduizend dollar uitbetalen aan de familie van een jongen die ooit was aangerand door een oudere seminarist. Er waren dan ook verzwarende omstandigheden: het gebeurde op Goede Vrijdag, en de seminarist had zijn slachtoffer eerst sterke drank gevoerd om hem gewilliger te maken. Maar het bijzondere, zelfs alarmerende in de zaak-Gauthe was dat de naam van paus Johannes Paulus II voorkwam op de lijst van de verdediging van mensen die niet aansprakelijk of schuldig konden worden geacht. Dit bleek eerder een canonieke dan freudiaanse verspreking. Al snel werd de naam van de paus geschrapt. Maar de principiële en misschien ook wel juridische vraag bleef: tot op welke hoogte kon men Johannes Paulus II hiervoor verantwoordelijk stellen?

Het nieuws over een veel grootschaliger schandaal, na het geval-Gauthe, en dat zou leiden tot een complete crisis, zou pas jaren later aan het daglicht komen. En toen dat gebeurde, kon het niemand waar ter wereld ook die wel eens een krant openslaat of naar het nieuws kijkt, zijn ontgaan. Een aspect van de crisis dat het lekendom en uiteraard ook de Heilige Stoel al in een vroeg stadium zorgen baarde, was de oplopende financiële aansprakelijkheid. Het voeren van juridische processen in de Verenigde Staten was niet zozeer een kwestie van strafrechtelijke vervolging, maar van gerechtelijk vervolgbare benadeling, waarbij het draait om de financiële aansprakelijkheid van organisaties die een bepaalde plicht of zorg aan klanten en werknemers hebben nagelaten. Toen de Kerk met astronomische schadevergoedingen werd geconfronteerd, begonnen gelovigen zich af te vragen wat voor zin het had om schenkingen aan het bisdom te doen wanneer het geld niet besteed werd aan scholen en ziekenhuizen, maar aan schadevergoedingen voor dwalende priesters. Op het hoogtepunt van het schandaal, in april 2002, publiceerde *Bussiness Week* een opinieonderzoek van 27 maart, dat aangaf dat ongeveer tachtig procent van de katholieken overwoog om te bezuinigen op schenkingen aan de Kerk.

Pas in februari 2004 werd in de Verenigde Staten volledig zichtbaar wat er allemaal aan de hand was, toen er een breed opgezet onderzoek werd gepubliceerd door het College van Strafrecht van de John Jay-universiteit in New York. Ondertussen had de Heilige Stoel de neiging de crisis te ontkennen of af te zwakken. In 2002, toen de seriële wreedheden van de paters Geoghan, Shanley en Birmingham van Boston werden onthuld, verzekerde kardinaal Ratzinger, die elke vrijdag de problemen van de Kerk met Johannes Paulus bespreekt, ons vol zelfvertrouwen dat minder dan één procent van de priesters het doelwit was geweest van klachten (zijn gebruik van het woord 'doelwit' erkende geenszins dat er sprake was van schuld). De werkelijke cijfers, die twee jaar later in het John Jay-rapport in de openbaarheid kwamen, was dat vier procent van alle priesters in Amerikaanse parochies waarschijnlijk terecht was beschuldigd van seksueel misbruik van minderjarigen in de tweede helft van de twintigste eeuw. In het leven van iemand van 52 jaar oud die in 1950 is geboren, waren zo'n 4400 priesters in de Verenigde Staten geloofwaardig ervan beschuldigd zo'n 11.000 minderjarigen seksueel te hebben aangerand. Bijna de helft van die periode viel samen met het bestuur van Johannes Paulus II.

Later zou blijken dat tachtig procent van de slachtoffers jongens waren, meestal van dertien jaar en ouder. Tweederde van deze kinderen werd meer dan één keer aangerand. Ongeveer drie procent van de priesters misbruikte tien of meer slachtoffers. Ongeveer negentig procent van de aanrandingen waren expliciet en betroffen direct genitaal contact, in tegenstelling tot ongepast strelen of zoenen, waarbij een kwart van dat aantal penetratie betrof. De typische dader was een dertiger en bezondigde zich gemiddeld al een jaar aan seksueel misbruik. Typisch was ook dat slechts veertien procent van de gevallen die onder de aandacht waren gebracht van de bisdommen waarin de daders werkten, door de bisschoppen bij de politie waren aangegeven. En toch: de helft van de aangegeven daders werd door de politie veroordeeld. In 2002 bedroegen schadevergoedingen aan families 572 miljoen dollar en in de zomer van 2004 zouden die tot 700 miljoen oplopen. En hierbij waren de juridische kosten niet meegerekend, laat staan het verlies aan donaties.

De statistieken zouden een steil stijgende lijn van aantallen gevallen vertonen die halverwege de jaren zestig begon en halverwege de jaren tachtig begon te dalen, hoewel het misbruik de hele jaren negentig bleef voortduren, wat een verband suggereert met het tijdperk na Vaticanum II en inderdaad ook met de Kerk van Johannes Paulus II, die kennelijk een gunstige omgeving creëerde voor klerikaal misbruik van minderjarigen. In diezelfde periode verlieten zo'n honderdduizend priesters (twintigduizend in de Verenigde Staten) en tweehonderdduizend nonnen de Kerk. Tegelijk begon het erop te lijken dat de seminaries volliepen met homoseksuele mannen. Donald B. Cozzens, een voormalige rector van een Amerikaans seminarie, schreef in 2002 (in *The changing face of the priesthood*) dat op sommige seminaries in de Verenigde Staten wel driekwart van de populatie homoseksueel was. In januari 2000 bovendien suggereerde onderzoek dat werd uitgevoerd en gepubliceerd door de *Kansas City Star*, dat de doodsoorzaak aids onder katholieke priesters naar verhouding minstens viermaal zo vaak voorkwam als onder de doorsneebevolking. Het Vaticaan onthield zich van commentaar, maar bisschop Raymond Boland van Kansas City-St. Joseph zei: 'Hoe vervelend we het ook vinden, het toont aan dat de menselijke aard menselijk van aard is.'

Er brak een mediarel los die alles nog erger maakte door gebrek aan tijdsbepalingen, doordat er geen onderscheid werd gemaakt tussen slachtoffers onder kinderen en tieners, of tussen verdachtmakingen en werkelijke veroordelingen en doordat verslaggeving en commentaar tot een explosief mengsel door elkaar werden gehutseld. De rel mondde uit in iets wat erger was dan de ranzige en uitgebreide feiten van het schandaal zelf. Zoals Peter Steinfels van de *New York Times* opmerkte, leefde men zich 'ongehinderd door feiten' uit in 'totale vervreemding van de Kerk' en in allerlei plannen voor hervormingen. Zowel progressieve als conservatieve katholieken gooiden verwijten naar elkaar in een poging het kerkpubliek ervan te overtuigen dat de schuld aan de andere zijde in de Kerk lag. De conservatieven gaven de schuld aan het tijdperk van na Vaticanum II, aan de vrijblijvendheid, het hedonisme, de algehele normvervaging en de infiltratie van homoseksuelen in het priesterdom. Het vooruitstrevende of progressieve kamp beweerde dat de besluiten van Vaticanum II niet waren uitgevoerd; dat een autoritaire en uiterst gecentraliseerde Heilige Stoel de bisschoppen en leken onrijp en onverantwoordelijk had gemaakt, wat volgens hen tot gevolg had dat een hele generatie clerici met een ontwikkelingsstoornis kansen kreeg aangeboden in een tijd waarin vrijheid blijheid in de hele maatschappij gemeengoed was.

Maar wat dacht Johannes Paulus?

Terwijl het mediakoor in de eerste maanden van de crisis in Boston aanzwol en het ontslag werd geëist van kardinaal Bernard Law omdat hij de daders had gedekt, mocht kardinaal Law van Johannes Paulus geen ontslag nemen en moest hij op zijn post blijven. Vervolgens nam Johannes Paulus op het hoogtepunt van de mediarel in Boston in de eerste maanden van 2002 de gelegenheid te baat om in zijn jaarlijkse brief aan de priesters op Witte Donderdag zijn visie te geven op de crisis. De brief zou overal ter wereld worden voorgelezen tijdens de eucharistieviering, wanneer de priesters naar hun plaatselijke kathedraal gaan om hun roeping voor zichzelf te bevestigen en hun wijdingsgeloften te herhalen voor hun bisschoppen. De paus schreef het volgende:

> We worden persoonlijk en diep getroffen door de zonden van sommigen van onze broeders, die de genade die zij bij hun wijding ontvingen, hebben verraden, zwichtend voor de slechtste uitingen van het *mysterium iniquitatis* dat in de wereld aan het werk is. Een verpletterende schaduw van verdenking wordt gegooid over alle verdienstelijke priesters die hun ambt eerlijk en integer uitoefenen [...]. De Kerk spreekt haar liefdevolle zorg uit aan het adres van de slachtoffers en spant zich in om in alle waarheid en billijkheid op elke penibele situatie te antwoorden.

De eerste gedachten van Johannes Paulus gingen dus niet uit naar de slachtoffers maar naar het imago van de katholieke priesters, en de gevolgen die het misbruik heeft voor 'verdienstelijke' priesters. En ook al zegt hij 'getroffen' te zijn door de zonden van sommige broeders, sprak hij hooguit zijn 'liefdevolle zorg' uit voor de slachtoffers. Hoewel het ongetwijfeld waar was dat zijn 'broeders' de genade van de wijding hadden verraden, was er geen erkenning van een ernstiger verraad: van vertrouwen, van ouders, van iedereen die hen 'eerwaarde' noemden. Als het priesterschap ergens door ontmaskerd was als maat voor individuele rijpheid, en niet als een mystieke staat die van bovenaf komt neergedaald, dan was het wel door de crisis naar aanleiding van het seksueel misbruik door priesters.

Hiermee zijn we aangekomen bij de aard van het misdrijf. Johannes Paulus noemde het seksueel misbruik van minderjarigen door priesters het 'mysterium iniquitatis' (verborgenheid der ongerechtigheid). Deze woorden uit de Vulgaat, de door de Kerk officieel erkende Latijnse bijbelvertaling, vooral en alleen uit de tweede brief van de apostel Paulus aan de Thessalonicenzen (2:7), staan in een opvallende passage waarin gesproken wordt over het einde der tijden en de openbaring van de 'ongerechtige'. Zoals de paus in zijn vastenpreken in 1976 verwees naar een Wederkomst, zo lijkt dit hoofdstuk in zijn dreigende taal en beelden alweer te verwijzen naar de toenemende slechtheid vóór de Wederkomst. 'Want de verborgenheid der ongerechtigheid wordt reeds gewerkt; alleen, Die hem nu weerhoudt, *Die zal hem weerhouden*, totdat hij uit het midden zal *weggedaan* worden. En alsdan zal de ongerechtigheid, die de Heere verdelgen zal door de Geest Zijns monds, en te niet maken door de verschijning Zijner toekomst.' De vaagheid van deze passage is niet te wijten aan de vertaling.

De omschrijving van seksueel misbruik door priesters in de termen van een geserreerde apocalyptische passage in een brief van Paulus diende alleen om op een beledigende manier de misdaden te versluieren die waren begaan tegen jongeren en hun families, terwijl de daders en in feite de Kerk hun verantwoordelijkheid niet namen. Ook plaatste Johannes Paulus zich buiten een context van klare taal, waarin misbruik misbruik werd genoemd. Bovendien werd de indruk gewekt dat deze mannen er niet op uit waren jongeren te misbruiken en te verlagen, maar dat ze daartoe waren aangedreven door het zogenaamde 'mysterium iniquitatis' in het rijk van duistere machten, dat ruim baan had gekregen van God in afwachting van het einde der tijden. De verantwoordelijkheid werd zo gedeeltelijk verlegd van het individu naar het werk van Satan in deze wereld.

De brief werd voorgelezen tijdens een persconferentie in het perscentrum van het Vaticaan door kardinaal Darío Castrillón Hoyos, de 73-jarige Colombiaan die in 1998 tot kardinaal was benoemd en nu voorzitter was van de Congregatie voor de Clerus. De kardinaal zat vijftien minuten lang aantekeningen te maken terwijl Navarro-Valls de vragen van de aanwezige journalisten verzamelde. Toen de kardinaal eindelijk het podium besteeg, wuifde hij zeer opzettelijk alle vragen weg met een zwierig gebaar en een glimlach. Iedereen wachtte gespannen af terwijl de journalisten zich voorbereidden om de vrucht van zijn gedachten te ontvangen, die, zo had het publiek begrepen, niet alleen maar de gedachten van de kardinaal waren, maar van paus Johannes Paulus zelf – het ging om de volledige toepassing van zijn filosofische, theologische en mystieke meditaties over het probleem van het priesterlijk seksmisbruik.

'De woordkeus is interessant,' begon kardinaal Hoyos raadselachtig. Vervolgens verhoogde hij het mystiek niveau toen hij zei: 'Dit is op zich een röntgenfoto van het probleem.' Waar 'dit' naar verwees, werd niet duidelijk. Toen las hij een van tevoren opgestelde verklaring voor.

Het probleem van deze pederastencrisis, vertelde hij de verzamelde pers, was 'panseksualiteit en seksuele ongeremdheid'. Het was bekend, ging hij verder, dat drie procent van de Amerikaanse priesters pederastische 'neigingen' had, maar dat slechts 0,3 procent werkelijk pederast was (de cijfers van het John Jay-rapport uit 2004 zouden deze natte-vingerpercentages van hem en het Vaticaan naar het rijk der fabelen sturen).

Vervolgens verhief hij tot verbijstering van de pers zijn stem en richtte hij zich op al die andere seksuele daders die toevallig geen katholieke priesters waren: 'Ik zou wel eens de statistieken willen zien,' zei hij kleinzielig, 'van andere groepen en de straffen die zij hebben gekregen en de bedragen die anderen aan de slachtoffers hebben uitgekeerd.' Het was alsof hij wilde zeggen: we hebben het hier niet over pederasten; dit gaat over katholieken rammen. We horen in de media helemaal niets, impliceerde hij, over de anglicanen, de padvinderij en de Grieks-orthodoxen. En al helemaal niets over de honderden miljoenen dollars die zij hebben betaald! Dus het ging over geldzuchtige Amerikaanse advocaten, aan wie de Kerk stom genoeg exorbitante bedragen betaalde.

Hij eindigde door omstandig te verklaren dat de Kerk deze kwestie niettemin hoog opnam. 'We erkennen het probleem van seksueel misbruik onder gewijde dienaren al lang, lang voordat het voorpaginanieuws was.' De toespeling was onmiskenbaar: dat de op sensatie beluste media, en niet de 'gewijde dienaren' op het matje moesten worden geroepen. Het canoniek recht, legde hij uit op deze persconferentie, was gewijzigd, zodat een slachtoffer tien jaar na zijn achttiende verjaardag nog een zaak kon indienen. Maar hij wilde een duidelijke boodschap overbrengen. De Kerk zou doorgaan met het intern afhandelen van interne kwesties. De Kerk zou haar 'geheime canonieke normen' handhaven om een 'cultuur van verdachtmakingen' te ontwijken. Dus, hoe minder transparant het Vaticaan was, hoe minder verdenkingen er werden opgeroepen! Toen verliet hij de conferentie, zonder ook maar een van de vragen te hebben beantwoord die de correspondenten hadden gesteld.

Het is belangrijk nog even stil te staan bij de kwestie die de paus aansneed in zijn Witte Donderdagboodschap aan de priesters: de gevolgen voor de goede geestelijken. 'Een verpletterende schaduw van verdenking wordt gegooid over alle verdienstelijke priesters, die hun ambt eerlijk en integer uitoefenen.' Uiteraard zat daar een kern van waarheid in. De seksuele daders hadden het de fatsoenlijke priesters niet makkelijk gemaakt. Anderzijds, het geschonden imago van de klerikale kaste was hooguit een deel van het probleem, volgens vele progressieve commentatoren, onder wie de geduchte pater Thomas Doyle, een soort katholieke Michael Moore, die in de *Irish Times* had geschreven: 'Iets deugt er niet en die ondeugd kan niet worden weggepoetst met emotionele uitdrukkingen van persoonlijke gekwetstheid of met zelfingenomen uitingen van woede over de daders. Juist door dit soort klerikaal narcisme kon deze crisis ontstaan.'

Curiebeambten hadden de neiging zelfs in dit late stadium de schuld te geven aan homoseksuele priesters, ofwel 'homoseksualisten' zoals zij hen bij voorkeur noemden. Joaquín Navarro-Valls stelde pederastie en homoseksualiteit op één lijn toen hij over deze crisis werd ondervraagd. Hij zei: 'Mensen met dit soort neigingen,' waarmee hij homoseksuelen bedoelde, 'kunnen simpelweg niet worden gewijd.' Een vreemde opmerking, nadat uit het NBC-rapport uit 2000 was gebleken dat het percentage homoseksuele priesters in de Verenigde Staten ergens tussen de 23 en 58 procent lag. Ook opperde men dat het een typisch probleem van 'Engelstalige' landen was, waar de verwereldlijking verder was doorgeschoten dan in de Latijnse landen. Daar immers had men zijn kinderen nog lief en koesterde ze. Uiteraard werd deze visie niet gedeeld door Engelstaligen binnen de curie. In brede kring kon men in Rome niet begrijpen dat er in de Engelstalige landen, meer dan in de rest van de wereld, zo veel zaken liepen omdat het rechtssysteem in Noord-Amerika, Groot-Brittannië en het Gemenebest een gunstige voedingsbodem is voor een rigoureus en open onderzoeksproces en voor een claimcultuur.

Pausbiograaf George Weigel schreef naar aanleiding van de crisis geëmotioneerd dat 'iedereen die deze man de afgelopen 23 jaar heeft gevolgd, kan zien dat zijn hart gebroken is'. Voorts verdedigde hij de nadruk die Johannes Paulus legde op het zondige van seksueel misbruik, en niet op de criminele, sociale of psychologische aspecten ervan. Maar commentatoren als David Clohessy, directeur van het netwerk Slachtoffers Seksueel Misbruik door Priesters, betreurden juist die gerichtheid op de 'rotte appelen' en zagen liever dat de bisschoppen die de misdaden hadden weggemoffeld, werden aangeklaagd. Richard Sipe, ex-priester en psychiater die specialist op dit gebied was geworden, klaagde dat de Kerk nog steeds weigerde te kijken naar de fundamentele oorzaak van het probleem, die volgens hem gelegen was in een verstoorde ontwikkeling onder priesters door ontoereikende selectieprocedures en dito scholing op de seminaries.

Aangezien de paus in zijn 'gouden kooi', zoals Andrzej Deskur het ooit had omschreven, het wereldnieuws gefilterd tot zich kreeg, kan men zich afvragen hoe reëel het probleem er voor hem uitzag. De meeste mensen in de gewone wereld kenden wel een priester of een slachtoffer die erbij betrokken was. Inderdaad kende ook de paus persoonlijk zo'n priester. Hij heette Juliusz Paetz, emeritus aartsbisschop van Poznań in Polen, die op 28 maart door kardinaal Sodano gedwongen werd af te treden, precies een week na de Witte Donderdagbrief van de paus en op het hoogtepunt van de ramp in Boston.

Paetz, die 69 jaar was in 2004, had in de jaren negentig van de vorige eeuw deel uitgemaakt van het Poolse pauselijke huishouden. Maar sinds hij tot aartsbisschop was benoemd, lekten er verslagen naar het Vaticaan dat hij seminaristen zou misbruiken in zijn bisdom. Er gingen geruchten dat hij een ondergrondse tunnel gebruikte om zijn slachtoffers te bezoeken, een gegeven dat direct leek ontleend aan de negentiende-eeuwse fantasieën uit de roman *De zwarte non* van Maria Monk, maar in dit geval was het kennelijk waar. In november 2001 bestudeerden Vaticaanse onderzoekers de beschuldigingen en bevestigden die. Hij probeerde zichzelf vrij te spreken met de woorden: 'Niet iedereen begreep mijn authentieke openheid en spontaneïteit naar de mensen.' Vaticaankenner Robert Kaiser schreef in zijn e-mailcolumn 'Rome Diary' dat hij met een Vaticaanse ambtenaar had gesproken die twee keer door Paetz was lastiggevallen. 'Paetz,' schreef hij, 'werd uiteindelijk door de rector van zijn eigen seminarie weggestuurd omdat hij voortdurend avances maakte naar de jongemannen die daar de priesteropleiding volgden.' Kaiser vervolgt: '"En we mogen de Heilige Vader nu niets zeggen over Paetz," zei een van mijn bronnen binnen het Vaticaan. "Hij zou het nieuws niet overleven."'

Anderzijds was Johannes Paulus ongetwijfeld op de hoogte van het moeilijke parket waarin kardinaal Bernard Law uit Boston zich bevond. Law was een centrale figuur in de golf van seksschandalen die Amerika overspoelde. Hij werd ervan beschuldigd priesters die minderjarigen hadden misbruikt naar andere parochies over te plaatsen zonder de politie te verwittigen of deze pastores aan de kerkelijke discipline te onderwerpen. Met veel tegenzin accepteerde Johannes Paulus na veel gedraai in 2003 het ontslag van Law, toen de positie van de kardinaal in zijn bisdom onhoudbaar was geworden. De kardinaal trok zich terug als kapelaan van een groep nonnen in Clinton, Maryland, waar hij tot juni 2004 zou blijven, toen Johannes Paulus hem vereerde met de aanstelling als aartspriester van de Romeinse basiliek Santa Maria Maggiore. Deze functie heeft veel status en de aartspriester speelt een belangrijke rol binnen de Heilige Stoel als lid van zeven congregaties en twee raden; met andere woorden, hij speelt een rol in afdelingen die cruciaal zijn in het bestuur van de universele Kerk. Katholieken in Amerika vragen zich wellicht af waarom Law op het moment van dit schrijven (2004) in het bestuur zit van de Congregatie voor de Clerus (die onder meer de taak heeft priesters te 'disciplineren'); en ook in het bestuur van de Congregatie van de Bisschoppen (die bij machte is bisschoppen te benoemen). De bevordering tot aartspriester van de Santa Maria Maggiore viel samen met het nieuws dat er 357 parochies gesloten moesten worden onder het bewind van de nieuwe aartsbisschop van Boston, Sean O'Malley. In een commentaar in de *Boston Globe* merkte Eileen McNamarra op:

> Moest het Vaticaan nu echt ervoor kiezen om in dezelfde week de belangrijkste architect van hun ramp te installeren in de Romeinse basiliek? Afgezien van de fundamentele verdorvenheid om een van de medeplichtigen aan seriële kinderverkrachting te belonen met een pluchen zetel in de Eeuwige Stad, hoe veel duidelijker kan de rooms-katholieke Kerk haar gelovigen zeggen dat ze met twee maten meet, een voor het lekendom en een voor de clerus?

De vraag blijft: in hoeverre is Johannes Paulus, al was het maar deels, verantwoordelijk geweest voor dit schandaal? Ongetwijfeld heeft Johannes Paulus het gedrag van deze priesters diep betreurd en het zal zijn hart inderdaad gebroken hebben. Maar hij kan tot op zekere hoogte verantwoordelijk worden geacht voor de mate waarin de crisis aan het begin van de jaren tachtig zichtbaar werd en het nalaten de aard en omvang van de crisis te beoordelen en overeenkomstig te handelen. Als Johannes Paulus tijdens zijn pontificaat iets had moeten doen voor de katholieke gemeenschappen, dan was het wel aandacht schenken aan de crisis van het priesterschap en nagaan hoe die verband hield met de status en het moreel van de bisschoppen.

Al aan het begin van Johannes Paulus' pontificaat traden tienduizenden priesters uit om te trouwen. Onder Paulus VI kregen deze mannen snel dispensatie van hun priestergeloften. Niet alleen probeerde Johannes Paulus deze mannen uit te sluiten van de sacramenten door te weigeren hun dispensatie van hun priestergeloften te verlenen – een harde en meedogenloze reactie – maar ook miskende hij het duidelijke signaal dat het priesterschap overal onder zware druk stond als gevolg van culturele veranderingen in de seksuele moraal, de grote invloed van seksuele openheid in de media en de veranderde kijk op seksualiteit en sekseverschillen. In de jaren zestig en zeventig vond er een hevige botsing plaats tussen de cultuur van seksuele openheid en de traditionele disciplines binnen de klerikale kaste; en hoe meer priesters de kerk verlieten, hoe lastiger de situatie werd voor de achterblijvers – veel priesters raakten steeds meer geïsoleerd en gedemotiveerd. In deze periode weigerde Johannes Paulus te luisteren naar pleidooien vanuit de plaatselijke Kerk om het huwelijk voor priesters te overwegen en om vrouwen toe te laten tot het priesterschap. Deze pleidooien waren symptomatisch voor diepe onderstromen die bestudeerd en begrepen moesten worden, niet alleen maar onderdrukt. Ook luisterde hij niet naar de herhaalde waarschuwingen dat de priesteropleiding, die monastiek van stijl was gebleven, hopeloos verouderd was voor de wereld waarin de priester geacht werd te werken.

Johannes Paulus heeft gedurende zijn bewind een idealistisch, verheven beeld van het priesterschap vertolkt dat terugvoerde op de geest van het Concilie van Trente en op de overtuiging dat er een bijzondere genade en een charisma op de priester neerdaalt op de dag van zijn wijding. Het Trente-document over priesterlijke genade, gebaseerd op Timotheus, maakt echter duidelijk dat die genade als 'kolen' in een vuur is en moet worden 'aangewakkerd'. Maar Johannes Paulus was een priester uit de epoque van Pius XII, toen men geloofde dat de ontvanger van de wijding hoger steeg dan de engelen. Hij had zijn verbeelding gevoed met ascetische, zichzelf verloochenende voorbeelden als de heilige Vincent de Paul en de pastoor van Ars. Hij behoorde tot een generatie en traditie die meenden dat het sacrament van de wijding de priester verrijkte met een 'ontologisch' teken, een onuitwisbaar en onveranderlijk merkteken op de ziel. Het gevaar van dit priesterbeeld, zonder verdere vereisten en begeleiding, is dat het mannen kan aantrekken die onvolwassen en gestoord zijn en het priesterschap zien als een manier om zich ten onrechte status, gezag en respect te verwerven.

Ondertussen waren de bisschoppen, die zich volledig bewust waren van de omvang van het probleem, zo gewend geraakt om te wachten op wat Rome deed in plaatselijke crises, dat ze nalieten zelf tot actie over te gaan. Johannes Paulus had in zijn pontificaat de status, het gezag en de rol van de bisschoppen verzwakt; hij had hen juist niet gestimuleerd als plaatselijke leraren, bestuurders en heiligmakers.

De bisschoppen handelden zoals onmondige werknemers zich gedragen. Zij probeerden uit alle macht de media erbuiten te houden; zij verdoezelden alles, plaatsten dwalende priesters over naar een andere parochie (waar ze onvermijdelijk weer dezelfde fouten maakten); zij verzuimden de gevolgen voor de slachtoffers aan te pakken; ze verzuimden de klerikale kaste, de gang van zaken in hun seminaries en hun selectiemethoden voor priesters te veranderen. Ze gingen niet over tot beslissende handelingen, door dwalende priesters uit het ambt te zetten en in handen te geven van de burgerlijke autoriteiten, omdat ze dachten dat ze daartoe niet bevoegd waren. De bisschoppen bleven niet in verzuim omdat ze zwak of corrupt waren; de oorzaak was de al generaties durende verschraling van hun ambt door Rome, een ambt dat nog meer ondermijnd werd door een paus die als universele én als lokale herder optrad. Behandel bisschoppen als filiaalmanagers van een multinational en zij gaan zich zo gedragen. Ze bleven niet in gebreke omdat ze simpelweg laf waren, maar omdat ze ervan uitgingen dat ze niet de bevoegdheid hadden om in te grijpen.

Zelfs nadat de ergste schandalen naar buiten waren gekomen en de bisschoppen tot rigoureuze actie wilden overgaan, ondermijnden Johannes Paulus en het Vaticaan de autonomie van de Amerikaanse bisschoppen. De Amerikaanse Bisschoppenconferentie kwam in 2002 van 13 tot 15 juni bijeen in Dallas om richtlijnen op te stellen voor het omgaan met seksueel misbruik door priesters in gevallen uit het verleden, het heden en in de toekomst. Op een paar uitzonderingen na stemden de bisschoppen voor een 'nuloptiebeleid': 'na één vergrijp eruit'. Er waren onderlinge meningsverschillen (sommigen hoopten op clementie voor de minder ernstige gevallen in het verre verleden), maar een meerderheid onder de aanwezige bisschoppen besefte dat ze een streep onder deze crisis moest zetten en een nieuwe start maken. Ze beseften dat als de Kerk uit deze crisis wilde komen, ze zowel de gelovigen als het Amerikaanse publiek moesten overtuigen van hun besluit. Na drie dagen werd een gedetailleerd handvest met strenge maatregelen aangenomen met 239 stemmen voor en dertien tegen.

Tot ieders verbazing echter kregen de Amerikaanse bisschoppen geen toestemming het handvest als kerkelijk recht te laten gelden. Ze waren verplicht te wachten tot de paus hun beslissingen goedkeurde. Een Vaticaanse woordvoerder vertelde de Catholic News Service dat het Vaticaans besluit tot drie maanden op zich kon laten wachten. In feite zou het nog zes maanden duren voordat uiteindelijk de goedkeuring of *recognitio* werd gegeven, nadat Rome belangrijke wijzigingen had aangebracht. De veranderingen moesten het handvest stroomlijnen met het canoniek recht, een napoleontisch instrument van kerkelijk recht (dat dateerde uit 1917, en in 1983 werd herzien; het oorspronkelijke canoniek recht stond lokale oordeelkundigheid uitgebreid toe). De Vaticaanse wijzigingen boden de priesters meer bescherming dan het handvest deed, en de devestituur (het uit het ambt zetten) zou gepaard dienen te gaan met 'pontificale geheimhouding'. Het handvest bepaalde dat er een gezaghebbend tribunaal kwam dat uit katholieke leken bestond, maar het Vaticaan sloot dit uit: de leken mochten hooguit een 'adviserende' rol krijgen in het proces. De correspondent van de *National Catholic Reporter* schreef hierover: 'Welke invloed zal de eis van "pontificale geheimhouding" hebben op de samenwerking met burgerlijke en strafrechtelijke autoriteiten? Zullen zowel slachtoffers als beschuldigde priesters lange tijd in het duister worden gehouden terwijl de wettelijke machinerie door knarst? Zal een gebrek aan transparantie het vertrouwen van het publiek in dit proces ondermijnen?' Maar de grootste kwestie was de eis van het Vaticaan en de paus dat een dergelijke belangrijke beslissing in een ernstige crisis binnen een belangrijke lokale Kerk op centraal niveau moest worden genomen. De boodschap die hiervan uitging naar de bisschoppen in Amerika, was alweer dat zij niet de volledige bevoegdheid hadden urgente disciplinekwesties zelf aan te pakken.

De verschrikkelijke ironie van de crisis van het priesterlijk misbruik en de daaruit voortvloeiende bisschoppencrisis is uiteindelijk de catastrofale ondermijning van het bisschoppelijk gezag als gevolg van het Amerikaanse faillissementsrecht. Het aartsbisdom Portland in Oregon was in juli 2004 het eerste bisdom dat gedwongen was een beroep te doen op 'chapter 11' van de Amerikaanse faillissementswetgeving, dat een bedrijf bescherming biedt tegen schuldeisers. Portland, een bisdom van amper 350.000 zielen, heeft een bezit van tussen de tien en vijftig miljoen dollar, maar de aansprakelijkheidsclaims in de misbruikzaken liepen op tot 340 miljoen dollar. Het bisdom zal tegen zijn crediteuren in bescherming worden genomen, maar wordt wel onder curatele gesteld. Dit betekent dat aartsbisschop John Vlazny zijn onafhankelijkheid en hele gezag over de kerkelijke financiën overdraagt aan een plaatselijke lagere rechter. Buiten China en in de landen van de voormalige Sovjet-Unie was dergelijke capitulatie van een bisdom aan een seculiere autoriteit in deze tijd niet voorgekomen. Ook andere bisdommen in Amerika overwegen een faillissementsaanvraag.

De crisis van het priesterlijke seksmisbruik zal nog om veel andere redenen gevolgen hebben voor de Kerk in de komende decennia. In Europa en Noord-Amerika is het aantal aanmeldingen voor seminaries gedaald. Jongemannen zijn nu nog minder geneigd gehoor te geven aan een priesterroeping dan voor de uitbraak van de crisis. Vanzelfsprekend zijn katholieke moeders minder dan vroeger bereid een priesterroeping te stimuleren. En dit alles in een tijd waarin de gemiddelde leeftijd van de huidige generaties priesters aangeeft dat er over een paar jaar een enorm tekort aan actieve priesters zal zijn.

Onvermijdelijk zullen geschiedschrijvers van deze periode opmerken dat de crisis uitbrak tijdens het pontificaat van Johannes Paulus II, een periode waarin de paus zich sterk maakte voor een sterker Romeins gezag en minder gezag voor de bisdommen. Johannes Paulus mag niet ontsnappen aan het oordeel dat hij verzuimde de eerste tekenen van de crisis te zien en overeenkomstig te handelen. De afgelopen kwarteeuw, de periode van zijn pontificaat, zal vooral in de herinnering blijven bestaan wegens het schandaal van het priesterlijke misbruik en de verstrekkende gevolgen daarvan.

29
Johannes Paulus en aids

Men was er vol vertrouwen van uitgegaan dat Johannes Paulus in het jaar 2000 de Nobelprijs voor de Vrede zou krijgen; en zo niet, dan allicht aan het eind van het tweede jaar van het nieuwe millennium. Op 12 augustus 2001 maakte de lutherse bisschop Gunnar Stallseth duidelijk waarom Johannes Paulus weer gepasseerd werd. 'Ik daag het Vaticaan uit zijn standpunt over condoomgebruik te herzien,' vertelde hij de verslaggevers die zich hadden verzameld voor een interview met de secretaris-generaal van de Verenigde Naties Kofi Annan, die in Oslo op bezoek was. 'De huidige rooms-katholieke leer staat gunstiger tegenover de dood dan het leven.'

Aan het begin van het derde millennium en twee decennia na de opkomst van de ziekte aids, een van de meest verspreide dodelijke ziekten, waren er volgens de Verenigde Naties 43 miljoen mensen besmet met HIV, en meer dan 23 miljoen mensen waren gestorven. Onder de geïnfecteerden bevonden zich negentien miljoen vrouwen en 3,2 miljoen kinderen jonger dan vijftien jaar. In 2002 raakten vijf miljoen mensen besmet. Aan het eind van de twintigste eeuw bleek de aids-epidemie de op een na zwaarste epidemie in de geschiedenis te zijn, alleen overtroffen door de pest. In het gebied ten zuiden van de Sahara is aids de belangrijkste doodsoorzaak: in 2003 zijn er zo'n drie miljoen mensen op het continent aan aids gestorven. De ziekte brengt in haar nasleep honger, massale armoede en tientallen miljoenen weeskinderen met zich mee. De vraag die deskundigen over heel de wereld zich stellen, is of de paus de aids-epidemie heeft getemperd of juist het nog erger heeft gemaakt.

Johannes Paulus wond er geen doekjes om toen hij in 1989 tijdens een driedaagse conferentie over aids meer dan duizend wetenschappers, ethici en gezondheidswerkers toesprak. Het antwoord op de 'plaag' was volgens hem dat mensen hun risicovolle levensstijl moesten veranderen in plaats van toevlucht te zoeken in 'moreel ongeoorloofde' vormen van preventie. Hiermee doelde hij uiteraard op condoomgebruik. 'Het is moreel ongeoorloofd een preventiemethode van de ziekte aids te verdedigen die gebaseerd is op middelen en remedies die indruisen tegen de authentiek menselijke betekenis van de seksualiteit,' zei hij. Zijn stelling was duidelijk: ondanks alle argumenten mocht men geen condooms gebruiken omdat dit intrinsiek en dus in alle gevallen slecht was. Hij verwees niet naar de bijbel en zelfs niet naar de traditie om zijn stelling te ondersteunen, maar naar natuurwetten en dus naar het pauselijk gezag. Condooms horen bij de 'cultuur des doods' en er bestaan geen omstandigheden waarin ze gebruikt kunnen worden zonder diepliggende uitgangspunten van de seksuele ethiek te schenden.

In 1994 herhaalde hij zijn boodschap en de morele gedachtegang daarachter tijdens zijn bezoek aan de Oegandese hoofdstad Kampala, waar twaalf procent van de bevolking met het HIV-virus was besmet, onder sommige bevolkingsgroepen zelfs dertig procent. Hij zei: 'Onze gedragingen zijn als woorden die onze ziel blootleggen. Wie zich lichamelijk aan een ander geeft, geeft zichzelf helemaal aan die persoon.' Met andere woorden, zelfs wanneer men zich schuldig maakt aan het doorgeven van een dodelijke ziekte, dan nog kon men beter geen condoom gebruiken dan het ideale principe te overtreden door zichzelf slechts gedeeltelijk te geven tijdens de geslachtsdaad.

Johannes Paulus kan tot op zekere hoogte tevreden zijn over landen als Kenia en Oeganda waar het aantal besmettingen is gedaald, minstens voor een deel dankzij campagnes voor seksuele onthouding. Uit nader onderzoek van veel deskundigen blijkt echter dat deze successen zijn terug te voeren op een meervoudige aanpak: onthouding, trouw binnen het huwelijk, testen in een vroeg stadium en bezoeken aan aids-klinieken om mensen te confronteren met de gevolgen van de ziekte; maar ook, omdat niets menselijks de mens vreemd is, blijven hameren op condoomgebruik voor mensen aan wie de abstinentieboodschap niet besteed is. Condoomgebruik is volgens deskundigen die in Afrika werken met name belangrijk voor getrouwde immigrantarbeiders die, wanneer ze maanden weg van huis zijn, verleid worden tot bezoek aan prostituees en geïnfecteerd naar huis terugkeren.

Dat Johannes Paulus de aids-tragedie in feite heeft aangegrepen om een onwrikbare ethiek tegen anticonceptie in alle gevallen te promoten, werd duidelijk in Oeganda. In juli 2000 startte aartsbisschop Christophe Pierre, een apostolische nuntius en dus een officiële vertegenwoordiger van de paus, een mediacampagne in het land, waarin hij de jeugd dringend verzocht de campagne voor condoomgebruik te negeren die door de overheid werd gefinancierd om verdere verspreiding van de ziekte te voorkomen. Dit druiste in tegen het standpunt dat werd ingenomen door Speciosa Wandira Kazibwe, arts en vice-president van Oeganda, die kritiek had geuit op religieuze leiders die tegen condoomgebruik waren. Kazibwe vond ook dat onthouding een essentieel onderdeel moest zijn in iedere geslaagde aidscampagne, niet omdat anticonceptie zondig zou zijn, maar omdat het een praktische deeloplossing is van het probleem. Het Vaticaan heeft geen enkele schaamte getoond voor deze vergaande inmenging in legitieme preventieprojecten van een overheid in een ander land.

Het idee dat het niet begaan van zonde belangrijker is dan alle pogingen om een wereldepidemie te beheersen met sociale, gedragsmatige en preventieve middelen, is een rampzalig uitgangspunt. De paus en conservatieve katholieken mogen vinden dat condoomgebruik immoreel is, maar wie suggereert dat condoomgebruik de verspreiding van aids niet zal tegengaan *omdat* het zondig is, zaait op een gevaarlijke manier verwarring. Voorzover de verwarring opzettelijk is, is het condoomverbod van de paus en het Vaticaan laakbaar, omdat het hen medeverantwoordelijk maakt voor de verspreiding van het HIV-virus en de daaruit voortvloeiende ziekte, dood en sociale gevolgen. Men denkt maar aan de wijze waarop de Kerk aids-hulpverleners behandelt die met een zuiver geweten geprobeerd hebben de verspreiding van de ziekte tegen te gaan door middel van preservatieven.

In dezelfde maand waarin aartsbisschop Pierre in Oeganda zijn bizarre uitspraken deed over de zondigheid van het condoomgebruik, ontving een Italiaanse priester in Brazilië, padre Valeriano Paitoni, die condooms had uitgedeeld onder geïnfecteerde parochieleden in zijn regio, een 'brief van afkeuring' van zijn aartsbisschop, Cláudio Hummes van São Paulo. Hummes zei dat er strafmaatregelen zouden volgen 'om deze betreurenswaardige situatie recht te zetten' als de missionaris, die al 22 jaar in Brazilië woonde, zich niet zou schikken naar de officiële kerkleer. De aartsbisschop zei dat de inzichten en houding van Paitoni 'onacceptabel' waren en in strijd met de kerkleer, wat nog eens werd bevestigd door paus Johannes Paulus II. Paitoni riposteerde: 'Als het condoom levens beschermt, is er geen reden het gebruik ervan niet te beschouwen als een minder ernstig kwaad [...]. Het gaat om een hoger doel.'

Padre Paitoni runt drie opvangcentra in São Paulo voor aids-slachtoffers en leidt een parochie. Op een persconferentie na de berisping van de aartsbisschop zei Paitoni dat de katholieke Kerk straks weer gedwongen zal zijn de mensheid om vergiffenis te vragen voor de 'fouten die gemaakt zijn met betrekking tot aids'. Hij zei: 'Aids is een wereldepidemie, een probleem voor de volksgezondheid dat moet worden beheerst volgens wetenschappelijke inzichten en methoden die effectief zijn gebleken. Het afwijzen van condoomgebruik is zich verzetten tegen de strijd om het leven.' Hummes antwoordde dat hij 'bestuurlijke en parochiale maatregelen niet uitsloot die nodig zijn om deze ongewenste situatie te corrigeren', en ontkende Paitoni's opmerking dat de Braziliaanse Bisschoppenconferentie zich 'onder druk vanuit het Vaticaan' tegen condoomgebruik had uitgesproken. Sommige bisschoppen hadden eerder het gebruik van condooms geaccepteerd als 'een minder kwaad', vergeleken bij de verspreiding van aids en de vele slachtoffers als gevolg daarvan. Maar het Vaticaan had hun het zwijgen opgelegd.

De Braziliaanse minister van Volksgezondheid verdedigde Paitoni toen er sancties tegen hem dreigden, en verklaarde dat de priester een 'belangrijke partner' is in de strijd tegen de ziekte. Momenteel telt het land volgens het ministerie van Volksgezondheid 530.000 mensen die seropositief zijn. De centra van padre Paitoni helpen naar schatting 33.000 slachtoffers van dat totale aantal, van wie tweederde kind is. Non-gouvernementele anti-aids-organisaties verdedigden de priester en riepen de Kerk op Paitoni binnen de Braziliaanse klerikale kudde te houden. Tot op heden heeft aartsbisschop Hummes geen actie tegen de priester ondernomen.

Het besluit van Johannes Paulus om zelfs niet in de meest uitzonderlijke gevallen condooms toe te staan – bijvoorbeeld wanneer een huwelijkspartner de ziekte heeft en een gezonde partner kan infecteren – werd weer de wereld in gebazuind tijdens een bijzondere bijeenkomst van de Verenigde Naties in New York op 25 juni 2001. De Vaticaanse delegatie, die geen stemrecht heeft inzake de openbare verklaring van de commissie, maar wel samen met andere religieuze groeperingen was uitgenodigd om commentaar te leveren op de gebezigde taal, distantieerde zich van het pleidooi voor condoomgebruik in de strijd tegen HIV/aids. Bij monde van Vaticaanse vertegenwoordigers zei de Heilige Stoel 'op geen enkele manier zijn morele standpunt te hebben gewijzigd met betrekking tot condoomgebruik als middel om HIV-infectie te voorkomen'. Johannes Paulus liet een persoonlijke boodschap na aan de commissie. Zijn verklaring was grotendeels reclame voor hemzelf: 'De Kerk,' zei de paus, 'neemt een kwart van de totale zorg op zich aan alle HIV-geïnfecteerden en aids-patiënten in de wereld.' Vervolgens hield hij vol dat de beste preventiemethode 'oefening in de authentieke waarden van het leven, de liefde en de seksualiteit' was.

Een meer recent aspect van de pauselijke strategie was zichzelf op de borst kloppen en anderen de schuld geven. In Rome en in het bijzijn van Johannes Paulus had het hoofd van de pauselijke Raad voor Werkers in de Gezondheidszorg, kardinaal Javier Lozano Barragán, Wereldaidsdag op 1 december uitgekozen om het beleid van Johannes Paulus tegen veilige seks nog eens te onderstrepen. Allereerst prees hij de paus voor wat hij had gedaan voor alle aids-slachtoffers in de wereld. Daarna richtte hij zijn aandacht op de boze opzet van de farmaceutische industrie. Kardinaal Barragán zei dat de industrie de prijzen van antiretrovirale medicijnen tegen aids te hoog opdreef voor overheden en patiënten – het schandaal, zei de kardinaal, 'schreeuwt om de toorn Gods'.

Vervolgens kraakte hij de onderwijsprogramma's die 'methoden die immorele en hedonistische levensstijlen en gedragingen' aanmoedigden in plaats van 'de cultuur van het leven en de verantwoorde liefde' – waarmee hij de overtuiging impliceerde dat aids door zonde wordt veroorzaakt, en alleen door niet te zondigen kan worden genezen. De katholieke Kerk, ging hij verder, leidt de wereld in de strijd tegen het virus. Hij voegde daaraan toe dat men niet moest vergeten dat de Heilige Vader erop had gestaan dat alle kerkelijke inspanningen 'trouw, kuisheid en onthouding' moesten onderstrepen in het gevecht tegen aids, dat een 'ziekte van de geest' was die verergerd werd door 'een crisis in normen en waarden'.

Wie katholieken in de eerste jaren van de nieuwe eeuw over de aids-epidemie hoorde praten, dacht te luisteren naar opgroeiende jongeren die op hun tenen lopen om maar geen woedeaanval te ontlokken aan hun disfunctionele of misbruikende vader.

Clifford Longley, een moedige en onafhankelijke, belangrijke schrijver voor *The Tablet*, verklaarde in een artikel uit 2001 dat hij 'zich schaamde om katholiek te zijn' vanwege het onwrikbare pauselijke standpunt over condoomgebruik en aids. En toch zien we hoe hij zich in allerlei bochten wringt om de paus niet te beledigen om zijn principes over anticonceptie. Als een echtgenoot aids heeft, schreef hij in *The Tablet*, 'verricht hij door het gebruik van een condoom subjectief en objectief gesproken een goede daad door de liefde met haar te bedrijven en tegelijk haar leven niet te bedreigen. Het is niet louter om conceptie te voorkomen; misschien betreurt hij dat effect wel van het condoom.' Deze literaire tour de force van een schrijver die erom bekendstaat rechtdoorzee te zijn, laat zien dat de pauselijke druk groot is en dat gelovige katholieken die loyaal zijn aan de paus, het niet gemakkelijk hebben.

Johannes Paulus is wel de laatste die onder de indruk raakt van dergelijke ethische gymnastiek. Het Vaticaan van het postmillennium werd zelfs opvallend vernuftig in de verdediging van de pauselijke positie. In de tweede week van oktober 2003 verklaarde kardinaal Alfonso López Trujillo namens de pauselijke Raad voor het Gezin, een orgaan van de Heilige Stoel, en dus ook namens Johannes Paulus, dat 'serieuze wetenschappelijke studies' hebben aangetoond dat het HIV-virus het latexrubber van het condoom kan passeren. Hij wilde dat overheden over heel de wereld waarschuwingen afdrukten op condoomverpakkingen dat condooms niet veilig zijn. Het HIV-virus, vertelde hij in een BBC-programma, 'is ruwweg vierhonderdvijftig keer kleiner dan het spermatozoön' en 'het spermatozoön kan makkelijk door het 'net' glippen dat gevormd wordt door het condoom'. Dit was dezelfde kardinaal Trujillo die in 1999, ook weer namens de paus, tegenover een groep van het Gilde van Katholieke Artsen in Londen had verkondigd dat men tijdens de Voedselconferentie van de VN in Caïro in 1994 en de Vrouwenconferentie in 1995 in Beijing had gepoogd concepten te introduceren van 'een nieuw soort moraal' of een nieuwe 'levensstijl', waarin 'seks werd getrivialiseerd' en anticonceptie werd aangemoedigd. De 'Slag bij Caïro', zoals hij het noemde, was 'de slag om authentiek seksueel onderwijs'.

Door de effectiviteit van het condoom in twijfel te trekken, had de woordvoerder van Johannes Paulus alweer en op gevaarlijke wijze verwarring gezaaid over 'levenskwesties' in landen waar gebrek aan onderwijs een belangrijk onderdeel vormt van de aids-problematiek, door puur pragmatische en wetenschappelijke overwegingen te mengen met ethische principes. Waren condooms verkeerd omdat ze niet werkten? Of waren ze verkeerd omdat ze intrinsiek, ethisch gesproken verkeerd waren? Als ze wel efficiënt bleken te zijn, zou Johannes Paulus dan zijn standpunt herzien? Dat zeker niet: kardinaal Trujillo streed tegen condooms op grond van beide argumenten, en sinds de zomer van 2004 zelfs met een nieuw argument, toen hij beweerde dat condooms juist aids veroorzaken omdat zij promiscuïteit en seks buiten het huwelijk zouden stimuleren.

In een interview in oktober 2003 met de BBC verdedigde Trujillo zijn standpunt dat condooms wetenschappelijk en medisch gesproken niet zouden werken. In december daarna publiceerde hij een document van twintig pagina's waarin hij zijn bronnen citeerde.

Het onderzoeksteam van het BBC-programma *Panorama* liet zich niet uit het veld slaan en controleerde Trujillo's bronnen. De een na de andere bron loste op voor het oog van de camera. Trujillo's belangrijkste troef, dr. Dave Lyttle, die de Amerikaanse regering had geadviseerd over het effect van condooms, ontkende dat zijn onderzoek kon worden gebruikt om tot deze Vaticaanse conclusie te komen. Hij had geschreven dat bij een test van vierhonderdzeventig condooms slechts 2,6 procent 'hooguit één virusdeeltje' had doorgelaten, een statistisch gegeven dat Trujillo had aangegrepen om zijn argument te steunen. Maar dit kwam volgens Lyttle neer op een 'minuscuul' risico op transmissie van het HIV/aids-virus. Zijn gegevens waren door het Vaticaan 'misbruikt', vond hij. Afgezien van alle verplichte wetenschappelijke terzijdes had hij geconcludeerd dat het latex van condooms 'in principe impermeabel' was.

Deskundigen stonden in de rij om de kardinaal tegen te spreken: de uitspraak van het Vaticaan dreigde een jarenlange investering teniet te doen in veilige-seksonderwijs ter bestrijding van de ziekte. Penelope Hitchcock, voormalig hoofd Seksueel Overdraagbare Ziekten van het National Institute of Allergy and Infectious Diseases, verklaarde dat het standpunt van de Kerk over condoomgebruik 'zeer lastig is in de bestrijding van deze epidemie'. Dr. Catherine Hankins, de belangrijkste wetenschappelijk adviseur van het bureau van de Verenigde Naties UNAIDS, hield vol dat 'latex condooms impermeabel zijn. Ze voorkomen de overdracht van HIV.' Ook beschuldigde ze de kardinaal ervan misinformatie te verspreiden. Dr. Rachel Baggaley, een HIV-deskundige voor Christian Aid, beweerde dat consistent en correct condoomgebruik het risico van infectie met negentig procent verlaagt. Om de benodigde realiteit in de strijd te werpen, zei ze verder nog dat er dagelijks in ontwikkelingslanden dertienduizend mensen met HIV besmet raakten. 'Meer dan de helft zijn jonge mensen van onder de vierentwintig jaar – in veel landen is eenderde van de jongens en meisjes al voor hun vijftiende seksueel actief.'

Voor de goede orde kritiseerde ook de belangrijkste belangengroepering voor aids-activisten in Zuid-Afrika, Treatment Action Campaign, de opstelling van de paus inzake condoomgebruik. 'Het irrationele standpunt van de Kerk over condooms,' zei campagneleider Nathan Geffen, 'ondermijnt het heel goede werk dat men verricht in de zorg voor mensen met HIV. Ondertussen verklaarde de voorzitter van de Internationale raad van Artsen Zonder Grenzen, Morten Rostrup, dat de katholieke Kerk nu onderdeel is van het probleem. Het adviseren om geen condooms te gebruiken, zei hij, 'is totaal onaanvaardbaar vanuit moreel, ethisch en medisch perspectief [...] het verbod bevordert de verspreiding van een dodelijke ziekte'. Tot slot bevestigde de Wereldgezondheidsorganisatie wat de meeste deskundigen al vonden: dat condooms het infectierisico kunnen verlagen met negentig procent.

Opvallend aan de pauselijke strijd tegen het condoom was de afwezigheid van een dissident geluid vanuit de bisschoppen, ook al waren veel bisschoppen het in besloten kring niet met hem eens. Deze situatie laat weer eens zien hoe, door de versterking van het centrum, de kerkelijke periferie was verzwakt en afgebrokkeld. In 2004 echter vielen er eindelijk enkele gaten in de gelederen. In januari kwam er een uitspraak van kardinaal-aartsbisschop Godfried Danneels van België, die door progressieve geestelijken als papabile bij uitstek werd beschouwd. Gevraagd naar zijn mening over veilige seks en aids, zei hij: 'Als iemand met HIV geïnfecteerd is en zijn partner zegt: "Ik wil seksuele omgang met jou," zou ik zeggen: "Doe dat niet,"' zei Danneels. 'Maar als hij het toch doet, dan moet hij een condoom gebruiken. Anders stapelt hij de zonde tegen het vijfde gebod, "Gij zult niet doden", op de zonde tegen het zesde gebod, "Gij zult geen overspel spelen".' Hij zei verder: 'Het is een kwestie van preventie om zichzelf tegen een ziekte of tegen de dood te beschermen. Dat kun je moreel gesproken niet op één lijn plaatsen met condoomgebruik als methode voor geboorteregeling.'

In 2004 sprak zich nog een bisschop uit over het condoom. Voor een publiek van academici en geestelijken in Boston College beweerde Kevin Dowling, bisschop van Rustenburg in Zuid-Afrika, dat er in Botswana, waar 39 procent van de bevolking seropositief is, veel vrouwen hun toevlucht zoeken in de prostitutie als enige manier om te overleven. 'Wij lopen het risico hele naties aan deze ziekte te verliezen,' zei hij. Dowling, die bekendstaat als de 'aids-bisschop', had zijn publiek een indruk gegeven van de ernst van het probleem, zowel in materiële als morele zin. Onder deze omstandigheden was het condoomverbod van de paus een 'doodscode'. In de discussie die daarop volgde, vertelde Margaret Farley, ethica aan de Yale-universiteit en voorvechtster voor Afrikaanse vrouwen met aids, het publiek: 'Veel Afrikaanse vrouwen hebben heel weinig keuzevrijheid op het gebied van hun eigen seksualiteit. Als een echtgenoot seks wil, wordt de vrouw geacht daaraan gehoor te geven, ook als de man geïnfecteerd is. Het voorstel van bisschop Dowling om condoomgebruik toe te staan en zelfs te stimuleren, niet als anticonceptiemiddel, maar als instrument om verspreiding van de ziekte tegen te gaan, lijkt mij uitermate verstandig.' Toen zei bisschop Dowling iets wat een diepe afwijzing betekende van het pauselijk standpunt tegen veilige seks, dat impliciet aanwezig is in Johannes Paulus' *Teologia del corpo*. 'Wij moeten de heiligheid van het leven onder de armsten der armen beschermen. Wat hebben wij concreet te bieden als uitweg in deze misère? Een onhaalbaar ideaal voorhouden is nog erger dan zinloos, omdat het een gevoel van machteloosheid teweegbrengt [...]. In de kern zegt de Kerk niet alleen maar "nee" tegen bepaalde gedragsvormen,' aldus Dowling. 'Het ergste is dat men als alternatief een levensstijl voorstelt die volstrekt nietszeggend is voor het individu.' Hoewel hij erkende dat er een verband bestaat tussen aids en de 'verschijnselen drugsverslaving en seksueel misbruik', bleef hij erbij dat 'de noodzakelijke preventie van aids niet geïnspireerd mag worden door angst, maar door de keuze van een gezonde, vrije en verantwoordelijke levensstijl'.

Terwijl de paus zich op de borst klopte om alle hulp die de Kerk aan aidsslachtoffers bood, en het condoom onder alle omstandigheden bleef afwijzen, verzuimde men ondertussen compassie te tonen, te luisteren en actie te ondernemen op een heel ander gebied van de aids-crisis.

In 1994 hield zuster Maura O'Donohue, gediplomeerd arts en lid van de Medische Missionarissen van Maria, een schokkende presentatie ter overweging voor de betreffende Vaticaanse autoriteiten. Het ging over seksueel misbruik van nonnen, voornamelijk in Afrika. Zuster Maura had zes jaar gewerkt als aids-coördinator voor het in Londen gevestigde Katholieke Fonds voor Overzees Ontwikkelingswerk. Ze schreef in haar rapport dat katholieke geestelijken in 29 landen nonnen seksueel misbruikten, hen behandelden als een harem voor eigen exclusief gebruik. De aids-epidemie vormde de achtergrond van dit verhaal, en het geloof dat maagden bescherming boden tegen de ziekte. Veel nonnen raakten door priesters geïnfecteerd, die geloofden dat ze zouden genezen door seksuele relaties met hen aan te gaan. In één geval had een priester een non zwanger gemaakt en toen gezegd dat ze abortus moest plegen. Ze overleed aan de ingreep, de priester leidde zelf de uitvaartmis voor haar. Er werden verhalen verteld over geïnfecteerde nonnen die hun kloosters verlieten en in de straatprostitutie terechtkwamen.

Het rapport van zuster O'Donohue was slechts één van de vele die door vrouwen van verschillende religieuze ordes waren geschreven. Op 18 februari 1995 belandde het rapport op het bureau van kardinaal Eduardo Martínez Somalo, prefect van de Congregatie voor de Instituten van het Gewijde Leven. Waar het bleef liggen.

Zuster Maura had geschreven:

> Helaas vertellen de zusters ook dat priesters hen seksueel hebben gebruikt omdat zij ook bang waren voor aids-besmetting door seksueel contact met

> prostituees of andere vrouwelijke 'risicogroepen' [...]. Een overste van een nonnengemeenschap in een bepaald land werd bijvoorbeeld benaderd door priesters met het verzoek of ze aan hen nonnen beschikbaar wilden stellen voor seksuele diensten. Toen de overste dat weigerde, legden de priesters uit dat ze dan vrouwen in het dorp moesten zoeken en misschien wel aids zouden krijgen.

O'Donohue schreef dat haar eerste reactie 'geschoktheid en ongeloof' was, maar al snel ontdekte ze dat het om een zeer groot probleem ging toen ze op nieuwe gevallen bleef stuiten tijdens haar bezoeken aan verschillende landen. Ze vertelde de kardinaal: 'De enorme gevaren waaraan de ziekte aids leden van godsdienstige ordes en de clerus blootstelt, worden nu pas zichtbaar.'

Het verhaal dat ze vertelde aan kardinaal Martínez, was nauwelijks nieuw voor hem. Een ander dossier op zijn bureau ging over een geval waarin een bisschop in Afrika een klacht had afgewezen van een groep nonnen die beweerden dat er zo'n dertig zusters door priesters in zijn bisdom zwanger waren gemaakt. Zuster Maura vertelde de kardinaal: 'Groepen zusters uit lokale gemeenschappen hebben leden van internationale congregaties dringend om hulp verzocht en vertellen dat wanneer zij de kerkelijke autoriteiten hun verhaal vertellen over seksueel misbruik door priesters, zij simpelweg niet worden gehoord.'

Vier jaar na het rapport van O'Donohue, waarop het Vaticaan geen actie ondernam, kwam er nog een rapport in het Vaticaan, ditmaal van zuster Marie McDonald van de Missionarissen van Onze Lieve Vrouwe van Afrika. Het document droeg als titel: 'Het probleem van seksueel misbruik onder Afrikaanse geestelijken in Afrika en Rome'.

Het rapport van zuster McDonald stelt dat 'seksuele intimidatie en zelfs verkrachting van nonnen door priesters en bisschoppen naar men zegt veel voorkomt' en dat 'soms wanneer een non zwanger wordt, de priester eist dat ze abortus pleegt'. Meestal ging het om gevallen in Afrika en betrof het Afrikaanse nonnen, priesters en bisschoppen, maar ze zegt dat 'het probleem ook elders voorkomt'. Ze voegde daaraan toe dat wanneer een zuster zwanger raakt, zij meestal voor straf uit de congregatie wordt gezet, terwijl de priester 'vaak hooguit naar een andere parochie werd overgeplaatst, of op studiereis werd gestuurd'.

Onder de vijf verschillende rapporten die van het midden tot eind van de jaren negentig onder de aandacht van het Vaticaan werden gebracht, zat een verslag van pastoor Robert Vitillo, die voor Caritas werkte en momenteel voorzitter is van de Actie voor Menselijke Ontwikkeling van de Amerikaanse bisschoppen. In 1994 vertelde Vitillo aan een groep mensen op het Boston College dat nonnen in Afrika regelmatig worden gebruikt door mannelijke geestelijken die ook prostituees bezoeken:

> De laatste ethische kwestie die ik bijzonder pijnlijk vind, maar toch moet noemen, betreft de noodzaak het seksueel misbruik te veroordelen dat is ontstaan als een kenmerkend gevolg van HIV/aids. In veel delen van de wereld maken mannen minder gebruik van de diensten van commerciële sekswerkers omdat ze bang zijn met HIV besmet te raken [...]. Als gevolg van deze wijdverspreide angst nemen veel mannen (en een kleine groep vrouwen) hun toevlucht tot jonge (en naar men aanneemt nog niet-geïnfecteerde) meisjes (en jongens) voor seksuele gunsten. Ook vrouwelijke geestelijken zijn het doelwit van deze mannen geworden, en vooral van geestelijken die mogelijk daarvoor prostituees hebben bezocht. Zelf heb ik de treurige verhalen aangehoord van religieuzen die gedwongen waren tot seks met de plaatselijke priester of met een geestelijke begeleider die beweerde dat dit voor hen beiden 'goed' was.

Vitillo sneed vervolgens een kwestie aan die onderstreept waarom dit ranzige verhaal verteld moet worden in een portret van Johannes Paulus II. 'Regelmatig lopen pogingen om de kwesties te bespreken met plaatselijke en internationale kerkelijke autoriteiten, op niets uit,' zei hij. 'In Noord-Amerika en in sommige delen van Europa gaat onze Kerk gebukt onder de pederastieschandalen. Hoe lang zal het duren voordat diezelfde Kerk gevoelig wordt voor deze nieuwe seksschandalen die voortkomen uit de epidemie?'

Niettemin: terwijl de paus en zijn belangrijke Vaticaanse medewerkers die zich bezighouden met de seksuele moraal, het kwaad van voorbehoedsmiddelen bleven toelichten, werd er niets gedaan om het misbruik goed te maken van jonge zusters die zichzelf aan een religieus leven hadden gewijd.

De *National Catholic Reporter* verklaarde uiteindelijk op 16 maart 2001 dat het Vaticaan al zeven jaar geleden voor het eerst informatie had ontvangen over het schandaal. Een vervolgartikel verscheen in *La Repubblica* van Marco Politi, Vaticaandeskundige bij die krant. Toen pas erkende het Vaticaan voor het eerst de problematiek van het seksueel misbruik van nonnen door priesters. De woordvoerder van de paus, Navarro-Valls, bracht op 20 maart 2001 een verklaring uit:

> Het probleem is bekend, en is beperkt tot een geografisch begrensd gebied. De Heilige Stoel behandelt deze kwestie in samenwerking met de bisschoppen en

met de Internationale Unie van Generale Oversten. Het werk is tweeledig, de vorming van personen en de hulp aan individuele gevallen. Door bepaalde negatieve situaties mag de bij vlagen heldhaftige trouw van de grote meerderheid van mannelijke en vrouwelijke geestelijken en van priesters niet worden vergeten.

Deze reactie kwam het publiek bekend voor: het probleem werd geminimaliseerd terwijl men zichzelf op de borst klopte alsof men daardoor minder verantwoordelijkheid hoefde te nemen. Tot op heden, drie jaar later, is er vanuit het Vaticaan geen informatie gekomen over genomen maatregelen om het misbruik van nonnen door de clerus te stoppen. Ook zijn er geen maatregelen genomen om recht te doen aan vrouwen die misbruikt zijn.

Naar aanleiding van de informatie die in de *National Catholic Reporter* is gepubliceerd, zijn ongeveer zestig katholieke organisaties de campagne 'Een roep om verantwoordelijkheid' gestart. Een van de verklaringen in deze campagne luidt: 'Dat dit seksueel geweld plaatsvindt binnen de context van de mondiale aids-epidemie, is nog eens extra zorgwekkend [...]. Daarom veroordelen wij de hypocrisie van het kerkbeleid dat levensreddende condooms en anticonceptieve middelen verbiedt, die met zorg door vrouwen zelf zijn uitgekozen.' De campagne verklaarde verder nog:

> We zijn ontzet door het feit dat de kerkelijke autoriteiten al in 1995 formeel en volledig over deze problemen waren ingelicht en tot op heden publiekelijk geen actie hebben ondernomen om een einde te maken aan het misbruik, zodat de daders vrijuit kunnen gaan. Vaticaanse geheimhouding en dadeloosheid hebben zeker bijgedragen tot het misbruik. Het Vaticaan moet voor deze tragedies verantwoordelijk worden gesteld. Kerkbestuurders moeten alles doen wat in hun vermogen ligt om een eind te maken aan het geweld tegen vrouwen in de Kerk.

30
Lichtend voorbeeld

Terwijl in 2002 de crisis in Boston uitbrak, zocht Johannes Paulus toevlucht in religieuze mystificaties en schreef hij het pederastisch misbruik toe aan duistere machten die achter de schermen werkzaam waren. Het pausschap gedroeg zich als een cargo cultus (magisch-religieuze beweging die gekenmerkt worden door een sterke emotionaliteit en een allesoverheersende heilsverwachting – vert.) en legde een denkbeeldige haven aan, los van de realiteit, in plaats van het probleem onder ogen te zien en de noodzaak te erkennen van grondige zelfkritiek.

Het probleem trof de officiële Kerk in haar hart, tot in het pauselijk appartement. Het opvallendste geval binnen het directe bereik van Johannes Paulus betrof een prominente priester in wie Johannes Paulus alle vertrouwen had, en wie hij overlaadde met eerbewijzen, ondanks de geloofwaardige aantijgingen van seksueel misbruik door slachtoffers die niets anders te winnen hadden bij hun beschuldigingen dan de troost van rechtvaardigheid achteraf.

De persoon die beschuldigd werd van regelmatig misbruik van seminaristen, was padre Marcial Maciel, de Mexicaanse stichter van La Legión de Christo, geboren in 1920. Niet alleen kon Maciel ontkomen aan een proces voor het canoniek recht (verjaringswetten beschermden hem tegen civiele en strafrechtelijke vervolging), maar hij werd zelfs nog vereerd met blijken van bijzondere pauselijke privileges nadat de beschuldigingen waren gedaan. Net als de priesters die er in Afrika nonnenharems op na hielden voor HIV-vrije seks, liet Johannes Paulus de zaak tegen Maciel jarenlang binnen het Vaticaan onder het stof liggen.

De beschuldigingen tegen Marcial Maciel voerden terug naar 1950. Negen voormalige leden van de orde zochten in 1997 met hun beschuldigingen de openbaarheid. Ze stuurden brieven aan de paus en startten een officieel proces onder het canoniek recht in de hoop dat Maciel werd veroordeeld. Maciel wees de beschuldigingen van de hand als 'ongegronde laster en leugens'. Onder de aanklagers, inmiddels in de zestig, waren twee academici, een rechter en het voormalig *presidente* van de Legionairs in de Verenigde Staten, Juan Vaca. Om hun beschuldigingen kracht bij te zetten, legden zij beëdigde verklaringen af. Vaca beweerde dat het misbruik was begonnen toen hij pas tien was. De negen aanklagers beweerden dat Maciel een dubbelleven leidde: overdag wijdde hij zich aan religie, terwijl hij 's avonds jongens, soms twee tegelijk, mee naar bed nam. Hoewel Maciel de aantijgingen heeft ontkend, heeft hij nooit geprobeerd ze te bestrijden door een zaak aan te spannen in enig land, ondanks de goed gedocumenteerde publicatie van de beschuldigingen in *Vows of silence* van de bekende katholieke onderzoeksreporters Jason Berry en Gerald Renner.

Het Legioen, een organisatie die op veel sympathie van Johannes Paulus kan rekenen, is een van 's werelds snelst groeiende ordes, met meer dan vijfhonderd priesters en 2500 seminaristen in vijftien landen. Maciel is door Johannes Paulus geprezen als een 'nuttige gids voor de jeugd'. De achtergrond van dit geval verklaart of verzacht misschien op een bepaalde manier de gunstige gezindheid van Johannes Paulus, namelijk dat hij dol is op katholieke sekten die protestantse evangelisatiebewegingen imiteren in hun publieke, zichzelf opofferende vitaliteit, hun bekrompenheid en evangelisch enthousiasme. In de aanloop naar het millennium liet Johannes Paulus zich bijzonder gunstig en stimulerend uit over groeperingen die buiten het gezag van bisschoppen en parochies opereren, directe trouw aan de paus zwoeren en voortdurend citeerden uit en voortborduurden op documenten en preken van de paus. Er bestaat bovendien een verband tussen de cultuur van deze bewegingen en Johannes Paulus' overtuiging dat seksuele instincten overwonnen kunnen worden, en de puurheid van lichaam en geest behouden kan blijven door luchtig optimistische zelfdiscipline, vergelijkbaar met atletiekbeoefening. Leden van deze groepering zijn enthousiaste bezoekers van massabijeenkomsten, ze zingen, zwaaien met vlaggen en dragen opvallende T-shirts en petjes. Aan de vooravond van het derde millennium begroette Johannes Paulus op pinksterzondag een groep van ongeveer zestig geaffilieerde bewegingen op het Sint-Pietersplein, en bevestigde hij nog eens hun aantrekkelijkheid en verklaarde dat zij 'het antwoord vormen van de Heilige Geest op de grote uitdaging van het nieuwe millennium'.

In Rome werken de Legionairs onder een missieverklaring die, net als die van de lekenorganisaties, gebaseerd was op de overtuiging dat de wereld wegzakt in een moeras van hedonisme, materialisme en seksuele vrijheid. Deze visie werd ook herhaaldelijk uitgedragen in de verklaringen van de Heilige Vader. De Legionairs, die een zeer gedisciplineerde opleiding van vijftien jaar achter de rug hebben, zijn jonge mannen die ten strijde trekken tegen de wereld en zich in totale zelfopoffering zonder enige reserves aan God geven. Terwijl men op de meeste pauselijke colleges en universiteiten tegenwoordig gewone informele lekenkleren draagt, gaan de Legionairs van Christus over straat in een soutane met een Romeins boordje. Volgens een directief moet iedereen zonder uitzondering zijn haar naar links kammen. Terwijl studenten aan nationale colleges 's avonds een biertje drinken in de stad, blijven de Legionairs thuis om te bidden en te studeren.

Maciel, de stichter, werd na de beschuldigingen in de jaren vijftig twee jaar buiten dienst gesteld. Het Vaticaan startte een onderzoek, maar er werden geen bewijzen tegen hem gevonden. In 1958 werd hij weer geïnstalleerd, in de tijd dat Pius XII overleed. Studenten die tijdens het onderzoek naar Maciel ondervraagd waren, beweerden recentelijk dat ze tijdens dat eerste onderzoek hadden gelogen, uit angst voor de stichter. Het verschijnsel dat slachtoffers van pederastie het opnemen voor hun daders, kwam veel voor in een periode toen het lekendom nog door de clerus was geïntimideerd en men het verkeerd vond om uit de school te klappen.

De beschuldigingen van misbruik die in de jaren vijftig tegen Maciel werden gedaan op basis van onder ede afgelegde verklaringen van negen getuigen, werden halverwege de jaren negentig gepubliceerd in de *Hartford Courant*, een gerenommeerd Amerikaans dagblad. Ook verschenen er verhalen in het Amerikaanse tijdschrift *National Catholic Reporter* en in 2004 verscheen in de *New York Review of Books* een artikel van Gary Wills, die *Vows of silence* bespreekt. De aanklagers waren niet uit op een schadevergoeding en verklaarden dat ze alleen maar de openbaarheid hadden opgezocht omdat het Vaticaan niet naar hun klachten wilde luisteren. Het Legioen heeft tot op heden geen juridische stappen ondernomen tegen de verschillende partijen die met de beschuldigingen kwamen.

Het boek van Jason Berry en Gerald Renner vertelt het verhaal van heiligen en ontaarden. Voordat de schandalen in 2002 in Amerika waren losgebarsten, kon men zulke schrille tegenstellingen nauwelijks geloven. Maar inmiddels zijn de verhalen zo vertrouwd dat ze haast banaal zijn; wat overigens niet wil zeggen dat ze per se waar zijn.

Maciel stichtte in 1941 in Mexico het Legioen, nadat hij van twee

Mexicaanse seminaries was gestuurd omdat hij ongeschikt zou zijn voor het priesterschap (hij vond een ander seminarie en werd uiteindelijk gewijd). Een van deze instituten gaf hem precies dertig minuten de tijd om te vertrekken. Niettemin stichtte hij in Cuernavaca op zijn eenentwintigste met weinig opleiding een school voor jonge seminaristen, die hij wilde opleiden. Een ongewone eis om tot de Legionairs te worden toegelaten, was de gelofte van zwijgen die leden in feite verbood kritiek te uiten op de stichter of met buitenstaanders over de orde te praten. Nadat hij in 1950 in Rome een studiecentrum had opgericht, beweerde Maciel dat hij ontvangen was door Pius XII tijdens een privé-audiëntie en dat hij door hem officieel was aangemoedigd. Er bestaat geen enkel bewijs van deze goedkeuring maar Maciels weldoeners en studenten geloofden het maar al te graag.

Het leven van Maciel is van meet af aan een picaresk verhaal met chauceriaanse proporties: nu eens zien we hem stichtend zichzelf opofferen of een gebedsmarathon leiden; dan weer stapt hij over van een Concorde in een helikopter. Hoewel hij onder armoedige omstandigheden leeft, is hij kind aan huis in de salons van de superrijken. Zijn congregatie en type religiositeit raakte een snaar bij voldoende jonge mannen die met honderden tegelijk nieuwe rekruten aantrokken, terwijl de meeste andere ordes en het bisschoppelijke priesterschap alleen maar leegloop kenden.

In 1990 had de orde 98 religieuze gemeenschappen en bezoekerscentra onder zijn hoede in 15 verschillende landen; meer dan 80 scholen, 10 universiteiten en 640 trainingscentra voor leken. Minstens 65.000 studenten werden ingeschreven bij instituten van het Legioen. Het Pauselijke Atheneum 'Regina Apostolorum', de universiteit die onder bescherming valt van de paus in Rome, heeft 356 studenten uit 36 landen. Bovendien hebben de leken een eigen beweging, Regnum Christi (Koninkrijk van Christus) met 45.000 leden over heel de wereld. Momenteel heeft de beweging ongeveer 40 miljoen dollar aan voedselhulp verstrekt en ongeveer 238 kerken en kapellen gebouwd in de afgelopen 25 jaar. Volgens elk criterium is dit een indrukwekkende prestatie in een tijd dat de kerken, seminaries en pastorieën leeglopen in de ontwikkelde landen, vooral in Europa. Maar wat geef je nu voor deze wervelwind van energieke evangelisatie, als op een plank in een Vaticaanse werkkamer bij de overgang naar het millenniumjaar 2000 de rapporten lagen van negen mannen, voormalige seminaristen en priesters, die Marcial Maciel beschuldigden van seksueel misbruik? De beschuldigingen staken in het bijzonder omdat Johannes Paulus geloofde dat de spirituele en gedisciplineerde stijl van de Legionairs niet alleen het antwoord was op de cultuur des doods die de wereld in haar greep hield, maar ook op het fenomeen van de pederastische priesters. Toegeven dat Marcial Maciel net zo schuldig zou kunnen zijn geweest als de mannen die in steden als Boston en New Orleans waren beschuldigd, zou een ondermijning betekenen van de officiële visie van de Vaticaantop: dat ouderwetse disciplinering, het kloosterleven, het dragen van soutane en een sjerp, zowel letterlijk als in het hart, het antwoord waren op het priesterlijk misbruik.

Maar wat hielden de beschuldigingen van Berry en Renner in? Op het kleinseminarie in de Spaanse plaats Ontaneda, gesticht door padre Maciel (die door zijn seminaristen *'Nuestro Padre'* (Onze Vader) werd genoemd), zat ook Fernando Pérez, die in 1949 veertien jaar was. Pérez heeft verklaard dat hij een maand lang op een matras moest slapen in de slaapkamer van Maciel. Op een avond lag Maciel 'naakt onder een laken op bed te kronkelen van de pijn. Ik moest van hem zijn buik masseren.' Dit leidde tot een daad van seksueel misbruik. Volgens Pérez had Maciel ook zijn jongere broer José Antonio Pérez Olvera, verleid. Volgens Fernando had Maciel gezegd dat hij van zijn arts overtollig sperma moest ontladen. Een derde student in het Spaanse seminarie, Alejandro Espinosa Alcalá, werd regelmatig naar de kamer van Nuestro Padre geroepen. 'Ik vond het weerzinwekkend, maar ik dacht dat mijn probleem niets was vergeleken bij het zijne. Ik moest flink zijn [...]. Ik beschouwde mezelf als verpleegkundige en vond het een grote eer dat hij in mij vertrouwen stelde.' Een vierde student, Saúl Barrales Arellano, ging niet in op Maciels avances, ook al 'vroeg hij me vijf à tien keer seksuele handelingen bij hem te verrichten, wat ik weigerde'. Een andere getuigenis, die werd afgedrukt in *Newsweek*, komt van José Barba Martín, toentertijd een achttienjarige student op het college van Maciel in Rome. Hij moest naar Maciels kamer komen, waar Nuestro Padre hem vertelde dat hij van Pius XII speciale toestemming had gekregen zich door studenten te laten bevredigen. Sessies van masturbatie en wederzijdse bevrediging werden volgens Barba Martín afgewisseld met demerol-injecties. En tot slot vertelde Arturo Jurado Guzmań dat hij Nuestro Padre had bevredigd en drugs in hem had geïnjecteerd. 'Hij leerde en dwong me hem te bevredigen. Ik kreeg een opdracht van een geestelijke en die voerde ik gehoorzaam uit. Maciel had gezegd dat koning David in de bijbel een dame had. David riep haar bij zich om met hem te slapen, dus was het ook wel oké om met Maciel te slapen.'

Nadat een van de belangrijkste aanklagers, Juan Manuel Fernández Amenabar, in 1995 overleed, besloten de anderen, die naar zijn begrafenis waren gekomen, hun beschuldigingen aan Rome voor te leggen en een zaak aan te spannen onder het canoniek recht. Volgens de verjaringswet was de zaak niet meer ontvankelijk, maar het canoniek recht kent een uitzondering op die wet: de verjaring geldt niet voor priesters die iemand in de biechtstoel de absolutie hebben gegeven voor zonden die zij zelf met die persoon hebben bedreven. Dit wordt beschouwd als heiligschennis, waar excommunicatie op staat. De aanklagers hadden beweerd dat ze verplicht waren geweest aan Maciel de seksuele daden op te biechten die ze met hem hadden bedreven.

De Vaticaanse canonieke advocaat Martha Wegan wilde de zaak voorleggen aan het betreffende tribunaal van kardinaal Ratzingers Congregatie voor de Geloofsleer in Rome. Drie van de aanklagers gingen in 1998 naar Rome om hun beschuldigingen te presenteren aan een van Ratzingers secretarissen. Maar ze kregen te horen dat ze hierover geen woord aan de media mochten loslaten. Ze beloofden dat ze niet met de pers zouden praten, maar uiteindelijk lekte het verhaal onvermijdelijk toch uit. Zes jaar later, tot op de dag van vandaag, heeft het Vaticaan nog niet gereageerd op de beschuldigingen.

In een tijd waarin een priester al geschorst kan worden na een 25 jaar oude beschuldiging van ongepast knuffelen (zie bijvoorbeeld het geval van de eminente priester Michael Hollings in Londen), heeft Marcial Maciel, omdat de paus hem gunstig gezind is, het voordeel van de twijfel gekregen. Johannes Paulus bleef hem zelfs nog na al deze beschuldigingen allerlei privileges geven.

Bij de verschillende reacties op deze beschuldigingen van seksueel misbruik springt één eruit omdat die staat voor een visie die zo nauw verbonden is met Johannes Paulus dat die een betrouwbare indicatie geeft van hoe hij zelf over deze kwestie denkt. Ook geeft deze reactie definitief een bevestigend antwoord op de vraag of Johannes Paulus zich bewust was van de beschuldigingen tegen Maciel. Pater Richard John Neuhaus, hoofdredacteur van *First Things* en nauw bevriend met Johannes Paulus II, gaf zichzelf de nodige ruimte in zijn blad om een uitgebreid oordeel te vellen over de kwestie-Maciel en inderdaad de visie van Johannes Paulus over deze zaak weer te geven. Hij begon met het bekende commentaar dat de pederastencrisis hooguit een symptoom is van de hebzucht van de zelfverklaarde slachtoffers en hun advocaten: 'Verhalen over katholieke priesters hebben een zeker cachet – en voor advocaten een lucratieve bonus – die meestal in andere gevallen ontbreekt.' Vervolgens betoogde hij dat, zelfs al zat er een kern van waarheid in de beschuldigingen tegen Maciel, 'wat zou je kunnen doen tegen een 82-jarige priester die met zo veel succes een vernieuwende beweging heeft opgebouwd en die sterk gesteund en geprezen wordt door onder anderen paus Johannes Paulus II?' Dus lof van de paus biedt zelfs ook amnestie voor misdaden, in dit geval kinderverkrachting, waar op andere plekken in de wereld de doodstraf staat.

Maar dan kun je altijd nog één ding doen, vervolgde hij. 'Door de stichter van de orde zwart te maken, kun je proberen het door katholieke zogenoemde stichtende "charisma" om zeep te brengen, zodat ze hun steun aan de Legionairs van Christus intrekken.' Met andere woorden, het schandaal omtrent Maciel betreft niet de beschuldigingen van pederastisch misbruik, maar de rancuneuze agressie van progressieve katholieken tegen het goede werk van de eerwaarde Maciel.

Dan meldt Neuhaus aan de lezer dat hij onder de indruk is van Jezus' woorden 'aan hun vruchten zul je hen herkennen'. Hij kent het Legioen goed en heeft er veel respect voor. Hij bekent de lezer persoonlijk dat hij ooit les heeft gegeven op een van hun instituten: bewijs genoeg, zo moeten wij aannemen, van de goedheid van hun vruchten. Vreemd dat er niet bij gezegd wordt dat elfduizend minderjarige slachtoffers van seksueel misbruik door priesters wel heel wrange vruchten zijn.

En nu, ging Neuhaus verder, had hij het 'eindeloze' materiaal bestudeerd en kwam hij geërgerd ter zake. Hij had raad gevraagd aan een niet nader genoemde kardinaal 'in wie ik onbeperkt vertrouwen heb en die bij deze kwestie betrokken is geweest, die me vertelt dat de beschuldigingen "pure fantasie zijn, iedere grond missen"'. En dus 'heb ik de *morele zekerheid* dat de beschuldigingen vals en malicieus zijn'. Wat betekent dat eigenlijk, morele zekerheid, en hoe kun je die krijgen? 'Morele zekerheid,' stelt hij, 'verkrijgt men door het bewijs in het licht van het achtste gebod te houden: gij zult geen vals getuigenis spreken tegen uw naaste'.

Dan komt hij tot de kern van de zaak: de reden waarom Maciel niet heeft hoeven ingaan op de beschuldigingen van oud-studenten tegen hem. 'Het telt als bewijs,' concludeert hij grotesk, 'dat paus Johannes Paulus II, die vrijwel zeker op de hoogte is van deze beschuldigingen, padre Maciel en het Legioen op krachtige, consistente wijze publiekelijk heeft geprezen.'

En zo wijst Neuhaus onbedoeld precies op de verantwoordelijkheid die Johannes Paulus heeft in het pederastenschandaal. Maciel is onschuldig omdat de Heilige Vader dat zo heeft besloten; net zoals de Heilige Vader de meeste beschuldigde priesters aan het begin van de crisis onschuldig had geacht. Vandaar dat er geen reden bestond voor onderzoek, geen reden voor zelfkritiek, geen reden voor excuses en, vooral, geen reden voor verandering.

Neuhaus en consorten zouden echter een opvallend andere houding aannemen toen het ging over de vraag of de Kerk achter de preventieve militaire invasie van Irak moest staan. Het nimmer falende oordeel van de paus zou, zo bleek, toch zijn beperkingen hebben als de club van *First Things* het eens niet met hem eens was.

31
Johannes Paulus en de oorlog in Irak

Terwijl in januari 2003 de Verenigde Staten en Groot-Brittannië doorgingen met het opbouwen van troepen en militair materieel in Koeweit voor de op handen zijnde invasie van Irak, maakte Johannes Paulus zijn gedachten en gevoelens bekend over de dreigende oorlog. Op de eerste dag van het jaar, Wereldvrededag, blikte hij vooruit op het veertigjarige jubileum van de bekende encycliek *Pacem in terris* (Vrede op aarde) van zijn voorganger Johannes XXIII. Het was alsof hij zich alvast teweerstelde tegen een golf van oorlogsretoriek. Alweer riep hij een paus aan uit het verleden om zijn pauselijke visie kracht bij te zetten. 'Kijkend naar het heden en in de toekomst door de bril van het geloof en de rede,' schreef hij, 'zag de zalige Johannes XXIII diepere onderstromen aan het werk dan de internationale experts van vandaag.'

Hoewel Johannes Paulus zijn medeleven had betuigd met de Amerikaanse slachtoffers van de aanslagen op 11 september 2001, was hij niet in de stemming iets terug te nemen van zijn overtuiging dat een invasie van Irak een fout en rampzalig plan was. Hij was twaalf jaar daarvoor tot hetzelfde oordeel gekomen toen Bush senior en de coalitie Irak waren binnengevallen. En hij zei ongeveer hetzelfde over de aanvallen op Afghanistan in 2001.

In de tweede week van januari, terwijl de diplomaten binnen de VN en de hoofdsteden in het Westen overuren draaiden, verklaarde Johannes Paulus tot zijn nuntii en de ambassadeurs van de Heilige Stoel: 'Oorlog is nooit een van de middelen waaruit men kan kiezen om geschillen tussen naties te beslechten.' Hij sprak zijn mededogen uit met de armen in Irak.

Oorlog, zei hij, kan 'het volk treffen van Irak, het land van de profeten, een volk dat toch al twaalf jaar lang op de proef wordt gesteld door het embargo'.

Met verwijzing naar het Handvest van de Verenigde Naties en het internationaal recht zei hij dat men alleen tot oorlog mag overgaan als 'allerlaatste optie en onder zeer strikte voorwaarden'. Waarmee hij wilde zeggen dat, hoewel hij geen puristische pacifist was, aan de voorwaarden voor een gerechtvaardigde oorlog in dit geval niet werd voldaan. De Amerikaanse minister van Defensie Donald Rumsfeld had zich terecht aan dit oordeel kunnen ergeren, want de invasie in 1991 had de volledige goedkeuring van de VN gehad en voldeed in alle opzichten aan alle eisen van een rechtvaardige oorlog volgens de principes van Augustinus en Thomas van Aquino. Toch was ook die invasie door Johannes Paulus afgekeurd.

In zijn peroratie deed Johannes Paulus voor diplomaten afbreuk aan zijn vredesboodschap door plompverloren een betoog tegen abortus en de 'cultuur des doods' te houden. Landen zouden 'nee tegen de dood' moeten durven zeggen, vooral voor 'het ongeboren kind; alles wat het gezin verzwakt; alles wat in kinderen hun zelfrespect en respect voor anderen vernietigt; alles waardoor mensen zich opsluiten in een sociale of culturele cocon'. Tot slot sprak hij zich genadeloos uit over de levensstijl van de rijken, waarbij hij met name 'het probleem van de waterbronnen' aanstipte. Dit waren allemaal belangrijke vraagstukken, maar door ze in zijn betoog op te nemen, werd zijn boodschap over de aanstaande oorlog wat vaag.

De Amerikaanse bisschoppen stonden als een blok achter Johannes Paulus in de kwestie-Irak. De Amerikaanse Bisschoppenconferentie verklaarde eenstemmig dat de oorlog nu niet en nooit niet 'zou voldoen aan de strikte criteria van de katholieke leer om militaire macht in te zetten'. Kardinaal Pio Laghi, die naar Washington DC was gereisd om tegenover president Bush te pleiten tegen een invasie, beweerde bovendien dat er 'veel eensgezindheid bestaat in deze ernstige zaak van de kant van de Heilige Stoel, de bisschoppen in de Verenigde Staten en de Kerk in de rest van de wereld'. Maar die eensgezindheid was een droom. De belangrijkste voorstanders van Johannes Paulus in de Verenigde Staten, zowel leken als clerici, inclusief de coterie rondom *First Things* en Deal Hudson van *Crisis*, waren fel van mening dat deze oorlog niet alleen rechtvaardig was, maar zelfs 'een morele verplichting' was.

Professor Michael Novak, winnaar van de Templeton Award voor Vooruitgang in Godsdienst, die in het voorafgaande decennium veel invloed had op de paus in diens meningsvorming over het kapitalisme, vloog naar

Rome om in het hart van de Eeuwige Stad het debat voort te zetten door in een openbare lezing uit te leggen waarom Amerikanen voorstanders van deze oorlog waren. Hij was uitgenodigd door de Amerikaanse ambassadeur van de Heilige Stoel Jim Nicholson, de voormalige voorzitter van de Nationale Republikeinse Conventie. De argumenten van Novak denderden als een tankformatie over het pleidooi van Johannes Paulus.

Deze oorlog, hield Novak een gemengd publiek van diplomaten, prelaten en theologen voor, was een 'terecht vervolg op de rechtvaardige oorlog die in februari 1991 snel werd uitgevochten en gewonnen'. Aan de vredestafel, legde hij uit, hadden de Verenigde Naties als voorwaarde gesteld dat Saddam zich zou ontwapenen en zou bewijzen dat hij dat had gedaan, door inzage te geven in zijn vernietigingswapens. 'In de daaropvolgende twaalf jaar heeft Saddam Hoessein ondanks voortdurende waarschuwingen al deze verplichtingen aan zijn laars gelapt,' aldus Novak. Hij had het verder over niet nagekomen verplichtingen aan de Veiligheidsraad, en het voeren van een 'asymmetrische oorlog' tegen de Verenigde Staten, die zou worden gesteund en uitgelokt door Irak en andere landen in het Midden-Oosten die het internationale terrorisme sponsorden.

Schamperend over studeerkamerethici, onder wie duidelijk ook Zijne Heiligheid werd gerangschikt, legde Novak uit dat de nieuwe *Catechismus van de katholieke Kerk* erkende dat de primaire verantwoordelijkheid voor het voeren van een oorlog niet lag bij 'commentatoren op afstand', maar bij de daartoe verantwoordelijke overheidsdienaren.

Dit was een merkwaardige situatie. Novak, Neuhaus en Weigel hadden in die daaraan voorafgaande jaren routineus iedere criticus van het pauselijke gedachtegoed 'megalomaan' genoemd. Nu bleek dat zij zo ver gingen dat zij zelfs durfden uitmaken welke pauselijke uitspraken en standpunten kritiekloos aangenomen moesten worden en welke niet.

Met een beroep op het subsidiariteitsbeginsel verklaarde Novak dat alleen autoriteiten die het dichtst bij de feiten staan de verantwoordelijkheid voor een oorlog op zich konden nemen, want alleen zij hadden 'toegang tot vertrouwelijke informatie'. Met dat argument plaatste hij zichzelf in een onmogelijke positie, want Novak had die toegang tot 'vertrouwelijke informatie' ook niet. We zouden overigens al na een jaar weten dat het argument van vertrouwelijke informatie niet opging. Toch gaf Novak katholieke steun aan de herziening van de principes van een gerechtvaardigde oorlog naar aanleiding van terroristische aanvallen waarbij vele slachtoffers waren gevallen, zoals op 11 september 2001, en aan de eis dat schurkenstaten die massavernietigingswapens aanschaffen, door middel van preventieve militaire aanvallen moeten worden tegengehouden. Kardinaal Ratzinger had het verschijnsel preventieve oorlog afgekeurd, omdat het 'niet voorkomt in de *Catechismus van de katholieke Kerk*'. Maar Novak had net zo goed kunnen antwoorden dat burgervliegtuigen die invliegen op wolkenkrabbers om duizenden onschuldige burgers te vermoorden en geplande terroristische aanvallen met chemische, biologische en nucleaire wapens ook niet voorkomen in de kerkelijke sociale leer.

De encycliek *Pacem in terris* van Johannes XXIII was geschreven onder invloed van de slepende Koude Oorlog, terwijl Johannes Paulus was beïnvloed door de geweldloze revolutie in Oost-Europa en de Sovjet-Unie, die hem diep sterkten in zijn overtuiging dat er andere middelen zijn dan oorlog om een conflict op te lossen. Men kon het Michael Novak en zijn medestanders nauwelijks kwalijk nemen dat ze erop hamerden dat de wereld sinds 11 september 2001 drastisch was veranderd, net als de aard van oorlog – 'asymmetrische oorlogvoering'. Maar daar ging het nauwelijks om. Het ging erom dat het Vaticaan, en daarmee ook de Heilige Vader, morele steun zou geven aan het plan van de regering-Bush om Saddam Hoessein ten val te brengen.

Johannes Paulus echter keek eeuwen terug naar niemand minder dan de heilige Augustinus, de beschermheilige van de gerechtvaardigde oorlog, om geweldloosheid te verdedigen. Augustinus schreef: 'Het is nog altijd een grotere overwinning om oorlog een twistpunt van woorden te laten zijn dan mannen met zwaarden af te slachten, om de vrede met vrede te bewaren, niet met oorlog.' Diezelfde Augustinus had de voorwaarden voor een gerechtvaardigde oorlog als volgt samengevat: er moest een goede reden, een legitiem gezag en een goede bedoeling zijn. Maar de Kerk had die voorwaarden later uitgebreid en verfijnd met de eisen van evenredigheid, kans van slagen en beperking van bijkomende schade.

Johannes Paulus werd niet alleen gesteund vanuit de katholieke traditie toen hij begin 2003 vroeg om terughoudendheid, maar hij liep ook in de pas met de publieke opinie in Europa en Zuid-Amerika, waar men onder luid protest het principe van de 'goede bedoelingen' in twijfel trok, en ook Bush' 'legitieme gezag' aanvocht gezien zijn arrogante houding tegenover de Verenigde Naties. Maar in de Verenigde Staten werkte de schok van 11 september nog door. Het Amerikaanse volk deelde deze visie niet.

In maart 2003 werd de bewering van het Vaticaan dat de Kerk eensgezind tegen de oorlog was, tegengesproken door enquête-uitslagen waaruit bleek dat tweederde deel van de katholieken in de Verenigde Staten vóór een unilaterale aanval op Irak was. Dat katholieken niet braaf aan de leiband liepen van de pontifex maximus, noch aan die van hun eigen bisschoppen, kwam niet als een verrassing. Katholieken in Amerika hadden immers, net als hun geloofsgenoten elders in de wereld, inmiddels de gewoonte de officiële pauselijke leer te negeren, bijvoorbeeld over zaken als anticonceptie. En dan was er nog de invloed van Novak, Neuhaus en Weigel, die dankzij de rechtse katholieke media een groot bereik hadden in Amerika.

Ondertussen had Johannes Paulus besloten zich er diplomatiek mee te bemoeien, zich er waarschijnlijk niet van bewust dat hij daarmee nog wat olie op het vuur zou gooien. Halverwege februari stuurde hij kardinaal Roger Etchegaray, een Franse Bask en de gepensioneerde voorzitter van de pauselijke Raad voor Rechtvaardigheid en Vrede, naar Bagdad. Etchegaray was 81 geworden in 2003. Tegen journalisten zei hij: 'De paus is niet tegen oorlog. Hij heeft besloten de uiterste grenzen van de hoop te verkennen, en ik ben zijn boodschapper.' Met goede bedoelingen, zij het wat trillerig, onthulde de goede kardinaal een zeker gebrek aan realisme toen hij vertelde dat Saddam 'lang en geïnteresseerd' had geluisterd naar de pauselijke oproep tot vrede.

Maar voor het bezoek werd een lastige tegenprestatie gevraagd. Terwijl Etchegaray naar Irak reisde, vloog de vice-premier van Irak, de uilachtige Tariq Aziz, naar Rome om Johannes Paulus te bezoeken. Aziz was onder televisiekijkers overal ter wereld bekend om zijn cynische dubbelzinnigheden tijdens de Irakese invasie van Koeweit. Johannes Paulus had hem in de jaren negentig drie keer eerder ontmoet, toen Aziz in naam van Saddam had gepleit voor opheffing van de sancties tegen het land. Aziz verklaarde op het vliegveld dat hij naar de Heilige Stoel was gekomen om in eigen persoon de paus te smeken 'alle goede krachten te mobiliseren tegen de krachten van het kwaad'. Op schijnheilige wijze (hij liet zich vooral van zijn katholieke kant zien) zei Aziz: 'Iedereen die gelooft in vrede en rechtvaardigheid, iedereen die in God gelooft, christen of moslim, is tegen deze agressie.' Hij werd ook nog ontvangen door staatssecretaris Angelo Sodano en de vice-staatssecretaris van Buitenlandse Zaken Jean-Louis Tauran. Zo schonk Johannes Paulus eer aan Saddam in een periode waarin hij hem met een morele veroordeling onder druk had kunnen zetten. Waar zat Johannes Paulus met zijn hoofd?

Later tijdens een persconferentie in het Internationaal Perscentrum in Rome vroeg een Israëlische correspondent aan Aziz of Irak Israël zou aanvallen na een Amerikaanse invasie. Aziz veranderde plotseling weer in zijn venijnige zelf toen hij antwoordde dat hij niet naar binnen was gegaan als hij geweten had dat er joden aanwezig waren. Dit ontlokte een verontwaardigd boegeroep van het Vaticaanse en Romeinse perscorps. De Israëliër, Menachem Gantz, verliet de zaal, waarop een Franse verslaggever de vraag herhaalde. 'Wij hebben niet,' antwoordde Aziz kortaf, 'de middelen om een land buiten ons grondgebied aan te vallen.' Na het incident met Gantz zegde de burgemeester van Rome zijn ontmoeting met Aziz meteen af.

Poserend als vrome pelgrim trok de Irakese minister vervolgens naar Assisi om te bidden in het heiligdom van Sint-Franciscus. Op zijn knieën luisterde hij naar een franciscaner pastor die het gebed bad van de heilige Franciscus dat zo begint: 'Heer, maak van mij een instrument van Uw vrede.' Toen overhandigde men hem het 'licht van de vrede', dat in januari van dat jaar was aangestoken door de religieuze wereldleiders.

Wie Aziz beter kende, onder wie gevluchte Irakezen, protesteerde en wist dat de franciscaner broeders werden misbruikt. Na dit bezoek had Aziz verklaard dat Saddam Hoessein een 'vader was voor zijn volk, dat vertrouwen in hem had'.

In de week daarna bracht de Britse premier Tony Blair een bezoek aan Johannes Paulus. Hij kreeg niet zoals Aziz een warm pauselijk onthaal, maar werd streng toegesproken. Blair kreeg te horen 'dat men bijzondere consideratie moet hebben met het Irakese volk, dat toch al zo beproefd is door al die jaren van het embargo'.

Op de avond voordat de vijandelijkheden begonnen, 16 maart, sprak Johannes Paulus bezield over de 'verantwoordelijkheid jegens God' die wereldleiders hebben. Hij zei dat hij niet geloofde in vrede ten koste van alles, maar hij voelde zich verplicht de wereld te herinneren aan de 'grote, zeer grote verantwoordelijkheid' die wereldleiders torsen.

Toen de vijandelijkheden halverwege maart begonnen, veroordeelde Johannes Paulus, ondanks alle pogingen van Michael Novak om het Vaticaan te beïnvloeden, de aanval op Irak van de coalitie. Johannes Paulus was diep aangeslagen door het uitbreken van de gevechten. In een interview voor de katholieke televisiezender Telepace (Televrede) zei hij: 'Vrede is de enige manier om een rechtvaardiger, stabielere samenleving op te bouwen. Met wapens en geweld kan men geen menselijke problemen oplossen.' Op de eerste zondag van de oorlog bad hij vanaf zijn balkon aan het Sint-Pietersplein op het middaguur na het angelus tot de Maagd Maria, opdat zij vrede zou geven. Zijn toespraak werd onduidelijk uitgesproken, hij was nauwelijks te verstaan en hij klonk wanhopig moe.

In de Verenigde Staten bleven de bisschoppen bij hun oorspronkelijke standpunt tegen de oorlog, al distantieerden zij zich van de mening van bisschop John Michael Botean van Canton, Ohio, die had verklaard dat het een doodzonde was om tegen de Irakezen te vechten. Eind maart bleek uit een Amerikaans onderzoek van het Pew Forum dat de Verenigde Staten nog nooit met zo weinig steun van religieuze leiders ten strijde waren getrokken, en nog nooit hadden religieuze leiders zo weinig invloed gehad op de publieke opinie. Ongeveer zestig procent van de bevolking, aldus het onderzoek, stond achter de oorlog.

Het zat niet in het karakter van Johannes Paulus om zelfvoldaan naar zijn tegenstanders te roepen: 'Ik heb het nog zo gezegd!' Maar toen in het jaar na de militaire overwinning de coalitie werd geconfronteerd met aanslagen van opstandelingen, moet vast eens door zijn hoofd hebben gespeeld hoe accuraat zijn voorspellingen waren: dat de oorlog contraproductief zou zijn, dat de burgers er zwaar onder zouden lijden, dat de wereldterreur een extra impuls zou krijgen. Angelo Sodano, zijn staatssecretaris, trok zelfs parallellen met Vietnam.

Toch waren Johannes Paulus en zijn naaste medewerkers na een lange periode van bijna totale stilte over Irak geneigd hun standpunten over de bezetting te herzien, zelfs ook na de afschuwelijke aanslag op Italiaanse soldaten. Halverwege november was er een vrachtwagenbom ontploft naast het Italiaanse hoofdkwartier in Nasiriya, waarbij negentien soldaten om het leven waren gekomen. De aanslag was des te tragischer omdat de troepen vredes- en oefentaken uitvoerden en geen offensieve militaire operatie. Johannes Paulus sloot zich aan bij de Italiaanse bisschoppen en noemde de aanslag 'het werk van het kwaad'. Toen één bisschop zijn walging toonde over de 'heiligverklaring' van de Italiaanse militaire aanwezigheid in Irak, werd hij daarvoor door de daartoe bevoegde Vaticaanse kardinalen streng berispt.

In de periode van nationale rouw om de slachtoffers werden op straat grote demonstraties gehouden en vonden velen dat Italië zich moest terugtrekken. Maar kardinaal Camillo Ruini, de vicaris-generaal van het bisdom Rome en voorzitter van de Italiaanse Bisschoppenconferentie, verklaarde dat de Italiaanse troepen hun 'belangrijke en nobele missie' niet zouden moeten staken. Op de vraag of deze soldaten waren omgekomen in een ongerechtvaardigde oorlog, antwoordde hij: 'Het zijn slachtoffers van terrorisme, zo eenvoudig ligt dat.'

Naarmate de situatie in Irak grimmiger werd, nam het Vaticaan een kalme, realistische houding aan. Johannes Paulus moet gedacht hebben dat de oorlog nog veel erger had kunnen worden. In het tijdschrift *America* zei een hoge maar niet met name genoemde Vaticaanse bron:

Het Vaticaan zei duidelijk 'nee' tegen de oorlog. Maar op een gegeven moment moet je de situatie die is ontstaan, beheersen om nog meer schade te voorkomen. Als de militairen zich nu terugtrekken uit Irak, zou het een grote chaos worden in het land. De vaas is gebroken en we moeten een manier vinden om de stukken te lijmen. Natuurlijk bestaat het probleem dat hoe dieper je erbij betrokken raakt, hoe groter de neiging wordt die betrokkenheid te rechtvaardigen.

32
Johannes Paulus' neergang

Het was eind september 2003 en Johannes Paulus was zojuist teruggekeerd uit Slowakije. Twee artsen hadden hem op die reis begeleid, onder wie een cardioloog. Aan boord van het vliegtuig waren zuurstofflessen, een defibrillator en bloed voor het geval een bloedtransfusie nodig zou zijn. Terug in Rome vertrok de paus onmiddellijk in een volgestouwde helikopter naar Napels voor een uitputtend pastoraal bezoek. Op de terugweg ging hij rechtstreeks door naar zijn zomerverblijf Castel Gandolfo.

De volgende dag hing er een verzengende hittegolf boven Rome en was er grote consternatie ontstaan in de wandelgangen van het Vaticaan en in de favoriete restaurantjes van de curie. De Heilige Vader had die nacht een maagbloeding gehad en dokter Buzzonetti was erbij geroepen. Het gerucht ging dat hij maagkanker had. Op diezelfde dag vaardigde de paus een decreet uit, kennelijk vanuit zijn bed, volgens welke hij binnen zes maanden 31 nieuwe kardinalen zou benoemen: de meesten van hen zouden nog de kiesgerechtigde leeftijd hebben bij de volgende pausverkiezingen. Hij bereidde zich duidelijk weer voor op zijn laatste grote pauselijke reis, en niets aan het toeval overlatend zorgde hij ervoor dat zijn visie op de toekomst van de katholieke Kerk werd veiliggesteld. Monseigneur Sotto Voce had de neiging tamelijk lang en wellustig stil te staan bij de gezondheidstoestand van de paus toen ik hem die avond mee uit eten nam. De BBC, hoorde ik van de Rome-correspondent bij die omroep, David Willey, had tachtig journalisten naar Rome gestuurd omdat men verwachtte dat hij binnen een week zou overlijden.

Maar het was wederom vals alarm. Weer zaaide Johannes Paulus verwarring over zijn dreigende heengaan door uit zijn ziekbed te stappen en weer door te gaan. Ongeveer een week na de schrik, nadat hij Moeder Teresa zalig had verklaard en 31 nieuwe kardinalen had verwelkomd tijdens een lange mis, verscheen hij weer in de buitenlucht voor zijn woensdagpubliek op het Sint-Pietersplein. Monseigneur Sotto Voce had voor mij een speciale pas geregeld, waardoor ik langer dan een uur een paar meter van hem vandaan zat.

Ik was gebiologeerd door zijn broosheid. Zijn lichaam was in elkaar gezakt, hij keek verbaasd de wereld in, alsof hij zojuist uit de dood was opgestaan. Het was plotseling koud geworden en hij was gewikkeld in een ruime scharlakenrode mantel die een verraderlijke, over het grote plein wervelende wind moest tegenhouden. Soms tilde hij zijn goede rechterhand op om zijn mond met een zakdoekje af te vegen; soms werd die hand naar zijn hoofd getild om ervoor te zorgen dat zijn kalot niet door een plotselinge kille rukwind zou wegwaaien. De andere hand, die last had van onbeheersbare tremors, bleef verborgen.

Ik raakte die dag gefascineerd door het toenemende vernuft van Johannes Paulus' mobiliteitsingenieurs. Vanuit zijn pausmobiel daalde hij neer uit een hydraulische minilift naar het podium, daarna werd hij een paar meter door zijn assistenten naar het publiek toe gereden, waarna de kleine wieltjes onder deze hightechstoel langzaam uit het zicht verdwenen, doordat de plint die de basis vormde van de pauselijke troon, naar beneden zakte en stevig rustte op het podium. Met de vermoeide rijpheid van een patiënt uit bed, gestrand in een ziekenhuisgang, keek hij uit over de stad en de wereld, alsof hij wilde zeggen: 'Hoe lang nog?!' Je voelde golven van compassie uit de menigte opwellen. De mensen konden hem goed zien, ook vanaf grote afstand, op de enorme beeldschermen die om de zoveel meter op het plein stonden. Toch gebeurden er vreemde dingen onder dit publiek, ondanks de sfeer van eerbied en respect. De mobiele telefoon van de vrouw naast me ging af en ze begon luid te praten over haar winkelavonturen, een paar meter van de paus vandaan. Een prelaat keek haar woedend aan, maar ze nam er geen notitie van. Ook zag ik tot mijn verbijstering een man in een zwarte leren jas een sigaret opsteken.

Na de paniek van eind september sprak iedereen over het aftreden van Johannes Paulus, zelfs op kardinaalsniveau. De Japanse kardinaal Stephen Fumio Hamao had in de media verklaard dat de paus moest aftreden.

Het was een afmattend jaar geweest. In mei had hij Spanje bezocht, waar hij onthaald werd als *'el torrero'* (de stierenvechter), het grootste compliment dat een Spanjaard iemand kan geven, zelfs aan een buitenlandse paus. Op een vliegveld buiten Madrid had hij vijfhonderdduizend jongeren toegesproken; in de overweldigende hitte verklaarde hij dat Europa een 'baken van licht' was voor de wereld. 'Ideeën,' bulderde hij, 'kan men niet opleggen, maar wel voorleggen.' Niet zonder reden betoonde hij zich als een vrijzinnige paus. Spanje was een land dat zijn buik vol had van dogma's: het kerkbezoek was gedaald van 23 procent in 1998 naar 18 procent in 2002. Een maand later vertrok hij naar Kroatië, zijn derde bezoek aan dit mediterrane Balkanland, en zijn honderdste buitenlandse reis in totaal. Kroatië is een katholiek land waar het kerkbezoek daalt; hij preekte, gehuld in zware gewaden, bij een temperatuur van 38 graden Celsius. Op een gegeven moment riep hij de mensen op voor hem te bidden, niet alleen bij zijn leven, maar ook na zijn dood, die niet lang meer op zich zou laten wachten. Daarna ging hij door naar Slowakije.

Hij leek die herfstdag in Rome te baden in golven van sympathie en genegenheid: zo zou hij herinnerd worden, leek wel, als de evangelist die ondanks ouderdom en ziekte reizen maakte door de hele wereld, tot het bittere eind. Zijn openbare gebeden, haperend en nauwelijks te verstaan, werden nu gericht aan zieken en bejaarden en gingen over het lot van de kinderen. Hij was een levend symbool geworden van de troostende werking die godsdienst heeft bij hulpeloosheid en slopende ziekte. Deze man, die eens bewondering had gewekt om zijn knappe uiterlijk en zijn vitaliteit, toonde geen spoor van gêne over zijn aftakeling. Hij liet zien dat moedige acceptatie van ouderdom en ziekte een verheffende preek vormen voor de wereld.

Maar in hoeverre had hij eind 2003 nog de leiding? In hoeverre hield hij een schijnbeeld op met behulp van medische cocktails en pontificale rook- en spiegeleffecten? Was hij nog gezond genoeg van lichaam en geest om aan het hoofd te staan van de miljarden gelovigen tellende katholieke Kerk, met haar veelzijdige behoeften, uitdagingen, spanningen en controverses? Zijn woordvoerders en naaste medewerkers, die alles op adembenemende wijze ontkenden, hielden vol dat hij 'alles onder controle had'. Maar Johannes Paulus' aanhoudende greep op de macht begon nu enkele oude en diep gekoesterde mythen over zijn gezag bloot te leggen. Dit was een invalide en vaak sprakeloze paus die duidelijk niet meer in staat was de Kerk te besturen. De vraag – die door iedereen in Rome werd gesteld – luidde: hoeveel begrijpt hij nog van de ambitieuze onderneming waarvan hij aan het hoofd staat?

Zijn toestand was karikaturaal onecht geworden. Binnen één week in oktober had hij volgens het gepubliceerde pauselijke rooster zo veel activiteiten uitgevoerd dat een man die half zo jong was erdoor uitgeput zou raken. Hij had een ontmoeting met de Russische president Vladimir Poetin (nog steeds geen uitnodiging van Moskou, helaas) en president Mary McAleese van Ierland, hij zat een internationale conferentie over depressie voor, hij publiceerde een verklaring over cultuurverschillen, hij benoemde een tiental bisschoppen, hij gaf een lezing aan leden van de Poolse vakbond Solidariteit en hij zat een wereldcongres voor over pastorale zorg aan migranten en vluchtelingen.

Alles kwam naar buiten in naam van de paus, zodat de kranten en nieuwsvoorzieningen konden koppen 'De paus zegt dit', 'De paus zegt dat', en niemand zich hoefde af te vragen wie deze show precies regisseerde. Toen de paus jonger was en in goede gezondheid, hadden insiders het wel eens over de vraag hoe hij de middelpuntvliedende problemen van de universele Kerk het hoofd bood. Een paus heeft in theorie dagelijks contact met alle nationale bisschoppen in ongeveer honderdtien landen. Deze bisschoppen, meer dan drieduizend in totaal, gaan regelmatig naar Rome voor een 'persoonlijke ontmoeting' met de paus – de zogeheten 'ad limina'-bezoeken. Overal heerst crisis. In Latijns-Amerika kampt men met armoede, onrechtvaardigheid, overbevolking, concurrentie van de protestantse evangelische missie. In Afrika en Azië dreigen door culturele krachten de katholieke tradities van geloof en religie uit elkaar te vallen; terwijl in zuidelijk Afrika geroepen wordt om veilige seks ter bestrijding van aids. In Noord-Amerika heerst de crisis van de pederastische priesters en spreekt men op allerlei gebied de pauselijke leer tegen. Overal in Europa lopen de kerken leeg, daalt het aantal priesterroepingen dramatisch, vreest men de oecumene, ruziet men over de liturgie en wordt het christelijk geloof als pilaar van de Europese Grondwet afgewezen.

Sinds een jaar of zes laat Johannes Paulus geleidelijk en zonder openbare ruchtbaarheid steeds meer van zijn bestuur aan anderen over. Want zijn toestand ging op en neer, van 's morgens vroeg tot 's avonds laat, elke dag weer. Een opvallend voorbeeld van zijn regelmatige geheugenverlies was merkbaar aan het begin van oktober 2003, en werd aan mij verteld als 'ooggetuigenverslag' door monseigneur Sotto Voce, die had gehoord dat het verhaal 'heel betrouwbaar' was. Aartsbisschop van Canterbury, dr. Rowan Williams, kwam naar Rome om de paus te bezoeken, samen met nog een paar anglicaanse hoogwaardigheidsbekleders. Er werden zegeningen uitgewisseld, ringen gekust, verklaringen voorgelezen (iemand anders las die van de paus voor) en cadeautjes uitgewisseld. Toen het bezoek was vertrokken, keerde de paus zich naar een naaste medewerker en vroeg: 'Zeg eens, wie waren die mensen?'

Nadat de Ierse president Mary McAleese Johannes Paulus had ontmoet, sprak ze vrijuit met een journalist die haar opmerkingen afdrukte in het Britse katholieke weekblad *Universe*. 'Ik vond hem aanzienlijk veranderd,' zei ze. 'Hij moet zo zijn best doen voor elk woord dat het heel goed tot je doordringt dat ontvangen worden door hem van zijn kant een gulle gift is gezien zijn leeftijd en zwakke gezondheid.' McAleese zei dat de paus probeerde te praten over het Ierse College in Rome, het seminarie voor Ierse priesterstudenten. 'Hij wilde weten waar dat Iers College ook alweer was, en toen hij hoorde dat het vlak bij de San Giovanni in Laterano was, wilde hij weten waar die was.' Aangezien de San Giovanni in Laterano van oudsher de basiliek van de pausen is, was deze lapsus vergelijkbaar met de Britse koningin die vraagt waar Windsor Castle ligt. In diezelfde week zat de paus als een doofstomme op een audiëntie bij de president van Uruguay.

Maar een paar dagen later, tijdens een bijzondere mis ter gelegenheid van het 25-jarig jubileum van zijn pontificaat op het Sint-Pietersplein, zag hij er weer verbazingwekkend sterk uit en klonk hij goed. Tijdens die mis las Johannes Paulus een voorbereide tekst voor over zijn toewijding aan Onze Lieve Vrouwe en droeg hij zijn pauselijk ambt weer op aan Christus: 'Door de tussenkomst van Maria, geliefde Moeder, de gave van mijzelf, van het heden en de toekomst: moge alles worden gedaan volgens Uw wil, Hoogste Herder, zodat we veilig met U verder kunnen gaan naar het huis van de Vader.'

De luisterrijke ceremonies in die herfst, die enorme openbare theatrale opvoeringen waarbij hij in het middelpunt stond, leken hem op te peppen. De mensenmassa die de zaligverklaring van Moeder Teresa bijwoonde, naar schatting driehonderdduizend mensen, reikte van de oever van de Tiber tot aan het eind van de Via della Conciliazione. De paus, zichtbaar in close-up op de grote beeldschermen op het plein, leek diep ontroerd. Haar zaligmaking bracht het aantal door hem zalig en heilig verklaarden op 1321. Hij was dik bevriend met Moeder Teresa. Zusters van de Naastenliefde, de congregatie van Moeder Teresa, waren aanwezig, ongeveer vijfhonderd van hen, en de voorste rijen waren gevuld met ongeveer 3500 arme en zieke mensen.

Het consistorie van kardinalen en de zaligmakingsrituelen in die herfst waren slopend: beide evenementen duurden ongeveer drie uur. Johannes Paulus hield het vol en het lukte hem nog persoonlijk enkele honderden mensen te zegenen aan het eind van beide missen. Gezegd werd dat hij enkele van zijn beste vrienden niet herkende bij deze zegeningen. Een bisschop merkte op dat Johannes Paulus met zijn hand naar zijn keel greep om aan te geven dat hij niet in staat was te praten. Tijdens het consistorie viel ironisch genoeg dokter Buzzonetti flauw, die er juist bij was om Johannes Paulus in de gaten te houden. Hij moest in allerijl worden afgevoerd naar zijn eigen kleine kliniek voor spoedeisende hulp in het Vaticaan.

En tijdens al deze grote en kleine ceremonies was nu duidelijk dat de CCTV-camera's van de Vaticaanse informatiediensten, die door Opus Dei worden gerund en via een perssyndicaat hun beelden aan bekende nieuwskanalen verkopen, discreet de andere kant op keken als de paus het weer even moeilijk had of in slaap was gevallen. BBC-correspondent David Willey herinnerde mij eraan dat een vergelijkbare redactionele controle werd uitgeoefend over de paus door de communistische media tijdens zijn eerste bezoek aan Polen. In dat geval was het om te verhullen hoe groot en enthousiast de menigten waren die zijn missen bezochten.

Met Kerstmis 2003 voor de deur en alweer een 'laatste' gezondheidswaarschuwing verder bestudeerde ik Johannes Paulus weer eens tijdens een woensdagochtendpreek. Hij zag eruit als een afgeleefd, futloos galjoen dobberend op kalme zee na een storm. Het kwijlen was onder controle, hij kon weer een korte preek houden (hoewel hij vaak moeilijk te verstaan was en hij hele zinnen oversloeg) en dankzij die multifunctionele troon op wielen bleef zijn lichamelijke, geestelijke en spirituele aanwezigheid voelbaar, al was zijn stem dan niet helemaal en voortdurend te verstaan.

Hij leek weer te functioneren: het jojo-effect, gezien zijn sterke hart en de medicijnencocktail voor zijn toestand zou nog jaren door kunnen blijven gaan. Hij had laten weten dat hij bereid was door te gaan tot hij erbij neerviel. 'Christus,' vertelde hij het publiek van pelgrims, 'legde zijn kruis niet neer.' Hij ging door met het verkondigen van het evangelie tot aan zijn 'laatste snik'. Maar als de katholieke Kerk kon worden gerund door een zieke en nauwelijks aanwezige paus alsof er niets aan de hand is, waarom moest de Kerk dan zo nodig vanuit het Vaticaanse centrum worden bestuurd, en wat klopte er dan van de geruststellende gedachte dat de paus altijd alles onder controle heeft?

Vroeger zou Johannes Paulus elke actuele kwestie hebben besproken met deskundigen, tijdens de lunch vragen stellen over de documenten die hij moest ondertekenen en bekrachtigen met het zegel van de vissersring. Ik had een recent voorbeeld van die handtekening gezien, een bewerkelijke, krasserige krabbel, gekrast in zwarte inkt onder een pauselijk document dat aan het eind van september 2003 was goedgekeurd: de handtekening had ook gezet kunnen worden in een vliegtuig tijdens zware turbulentie.

Maar, zoals curiebeambten zich steeds bezorgder begonnen af te vragen, las de paus die documenten nog wel, of werd hij gestuurd – en zo ja, door wie?

In december had iedereen het over de Poolse secretaris Stanisław Dziwisz. Ik had hem voor het eerst ontmoet in december 1987, toen hij me vragen stelde voordat hij me toestemming gaf voor een ontmoeting met Johannes Paulus. De man is klein van stuk, spreekt zacht, heeft vriendelijke ogen en geeft een slap handje; maar volgens de inwoners van het Vaticaan heeft hij een katachtige waakzaamheid, die een ijzeren wil maskeert. De paus heeft hem tot aartsbisschop benoemd toen hij 63 was, in de zomer van 2003, hoewel hij geen bisdom heeft en ook geen baan meer als de paus komt te overlijden.

Het begon ook steeds duidelijker te worden dat de uiteindelijke poortwachter van de stroom bezoekers, alsmede de bewaker van degenen die door de deur van de pauselijke studeerkamer worden toegelaten, Dziwisz was. Dziwisz begeleidde volgens iedereen de paus bij alle dingen van de dag, van 's ochtends vroeg tot 's avonds laat, en was nu de auteur van de meeste van zijn preken, die aan algemene bezoekers werden voorgelezen tijdens zijn wekelijkse verschijning boven het Sint-Pietersplein op zondag. Hij was de drijvende kracht achter de documenten, adviseerde de paus welke hij moest ondertekenen en welke niet.

Kardinaal Ratzinger, de doctrinaire waakhond van de Kerk, zag de paus nog elke vrijdag, en kardinaal Sodano, hoofd diplomatie en politieke en buitenlandse zaken van de Heilige Stoel, zag hem nog vaker. Geen van deze hoge prelaten zou echter zonder toestemming van Dziwisz het pauselijk appartement kunnen betreden. Hij deed immers de deur van het slot om hen binnen te laten, bracht hen naar de paus en bleef erbij gedurende de hele zitting.

Het is verbazingwekkend dat er nog steeds mensen zijn die de werkelijkheid van de verslechterende gezondheid van de paus en zijn onmacht niet kunnen toegeven. Ze reageren geïrriteerd op suggesties dat het wat minder met hem zou gaan en dat hij minder controle heeft. Toen ik eens in een artikel in de *Sunday Times* suggereerde dat Johannes Paulus niet op zijn best was, beschuldigde Richard Neuhaus mij van een 'journalistiek ambtsmisdrijf'.

Wat mensen die om Johannes Paulus gaven en van hun Kerk hielden nog het meest zorgen baarde, was dat deze geweldige en beproefde man in deze periode van zwakte niet alleen gemanipuleerd zou kunnen worden door mensen uit zijn directe omgeving, die uitgesproken opvattingen hebben over hoe de Kerk gerund zou moeten worden, maar ook door invloeden, grote en kleine, van buiten het Vaticaan. Na de kerst van 2003 werd deze situatie geïllustreerd door een op zichzelf onbelangrijke, maar veelzeggende kwestie.

33
The passion van Mel Gibson

Rond nieuwjaar 2004 raakte Johannes Paulus betrokken bij een weinig verheffend opstandje dat aangaf hoe lichtzinnig men aan het pauselijk hof omsprong met de naam van de paus en de waarheid, en hoe de paus gemanipuleerd werd door de 'fluwelen macht' achter de troon, aartsbisschop Dziwisz. Vooral toonde het opstootje aan Vaticaanwatchers met oog voor het ondenkbare hoe 'stuurloos' het pontificaat was geworden.

Johannes Paulus zag Mel Gibsons film *The passion of the Christ* verspreid over twee avonden op 5 en 6 december in de beslotenheid van zijn appartement, samen met zijn secretaris Dziwisz. Het zou ongetwijfeld een te zware beproeving van zijn zwakke gestel zijn geweest om de film in één keer te zien. Op 17 december beweerde Gibsons promotieteam dat de paus volgens Dziwisz over de film had gezegd: 'Het is zoals het was.' Deze duidelijke 'goedkeuring', een enorme opsteker voor de mensen van de film, werd bericht door de *Wall Street Journal*, die Dziwisz citeerde, en onafhankelijk daarvan door de *National Catholic Reporter*, die een 'betrouwbare Vaticaanse bron' aanhaalde. Vervolgens – en hier raken we aan de kern van de ruzie – werd het commentaar na Kerstmis vlakjes ontkend. Op 19 januari meldde Dziwisz nadrukkelijk dat de paus een dergelijke verklaring niet had afgelegd.

De film gaat over de laatste uren van Jezus Christus, vanaf het verraad in de Hof van Getsemane tot aan de kruisiging. Er komt een 25 minuten durende geselscène in voor. De dialogen worden uitgesproken in het Aramees en het Latijn en ondertiteld, wat de rolprent tot de meest gemaakte bijbelfilm uit de filmgeschiedenis maakt. De joodse priesters zijn volgens vele critici neergezet als antisemitische stereotypen. Anderen ontkennen de beschuldiging van antisemitisme hevig en zeggen dat Gibson juist alles heeft gedaan om die elementen eruit te zuiveren. Gibson liet voortdurend weten dat hijzelf de eerste nagel in het kruis sloeg, kennelijk om aan te geven dat Jezus is gekruisigd door de gewone man.

Voordat de paus de film had gezien, waren er aan het eind van de zomer in 2003 al voorvertoningen geweest voor selecte gezelschappen op verschillende plaatsen in de wereld, waarschijnlijk om reacties uit te lokken vanuit katholieke machtscentra. In Los Angeles werd de film bekeken door een publiek van vierhonderd jezuïeten, een groep die Gibson reden gaf tot bezorgdheid. Stel dat de jezuïeten er zich tegen keerden! Maar een aanwezige jonge jezuïet zei: 'Met vierhonderd jezuïeten heb je vierhonderd meningen. Maar toevallig was de reactie positief. We vonden het prachtig.' In Rome werd de film vertoond op het college van de Legionairs van Christus voor een enthousiast publiek.

Toen de film overal in de bioscopen draaide, raakten katholieken, protestantse evangelisten, joden en een gemengde groep van atheïsten en agnosten verwikkeld in een woordenstrijd over de esthetiek, theologie, getrouwheid aan de bijbel en de al of niet antisemitische strekking van de film. Vanuit Gibsons perspectief een uitstekende rel, want goed voor de publiciteit van de film. Afgezien van de toevoeging van extern materiaal – een visioen van de negentiende-eeuwse antisemitische zieneres zuster Anna Katharina Emmerich – wijkt Gibsons passie niet af van het evangelieverhaal. Het grootste bezwaar van de tegenstanders was de overdaad aan geweld: sommigen spraken zelfs van 'sadomasochisme'.

De reactie van de Heilige Vader was niet zomaar een mening over de esthetica of bijbelse getrouwheid van de film, aangezien Mel Gibsons relatie met de katholieke Kerk en de paus gecompliceerd was door zijn bijzondere achtergrond. Gibson kwam uit een katholiek gezin van elf kinderen uit Peekskill, New York. Vader Hutton was verbonden aan de traditionalistische 'Sede vacanists' – een groep wereldvreemde aartsconservatieve katholieken die beweren dat bij de verkiezing van paus Johannes XXIII gefraudeerd is, dat diens zo geprezen Tweede Vaticaans Concilie een complot is van joden en vrijmetselaars en dat de Heilige Stoel tot op de dag van vandaag als vacant moet worden beschouwd. Op basis van het Concilie van Trente in de zestiende eeuw betreurden Hutton en de zijnen de teloorgang van de oude Latijnse mis en wezen zij vele vrijzinnige hervormingen af die volgens hen het katholieke heiligdom hadden vervuild met de rook van Satan. Bedenkelijker was het gerucht dat Hutton Gibson de holocaust ontkende, een beschuldiging die de aantijgingen dat de film antisemitisch zou zijn, alleen maar kon bevestigen. Gibson had zichzelf van dergelijke smetten gedistantieerd, maar hij verdomde het zijn eigen vader af te vallen, waartoe sommige interviewers hem verleidden. Tegen deze achtergrond zou een goedkeuring van Johannes Paulus door kwaadwillende geesten verkeerd geïnterpreteerd kunnen worden.

Nauwelijks was het nieuws over het oordeel van Johannes Paulus – dat *The passion* het lijden van Christus liet zien 'zoals het was' – in de *National Catholic Reporter* gepubliceerd, of Cindy Wooden van de Catholic News Service beweerde op 19 januari dat Dziwisz had ontkend dat de paus dit had gezegd. Waarop Gibsons producent, Icon Productions, in een persbericht liet weten dat ze in het bezit waren van een document dat was ondertekend door niemand minder dan Joaquín Navarro-Valls, de Vaticaanse perschef, die het commentaar van de paus bevestigde en de verspreiding ervan goedkeurde. Toen schreef Peggy Noonan in de *Wall Street Journal* van 22 januari dat ze een e-mailtje voorbij had zien komen dat van dezelfde Vaticaanse perschef afkomstig zou zijn, aan Steve McEveety, de producer van de film, waarin hij werd aangemoedigd het aan Johannes Paulus toegeschreven citaat 'keer op keer' te gebruiken. Dit waren de woorden van Navarro-Valls, met betrekking tot het pauselijk commentaar in een e-mail van 28 december om zes uur 's ochtends: 'Niemand kan het ontkennen. Dus blijf het gerust noemen als geautoriseerd citaat. Ik zou proberen om van de woorden "Het is zoals het was" het leit motive [sic!] te maken in elke discussie over de film. Herhaal die woorden keer op keer.' Duidelijker kon niet. Dus hoe komt het dat de secretaris van de paus ontkende dat de paus zoiets had gezegd?

Dziwisz' weergave van het commentaar van de paus, 'Het is zoals het was', kwam waarschijnlijk naar boven, of niet dus, tijdens een gesprek tussen Steve McEveety en Stanisław Dziwisz op 8 december in het apostolische paleis, twee dagen nadat de paus deel twee had gezien. Ook Jan Michelini, de assistent-producer van de film, was aanwezig bij dit gesprek. Later op de avond lieten McEveety en Michelini de film zien aan Navarro-Valls, die mateloos enthousiast was. Natuurlijk vertelden zij Navarro-Valls de reactie van de paus, of de door Dziwisz aan hem toegeschreven reactie.

De status en aanwezigheid van Jan Michelini behoeft hier enige uitleg, want het was naar alle waarschijnlijkheid aan hem te danken dat de paus de film heeft willen zien. Michelini was niet zomaar een assistent-producer van *The passion*: hij had een bijzondere band met de Heilige Vader. Hij was geboren in 1979, toen Johannes Paulus zijn eerste bezoek aan Polen bracht. Zijn vader Alberto, een politicus en gerenommeerd Italiaans journalist, vergezelde Johannes Paulus tijdens dat bezoek en vertelde de Heilige Vader toevallig dat hij het jammer vond dat hij niet bij de geboorte had kunnen zijn van zijn tweeling, een zoon en een dochter. Johannes Paulus beloofde dat hij dat goed zou maken: bij zijn terugkeer zou hij de kinderen dopen. En zo werden Jan Michelini en zijn zusje de eerste kinderen die Wojtyła na zijn verkiezing tot paus zou dopen. En er was nog iets: net als Navarro-Valls is Alberto Michelini toevallig een belangrijke figuur binnen Opus Dei in Rome, een beweging waarmee Dziwisz ook banden heeft. Dit alles verklaart waarom Michelini junior en McEveety op 8 december in gesprek waren met Dziwisz in het apostolische paleis en later op de avond ten huize van Navarro-Valls.

Toen Dziwisz uiteindelijk de pauselijke goedkeuring ontkende op 19 januari, liet hij geen ruimte voor twijfel. Verwijzend naar zijn ontmoeting met McEveety en Michelini op 8 december, verklaarde hij:

> Ik zei duidelijk tegen McEveety en Michelini dat de Heilige Vader geen verklaring had afgelegd. Ik had gezegd dat de Heilige Vader de film privé had gezien in zijn appartement, maar aan niemand een verklaring aflegde. Hij oordeelt niet over dit soort kunst; dat laat hij aan anderen over, aan deskundigen. De Heilige Vader heeft zeker geen oordeel over deze film geveld.

Wat zegt dit over Michelini, McEveety en Navarro-Valls, de verschillende betrouwbare bronnen en de ongelukkige verslaggevers van Vaticaanse Zaken?

Michelini legde op 21 januari 2004 deze openbare verklaring af:

> Ik bevestig wat ik al eerder heb gezegd: de paus heeft *The passion* van Mel Gibson gezien en de film gewaardeerd als een getrouwe afspiegeling van het evangelie. Hij heeft de film samen met zijn secretaris Stanisław Dziwisz bekeken, in zijn appartement tijdens een strikt huiselijke en informele vertoning. Om deze reden is er nooit een officieel communiqué uitgevaardigd, dat kon ook niet, noch een publiekelijke verklaring afgelegd over de vertoning. Geconfronteerd met een bepaald soort kritiek moest de secretaris van de Heilige Vader wel ontkennen. Het is ontstellend te zien hoe de semantische interpretatie van de paar woorden die tijdens een privé-gesprek zijn gevallen tussen de secretaris van de paus, de producent Steve McEveety en mijzelf, door enkele journalisten incorrect zijn gebruikt. Dit is alles wat ik uiteindelijk over deze kwestie wil zeggen.

Navarro-Valls gaf op 22 januari eindelijk zijn versie via het Vaticaanse perscentrum, zonder verwijzing naar zijn e-mailtje ('keer op keer') aan de producers; en verklapt ons alles hoewel hij niets zegt:

> Na consultatie van de persoonlijke secretaris van de Heilige Vader, aartsbisschop Stanisław Dziwisz, bevestig ik dat de Heilige Vader de kans heeft gehad om de film *The passion of the Christ* te zien. De film is een cinematografische omzetting van de historische gebeurtenis van het Lijden van Jezus Christus op basis van de verhalen in het evangelie. Het is gebruikelijk dat de Heilige Vader in het openbaar geen opinies uit over artistieke werken, opinies die altijd openstaan voor verschillende beoordelingen van esthetische aard.

De pompeuze taal – 'cinematografische omzetting' en 'beoordelingen van esthetische aard' – zijn niet alleen bespottelijke omzeilingen bedoeld om eerlijke onderzoekers op hun nummer te zetten en af te poederen. John Allen, Vaticaancorrespondent voor de *National Catholic Reporter* en CNN, ging terug naar zijn bron van het oorspronkelijke pauselijke commentaar. Terwijl deze bron de teksten doorlas, verklaarde hij wat er precies gezegd was: 'Een betrouwbare Vaticaanse ambtenaar suggereerde dat het woord "verklaring" van belang was, want in het Vaticaans jargon betekent dit meestal een officiële, openbare uitspraak. Als dat zo was, dan bestond nog de mogelijkheid dat de paus iets privé had gezegd.'

Allen, doorgaans mild in zijn kritiek op het Vaticaan en loyaal aan de Kerk, was woedend. Hij vertelde zijn katholieke lezers:

> Zelfs als ambtenaren handelden vanuit de meest nobele motieven, dan nog hebben ze de betekenis van woorden zo gerekt, zowel officieel als off the record, totdat de rek eruit was. Afgezien van het morele feit dat men niet mag bedriegen, draagt deze verwarring alleen maar bij aan het beeld dat de ouder wordende Johannes Paulus II zijn eigen staf niet meer onder controle heeft, dat 'niemand de leiding heeft' en de Kerk stuurloos is. Deze indrukken zijn niet gezond in een periode waarin het imago van de Kerk, vooral in de Verenigde Staten, toch al om andere redenen een deuk heeft opgelopen.

Maar in de loop van 2004 zou men nog meer stuurloosheid zien in zaken die veel belangrijker waren dan de film van Mel Gibson.

34
George W. Bush en Johannes Paulus

Ondanks Johannes Paulus' ferme standpunt tegen de oorlog in Irak en zijn strenge reactie op de martelingen in de Abu Ghraib-gevangenis die in 2004 in de media werden onthuld, kreeg president George Bush in de eerste week van juni 2004 een pauselijk steuntje in de rug. De voornaamste reden voor het presidentsbezoek aan Rome was een bezoek aan de Italiaanse premier Silvio Berlusconi, Amerika's bondgenoot in de oorlog tegen Irak. Ook was Bush in Italië om de zestigste verjaardag van de bevrijding van Rome te vieren, voordat hij doorging naar Frankrijk om het jubileum van D-Day te gedenken: een mooie binnenkomer, deze herinnering aan Europa – nog voor de VN-stemming over de kwestie-Irak – dat dit continent veel aan de Verenigde Staten van Amerika had te danken.

Het was Bush' derde ontmoeting met Johannes Paulus in drie jaar, en net als bij het eerste bezoek in 2001, toen hij opzichtig eerst Johannes Paulus raadpleegde voordat hij zijn beleid inzake het stamcellenonderzoek ging vastleggen, lagen er grote politieke voordelen in het vooruitzicht. Bush liep duidelijk niet met de katholieke Kerk in de pas over de doodstraf, een nieuwe generatie kernwapens, de mensenrechten, het beleid van zijn regering inzake preventieve aanvallen en de gevolgen van de wereldeconomie voor de armen van deze wereld. Maar de waarde voor het Amerikaanse electoraat van een foto van hem met een vriendelijk kijkende paus was immens. Met de gruwelijke beelden van gemartelde en vernederde Iraki's en de grijnzende daders nog vers in het geheugen van miljarden mensen over heel de wereld, was het effect van een Bush-met-pausfoto wel een kleine vernedering waard die de president misschien moest ondergaan als Johannes

Paulus hem op de vingers zou tikken. Het bleek echter dat Johannes Paulus' 'zorgen' over de gebeurtenissen in Irak waren verwaterd en nauwelijks te verstaan. Correspondenten moesten 'begrippenlijstjes' gebruiken om te kunnen volgen wat de Heilige Vader zei.

In de Verenigde Staten waren de katholieken onder de Democraten, die onder normale omstandigheden achter de paus zouden staan inzake het controversiële verloop van de oorlog in Irak, verwikkeld in felle ruzies met hun eigen bisschoppen, en dus met Johannes Paulus, over abortuskwesties en echtscheiding. Senator John Kerry, de Democratische presidentskandidaat, werd onder druk gezet om niet publiekelijk naar de communie te gaan vanwege zijn stemgedrag inzake abortus. En de gouverneur van New Jersey, James McGreevey, ook een Democraat, was gezwicht voor zijn aartsbisschop en stemde in om niet meer de communie te ontvangen omdat hij was hertrouwd zonder nietigverklaring van zijn vorige huwelijk. De fanatieke campagne van de Amerikaanse bisschoppen tegen de Democraten, die abortus oogluikend zouden willen toelaten, hadden de schijn mee van de hiërarchische en pauselijke goedkeuring van Bush en de Republikeinen in de presidentsverkiezingen van november 2004. In *Time magazine* had een naamloze maar hoge Vaticaanse ambtenaar gezegd: 'Mensen in Rome raken zich er steeds meer van bewust dat er iets niet klopt met John Kerry, en zijn openlijke belijdenis van zijn katholieke geloof zou wel eens aanstoot kunnen geven gezien sommige van zijn standpunten, met name over abortus.'

De vraag luidde: werd een verzwakte Johannes Paulus voor het karretje gespannen van rechtse katholieke journalisten en de herverkiezingscampagne van George Bush? Was Bush' bezoek aan de paus niet meer dan een campagnestop?

Hoe dan ook, het standpunt van Johannes Paulus over de situatie in Irak had zich in de voorafgaande weken verhard. Kardinaal Pio Laghi, de voormalige pauselijke nuntius in de Verenigde Staten, een man die niet bekendstaat om zijn progressieve opvattingen, had begin mei de Amerikaanse regering fel bekritiseerd, toen hij waarschuwde dat het herstellen van wettelijk gezag in Irak een cultureel begrip vereiste van de Arabische wereld dat de Verenigde Staten niet hadden. 'Door een moskee te bombarderen om toegang tot heilige steden te krijgen, door vrouwelijke soldaten in contact te brengen met naakte mannen, toont men, ik zou willen zeggen, verbijsterend weinig begrip van de moslimwereld.' Laghi was, zoals we hebben gezien, in maart 2003 als persoonlijke gezant van Johannes Paulus naar president Bush gestuurd, en had hem verzocht te stoppen met de preventieve invasie. Minder officieel, maar veel meer overeenkomend met de gevoelens in Italië begin mei, maakte aartsbisschop Giovanni Lajolo, de secretaris van het secretariaat voor Buitenlandse Zaken, de controversiële vergelijking tussen de wrede martelingen van de gevangenen en de aanslagen op 11 september 2001, waarmee hij een verontwaardigde reactie opriep bij de Amerikaanse ambassadeur in Rome.

Bij het onthaal van Bush bleek Johannes Paulus' gezondheid opvallend achteruit gehold. Hij schudde onbeheersbaar met beide benen en handen (in het verleden schudde alleen maar zijn linkerhand). Hij leek echter nog redelijk helder bij zijn hoofd voor deze gelegenheid. Krantenkoppen in veel Europese kranten schreven dat de paus Bush had berispt, maar in de Verenigde Staten werd de gebeurtenis gepresenteerd als een slag voor de president. Terwijl hij hem bij de hand pakte, leunde Bush voorover naar de paus en keek hem in zijn ogen: dit was een vriend van de paus, de president, in een medelijdende pose, zichzelf solidair betuigend met de morele leider van de wereld. De ontmoeting werd door bijna alle belangrijke nieuwskanalen in de wereld live uitgezonden. De paus zei in zijn toespraak dat de president het 'ondubbelzinnige standpunt van de Heilige Stoel' kende met betrekking tot 'het Midden-Oosten, zowel in Irak als het Heilige Land'. Maar ondanks deze milde herhaling van het pauselijke anti-oorlogsstandpunt was de aanblik van Johannes Paulus samen met de president alleen maar een duidelijk signaal voor het Midden-Oosten dat Johannes Paulus de kapelaan van het Westen was. Twee keer zei Johannes Paulus feestelijk, en tot genoegen van alle aanwezigen: 'God bless America!'

De twee leiders ontmoetten elkaar een tweede keer in de hal van het Museo Pio Clementino voor journalisten en diplomaten. Op het hoogtepunt van de ontmoeting stond Bush op uit zijn stoel om de Medal of Freedom, de hoogste Amerikaanse burgerlijke onderscheiding, aan Johannes Paulus uit te reiken. Hij zei: 'Wij waarderen het sterke symbool van vrijheid dat u bent geweest en wij erkennen de kracht van de vrijheid om samenlevingen te veranderen en om de wereld te veranderen.' Ook pleitte hij ervoor dat zijn regering 'zich zou inzetten voor de menselijke vrijheid en de menselijke waardigheid om vrede en compassie te verspreiden'. Het toespraakje eindigde met de woorden: 'De Verenigde Staten eren deze zoon van Polen die de bisschop van Rome werd en een held van deze tijd.'

Wat de paus ook in gedachten had, het theatrale effect van de uitreiking creëerde een opvallend contrast tussen de overduidelijke geur van de Republikeinen en het verdachte luchtje van de Democraten. Gezien de kracht van de katholieke stem – 64 miljoen katholieken, 27 procent van het

Amerikaanse electoraat – deed de zichtbare pauselijke goedkeuring van Bush, of op z'n minst de schijn daarvan, er wel degelijk toe.

Hoewel George Bush van geboorte en opvoeding lid is van een episcopale Kerk (getrouwd met een methodist), en heeft gestudeerd aan Andover en Yale, presenteert hij zich sinds 1985 als een wedergeboren christen, door niemand minder dan Billy Graham bekeerd, met een fundamentalistisch geloof in de bijbel. 'Ik moet altijd lachen als mensen zeggen dat George Bush dit of dat zegt om het rechts-religieuze blok tevreden te stellen,' heeft zijn neef John Ellis gezegd. 'Hij ís het rechts-religieuze blok.'

Maar ondanks zijn evangelisch protestantisme staat hij in het geheel niet vijandelijk tegenover de traditionele vijand van het protestantisme: de paperij. Bush heeft Johannes Paulus II met succes veroverd en ook de stem van de katholieken, die van oudsher Democratisch is, door in 2000 de helft daarvan te trekken. Hij hield een toespraak om de opening te gedenken van het Pope John Paul II Cultural Center aan de Katholieke Universiteit van Amerika, waarin hij zei: 'De paus herinnert ons eraan dat hoewel vrijheid onze natie bepaalt, verantwoordelijkheid ons leven moet bepalen. Hij daagt ons uit onze ambities na te streven, een eerlijke en rechtvaardige samenleving te zijn waar iedereen welkom is, iedereen wordt gewaardeerd, iedereen wordt beschermd. En nooit spreekt hij welluidender dan wanneer hij het over de cultuur van het leven heeft.' Het grotendeels katholieke publiek gaf hem een staande ovatie. Bush kreeg eenzelfde applaus voor een toespraak aan de Notre Dame-universiteit, waar hem een eredoctoraat werd aangeboden. De katholieke sociaal wetenschapper John Kenneth White van de Katholieke Universiteit van Amerika heeft gezegd dat de verkiezingen in het jaar 2000 hadden laten zien dat 'hoe vaker je naar de kerk gaat, hoe waarschijnlijker het is dat je op de Republikeinen stemt'. Bush had een katholieke taakeenheid in het leven geroepen om ongeveer drie miljoen actieve katholieken in veertien staten ongevraagd te bestoken met telefoontjes en mailings, om te getuigen van zijn instemming met de ideeën van Johannes Paulus over seks, geweld op tv, homocultuur, het homohuwelijk en abortus. Met een indrukwekkend vernuft had Bush de taal toegepast uit Johannes Paulus' sociale leer; hij noemde met name het principe van subsidiariteit uit de encycliek *Quadragesimo anno* uit 1931 van Pius XI (die, zoals we hebben gezien, werd herbevestigd in Johannes Paulus' encycliek *Centesimus annus*, 1993): dat beslissingen vanuit de basis moeten worden genomen, vanuit de gemeenschappen die erdoor worden beïnvloed.

Net als Ronald Reagan vóór hem was Bush handig geweest in het bezigen van godsdienstige taal toen hij zijn visie op het buitenlandbeleid van

Amerika omschreef als een botsing tussen goed en kwaad. Hij gebruikte daarbij zelfs het beladen woord 'kruistocht'. Op het terrein van de binnenlandse politiek was er een botsing tussen het God vrezende volk aan de ene kant en het seculiere volk aan de andere kant – waar John Kerry onder werd gerangschikt.

Kerry's visie op de paus en de Kerk kan het best omschreven worden met de beroemde woorden van John Kennedy, die zei: 'Ik geloof in een Amerika waar de scheiding tussen Kerk en staat absoluut is.' Christelijk rechts in Amerika, waaronder ook conservatieve katholieken, deed echter zijn best Kerry niet als een verdediger van de pluralistische samenleving af te schilderen, maar als een 'secularist' die achter onverschilligheid en moreel relativisme stond. Deze typering kreeg stilzwijgend steun van Johannes Paulus en steun van enkele Amerikaanse bisschoppen.

De Partial-Birth Abortion Act van Bush, een wet die late abortussen inperkt, was in overeenstemming met de Vaticaanse agenda inzake levenskwesties, maar Kerry stemde ertegen. Over de abortuswet had Kerry gezegd: 'Dit is een gevaarlijke poging het recht van vrouwen om te kiezen verder uit te hollen, een grondwettelijke bepaling die ik altijd zal verdedigen'. Kerry stond ook tegenover de paus, de katholieke Kerk en de Republikeinen in zijn erkenning van homoseksuele verbintenissen.

Wat was er veranderd in de jaren van Vaticaanse steun aan JFK I en de oppositie tegen JFK II? Het was precies een opvallend meningsverschil over dat fundamentele principe waar Kennedy 45 jaar geleden van uitging. In 2002 had Johannes Paulus een 'doctrinaire notitie' doen uitgaan waarin stond dat 'een goed gevormd christelijk geweten niet toestaat dat men stemt voor een politiek programma of een aparte wet die in tegenspraak is met de fundamentele inhoud van het geloof en de moraal'. Over abortus bevestigde het document dat een politicus 'de ernstige en duidelijke plicht heeft om tegen' wetten te stemmen die 'het menselijk leven aanvallen'.

Men hoefde het echter niet met Kerry eens te zijn over abortus of homorechten om te erkennen dat het gedrag van president Bush in de oorlog in Irak de morele principes had geschonden van veel staten en religieuze groeperingen overal ter wereld, niet het minst die van de paus. Maar het beeld van de paus die Bush omhelst terwijl Kerry de heilige communie werd geweigerd, wekte de indruk dat Johannes Paulus Bush aan de kant van de engelen zag staan terwijl Kerry naar de duivel ging. En dit allemaal in een verkiezingsjaar.

En dan waren er nog diepergaande kwesties die Bush en Johannes Paulus eerder met elkaar verbonden dan scheidden. Zowel de president als de paus was er diep van overtuigd dat het 'seculiere humanisme' het Amerikaanse en Europese leven verlaagden tot een vorm van 'moreel relativisme'. Zowel de president als de paus geloofde in de aanhoudende strijd tussen de Machten van de Duisternis en de Machten van het Licht; voor Bush en Amerika's christelijk rechts vormden de verkiezingen van 2004 het laatste stadium in die kosmische spirituele strijd. Het Republikeinse Congreslid Tom Cole uit Oklahoma vertelde zijn aanhangers dat een stem tegen George W. Bush een stem voor Osama bin Laden betekende. Later veranderde hij deze vergelijking in een stem voor Adolf Hitler.

Later in de week van de ontmoeting in het Vaticaan tussen de paus en Bush betoonde Johannes Paulus zijn respect aan Ronald Reagan, die onlangs op 93-jarige leeftijd was gestorven. Johannes Paulus noemde de rol van de voormalige president in de val van het sovjetcommunisme. Navarro-Valls zei: 'De paus herinnerde aan de bijdrage van president Reagan aan de historische gebeurtenissen waardoor de levens van miljoenen mensen veranderden, vooral in Europa.' Johannes Paulus zei dat hij bad voor de 'eeuwige rust van zijn ziel'. Het was een interessant moment om terug te denken aan het commentaar van Graham Greene dat Johannes Paulus en president Reagan zo veel met elkaar gemeen hadden, aangezien beiden begonnen waren als acteur. Maar er waren nog meer overeenkomsten: Reagan dacht hardop na over bijbelse voorspellingen en het einde der tijden. In 1985 zei hij tot het Portugees parlement: 'In de gebeden van eenvoudige mensen waar ter wereld ook, eenvoudige mensen als de kinderen van Fátima, zit meer kracht dan in alle grote legers en staatslieden ter wereld [...]. Ik zou willen zeggen dat hier een kracht ligt, dat hier de uiteindelijke voltooiing ligt in de zin van het leven en het doel van de geschiedenis.' Reagan geloofde ook in een vorm van 'nucleaire dispensatie' volgens welke de rechtvaardigen 'de Heer begroeten in de lucht' en een paar seconden voor het armageddon gered zullen worden. Misschien zelfs zal ooit aan Reagan en Johannes Paulus worden toegeschreven dat zij, zo hoopt men diep, het armageddon hebben afgelast. Men vraagt zich hierbij af of Johannes Paulus toen hij bad voor het zielenheil van Ronald Reagan, ook dacht aan de winsten uit de wapenhandel in ruil voor gijzelaars, die waren doorgesluisd naar de illegale oorlog in Nicaragua tegen de sandinistische regering, waar vier priesters in zaten, belijders van de bevrijdingstheologie.

Voor sommige katholieke journalisten die destijds verslag deden van de gebeurtenissen in Latijns-Amerika, gaf Reagans dood aanleiding tot sombere gedachten. Hugh O'Shaughnessy, meer dan veertig jaar correspondent in Zuid-Amerika voor *The Observer* en de *Financial Times* en een trouwe katholiek, schreef in die week: 'Aangezien ik jarenlang de wreedheden heb gezien en beschreven die in Midden-Amerika werden begaan door [Reagans] landgenoten onder zijn gezag in de jaren tachtig, gaan mijn gedachten allereerst uit naar zijn slachtoffers en voel ik me verplicht hun lot in herinnering te roepen voor mensen die niet bekend zijn met die regio.' Vooral gingen zijn gedachten uit naar de vele dode kinderen, mannen en vrouwen die hij had gezien op het kantoor van aartsbisschop Oscar Romero, die waren gemarteld door Salvadoriaanse soldaten en de politieagenten 'die getraind en bewapend waren door Reagans landgenoten'.

35
Johannes Paulus' grote plan

Johannes Paulus' schematische, historisch-legendarische manier van denken kwam nergens sterker tot uiting tijdens zijn gezag dan in zijn ambitie om de kerken van het Westen en het Oosten bij elkaar te brengen. Het Oosten en het Westen, de twee grote longen van het Europese christendom, moesten onder zijn hoede samenkomen, onder hem als Slavische paus en universele herder: de heilige Petrus en de heilige Paulus, de heilige Cyrillus en de heilige Methodius (Slavenapostelen uit de negende eeuw) – allemaal in één persoon. Toen hij op pinksterzondag in 1979 tijdens zijn eerste reis naar Polen in de kathedraal van Gniezno sprak, had hij deze opvallende woorden uitgesproken: 'Deze paus spreekt hier voor de hele Kerk, voor Europa en de wereld, voor die vaak vergeten landen en volkeren [...]. Hij is hier gekomen om al deze volkeren te omarmen, samen met zijn eigen land, en om hen aan het hart te drukken van de Kerk, aan het hart van de Moeder van de Kerk, in wie hij onbeperkt vertrouwen heeft.'

Hier lag de ondraaglijke spanning tussen Johannes Paulus' aandacht voor het bijzondere (een perspectief dat vitaal was voor het Poolse katholicisme) en voor het algemene, ofwel universele, zo karakteristiek voor een grootse, universele, heerszuchtige paus. En zijn plannen, gevormd in de kroes van een verbeelding die zowel tragisch geïsoleerd was als naar buiten gericht, zouden almaar duidelijker contouren krijgen toen ze bevestigd leken te worden door de val van het communisme, het uitkomen van de geheimen van Fátima, de vorming van een verenigd Europa en uiteraard zijn overleving, ondanks ziekte en tegenslag, tot in het derde millennium. Binnen deze ambities lagen zaden van overmoed die zouden resulteren in conflicten, desillusies, verval en splitsingen. Het verhaal van Johannes Paulus' spirituele en historische Ostpolitik toont, in tegenstelling tot de Ostpolitik van Paulus VI, alles wat zo spectaculair en alles wat zo zwak was in zijn karakter en pontificaat.

De situatie van de kerken in Oost-Europa en Rusland na de val van de Berlijnse Muur en de komst van Boris Jeltsin was uiterst gecompliceerd. In Oost-Europa woonden katholieken van de Latijnse rite (vooral in de Balkanlanden, Oekraïne, Hongarije, Litouwen en zelfs ook nog een handjevol in Rusland) die onder het communisme waren onderdrukt en vervolgd als vreemdelingen en spionnen. Ook woonden er katholieken van de Byzantijnse rite in de sovjetrepublieken, vooral in Oekraïne, die trouw verschuldigd waren aan de paus in Rome, maar de liturgie van het Oosten volgden, en wier priesters konden trouwen. Deze gelovige katholieken, die wel neerbuigend 'uniaten' worden genoemd door de orthodoxen, werden soms door hun orthodoxe rivalen beschouwd als een paard van Troje. Vooral de 'uniaten' werden onderdrukt en vervolgd door de communisten, en soms ook door de orthodoxen, en hun kerken werden in beslag genomen of vernietigd.

Maar later werden de oude orthodoxe kerken, die losjes aan elkaar waren verbonden – de Griekse, Oekraïense en de Russische – verenigd in hun tradities en hun spiritualiteit, en ook in hun oude wantrouwen jegens Rome om doctrinaire en historische redenen. Ze stonden bovendien wrokkig en wantrouwig tegenover de Polen, die sinds de zestiende eeuw de naam hadden imperialistische en bekeringsijverige neigingen te hebben richting het Oosten. Vraag een Rus waarom men Johannes Paulus niet vertrouwt en boven aan een substantiële lijst met redenen zal staan: 'Omdat hij een Pool is!'

De orthodoxe Kerk in Rusland en de sovjetrepublieken leed, net als de katholieke Kerk, onder golven van vervolgingen door Lenin, Stalin en Chroesjtsjov, en had zich staande gehouden door tijdige aanpassingen. Deze gewonde, aangetaste Kerk, die geïnfiltreerd werd door communisten en KGB-agenten, die in tachtig jaren van vervolging en onderdrukking meer had verloren dan men zich mogelijk kan herinneren of kan boekstaven, koestert desondanks herinneringen aan haar betere, antieke ziel. Russen zien de Kerk van Moskou als het 'Derde Rome'. Het oude Rome is vanzelfsprekend het Latijnse 'Eerste Rome', dat staat voor rigide discipline, recht en orde, aspiraties van universeel gezag onder de paus: God de Vader. Constantinopel is het 'Tweede Rome', de doctrinaire, theologische zetel van de Logos, en vandaar de Tweede Persoon van de Heilige Drie-eenheid: Jezus Christus. Constantinopel had ernstig geleden onder zijn val, maar ter compensatie kwam Moskou, het 'Derde Rome', dat symbool staat voor het charisma van de Heilige Geest. Moskou vertegenwoordigt in zijn eigen ogen de glorie van de liturgie, de eucharistie, het populaire mysticisme van de icoon, de transfiguratie van de kosmos. Het wordt noch door legalisme noch door logica bewogen.

Vanuit Vaticaans oogpunt echter hebben de Russisch-orthodoxen te veel concessies gedaan aan het communisme. Orthodoxe gelovigen hebben zich schuldig gemaakt aan collaboratie met Stalin bij het onderdrukken van katholieken, zowel de Latijnse als de 'uniatische', aan gedwongen bekeringen tot de orthodoxie en aan inbeslagname van kerken. De orthodoxe Kerk was, zo oordeelt het Vaticaan, corrupt en kon zichzelf niet meer zuiveren. Maar door de komst van Johannes Paulus behoorde dat nu allemaal tot het verleden. Want had niet Johannes Paulus, ondanks alle orthodoxe tekortkomingen, hun patriarchen en wat er nog over was van hun monniken, priesters, kloosters, kathedralen en kerken bevrijd van het sovjetjuk? Had Johannes Paulus hen niet hun godsdienstvrijheden teruggegeven door het communisme te verslaan? Konden zij de voorzienige verdiensten niet zien van deze grootse Slavische paus, deze bruggenbouwer tussen het Oosten en het Westen die het primaat van de heilige Petrus had gekregen?

De orthodoxe kerken, afzonderlijk maar ook als geheel, hadden de neiging de zaken anders te zien. Ze hadden een goed geheugen en koesterden een oude wrok die terugvoerde tot aan de afsplitsing van Rome in 1054, een doctrinair schisma, versterkt in afschuw na de val van Constantinopel in 1204, het gevolg van de vierde kruistocht, uitgevoerd onder auspiciën van het pauselijk gezag. En welk belang hadden zij erbij nauw verenigd te worden met een paus die het primaatschap claimde over hun bisschoppen? Ze waren in het trotse bezit van een authentieke afstamming van de apostelen, en van erkende sacramenten. Hun bisschoppen en clerici werden bestuurd door een vorm van pluralisme en consensus – hun synoden. Bovendien was er de dagelijkse religie. Ze betreurden de anticonceptieve mentaliteit, zonder de anticonceptie zelf te veroordelen als een zonde; ze bekrachtigden scheidingen en zegenden opnieuw getrouwden; hun priesters mochten trouwen (mits ze geen bisschop wilden worden als ze geen weduwnaars waren). Waarom zouden ze op hun knieën willen gaan voor een paus die alle bisschoppen in zijn Kerk wilde benoemen, onder de lakens keek van het huwelijksbed en katholieken de sacramenten onthield na een scheiding? De Russisch-orthodoxe Kerk had er meer dan genoeg van om te worden gekoeioneerd. En op zijn eerste bezoek aan zijn geboorteland Polen in 1979 was er bewijs, op papier, dat Johannes Paulus II grote plannen met hen had zonder dat hij naar hun mening hierover had gevraagd. Maar de verklaring bij Gniezno was nog maar het begin.

In het daaropvolgende jaar, 1980, kwam zijn apostolische brief *Egregiae virtutis* uit (Van buitengewone deugdzaamheid), waarin hij de Byzantijnse heiligen Cyrillus en Methodius uitriep tot medepatronen van Europa, samen met de heilige Benedictus, patriarch van het Westen. Hij had het over eenheid in diversiteit. Europa, schreef hij, was 'de vrucht van de werking van twee stromen binnen de christelijke traditie, waaraan twee verschillende, maar tevens uiterst complementaire cultuurvormen waren gekoppeld'. Geïmpliceerd werd dat Johannes Paulus als Slavische paus zowel Cyrillus en Methodius als Benedictus vertegenwoordigde: het Oosten en het Westen.

Later, op 14 februari 1985, het feest van de heiligen Cyrillus en Methodius, maakte hij zijn bedoelingen expliciet duidelijk. Johannes Paulus publiceerde zijn encycliek *Slavorum apostoli* (Slavenapostelen), een schitterende barokke meditatie over het culturele en linguïstische bereik van de christelijke evangelisatie vanuit het ware Romeinse centrum, en met duidelijke verwijzingen naar de eindbestemming van de Slavische paus in het nieuwe aanstaande millennium. Op zijn evangelische wegenkaart staan Moravië, Slowakije, Panonië, Bohemen, Polen, de Balkan, Bulgarije, Roemenië, 'het oude Kiëv-Rus' en uiteindelijk de gebieden die 'ten oosten van Moskou' liggen. Zoals Tolstoj zou kunnen zeggen. 'Hoeveel grondgebied heeft een paus nodig?'

Tien jaar later, op het feest van de heilige Athanasius, op 2 mei 1995, zo veel dichter bij het millennium en na de val van de Sovjet-Unie, publiceerde Johannes Paulus alweer een opvallende brief, getiteld *Orientale Lumen* (Het Licht van het Oosten), waarin hij zijn hoop uit op een vereniging met de orthodoxe kerken.

> Maria, 'Moeder van de ster die nooit ondergaat', 'dageraad van de mystieke dag', 'opkomst van de schitterende zon', laat ons het 'Orientale Lumen' zien. Elke dag staat in het Oosten de zon op van de hoop, het licht dat het menselijk ras leven schenkt. Uit het Oosten zal, volgens dat prachtige beeld, onze Redder weer komen. Voor ons staan de mannen en vrouwen van het Oosten als symbool van de Heer die wederkomt. We kunnen hen niet vergeten, niet alleen als broeders en zusters die verlost zijn door dezelfde Heer, maar ook vanwege een heilige nostalgie om de eeuwen die we leefden in volledige gemeen-

schap van het geloof, en de genade gebiedt ons en berispt ons voor onze zonden en ons wederzijdse onbegrip: we hebben de wereld een gezamenlijke getuigenis onthouden die misschien veel tragedies had kunnen voorkomen en zelfs de loop van de geschiedenis veranderen.

'Heilige nostalgie'! Een pregnante frase, zo vol verlangen. En dan die opeenstapeling van welluidende vergelijkingen, die suggereren dat hij het Oosten en het Westen naar de eenheid zou leiden – de opgaande zon, de wederkomst, onder de ster van Maria, die nooit ondergaat. En de vergelijkingen waren des te exotischer, vanuit orthodox perspectief, omdat ze werden gemaakt binnen de concrete context van zijn pogingen traditioneel orthodox territorium binnen te dringen tijdens een pauselijk bezoek vol met jongerenbijeenkomsten, gezwaai van vlaggen, posters, televisie-uitzendingen en het hele arsenaal van de pauselijke persoonlijkheidscultus.

De angsten van de orthodoxen waren volledig invoelbaar. Want Johannes Paulus sprak herhaaldelijk de taal van het pluralisme terwijl hij bleef staan op zijn rol als universele herder van de gewesten. Hij gebruikte dat krachtige beeld van dualiteit, de kerken van het Oosten en het Westen, de 'twee longen', de elkaar aanvullende organen van dat ene christelijke lichaam, in harmonie ademend. Terwijl het millennium dichterbij kwam, sprak hij zelfs van berouw, vergeving, wederzijds begrip, alsof hij zich voorbereidde op samenwerking tussen de kerken. Maar toen kwam de brief van Ratzinger, *Dominus Jesus*, die nadrukkelijk door Johannes Paulus was geratificeerd: 'Daarom bestaat er maar één Kerk van Jezus, die voortleeft in de katholieke Kerk, bestuurd door de opvolger van Petrus en door de bisschoppen samen met hem.' Toegegeven werd dat de orthodoxe kerken apostolische successie kenden, maar zij waren niet in 'perfecte gemeenzaamheid' wegens hun weerstand tegen de claims van de universele herder. Daardoor bleven deze kerken 'in gebreke'. Dus in de kern van dit alles lag dit onoverkomelijke probleem: de moeilijkheid, de praktische onmogelijkheid van Johannes Paulus om verschillen te accepteren onder voorwaarden die niet klonken als onderwerping aan zijn gezag. Zeker, er waren twee longen, maar er was maar één hart: het hart van de paus. Men hoeft het pauselijke primaatschap niet te ontkennen om in te zien dat de taal van *Dominus Jesus* ongepast was en de timing van het document rampzalig.

Het jaar na de publicatie van *Orientale Lumen* kwam het boek *The clash of civilizations and the remaking of the world order* uit van Samuel Huntington. De schrijver concentreerde zich op de Oekraïne als het 'scharnierland' dat schrijlings op de culturele scheidslijn van Europa zit; de naam Oekraïne zelf is afgeleid van het Slavische woord voor 'grensgebied'. Ook Johannes Paulus zag het belang in van de Oekraïne, maar op een iets andere manier. De Oekraïne was de sleutel van zijn versie van de eenheid van het Oosten en het Westen, en hij was vastbesloten het op zijn manier te claimen. Maar hij zou dat doel op een omslachtige manier benaderen.

In de laatste week van april 2001 begon Johannes Paulus aan zijn eerste reis door de landen van de orthodoxe Kerk. Hij noemde het een pelgrimstocht 'in het voetspoor van de heilige Paulus', maar het werd door de orthodoxen als een regelrechte inbreuk beschouwd. Zijn eerste halteplaats was Athene, waar hij werd uitgenodigd door de agnostische president van het land, Constantin Stephanopoulos, omdat de Grieks-orthodoxe primaat, aartsbisschop Christodoulos, tegen het bezoek was. Zijn Kerk, zei Christodoulos, wenste niet 'af te wijken van haar waarheden of de geschiedenis te verraden' door eer te bewijzen aan een paus. Ook eiste hij dat de paus op Grieks grondgebied zich zou verontschuldigen voor de 'fouten die katholieken hebben gemaakt'. Hij ontmoette Johannes Paulus op het vliegveld bij zijn vertrek en Johannes Paulus bood gevoeglijk zijn verontschuldigingen aan voor de plundering van Constantinopel en alles wat zijn afgescheiden broeders nog meer dwarszat. Ze gaven elkaar de vredeskus en op suggestie van Johannes Paulus baden ze samen in het Grieks het onzevader. Was er ooit in de moderne tijd een paus geweest die het publiek zo trefzeker kon charmeren en verleiden? Navarro-Valls, altijd bij de hand met het juiste woord, zei: 'Een nieuw tijdperk komt eraan.'

In Athene echter waren op 25 april orthodoxe gelovigen uit protest bij elkaar gekomen, die 'Weg met de paus' scandeerden. Op spandoeken werd Johannes Paulus afgeschilderd als een gehoornde duivel, wiens telefoonnummer '666' zou zijn, het teken van het Beest. In heel Athene hingen posters waarop stond: 'Nee tegen het beest van de Apocalyps'. Op 28 april explodeerde er een bom, afkomstig van een groep die beweerde dat de paus verantwoordelijk was voor het bloedbad op de Balkan. Maar Johannes Paulus was al vertrokken naar Syrië, naar Damascus, waar hij uitbundig werd ontvangen door moslimleiders, en voorzichtig door orthodoxe prelaten, daarna naar Malta, een land waar de rooms-katholieke meerderheid wist hoe ze een paus moest ontvangen.

Maar terwijl Johannes Paulus aan het reizen was, maakte patriarch Alexis II, metropoliet van Moskou en geheel Rusland, bekend dat de excuses van de paus voor 'fouten die katholieken hadden gemaakt' beoordeeld zouden worden naar zijn daden. 'We moeten zien hoe deze excuses worden omgezet in daden,' zei hij op een persconferentie. Johannes Paulus was volgens

Alexis vastbesloten om het rooms-katholicisme in Rusland te verspreiden, en niet om de orthodoxe 'zusterkerk' te steunen, zoals het Vaticaan had beloofd. Alexis en Christodoulos waren vooral huiverig over het besluit van de paus om in juni 2001 een bezoek te brengen aan de Oekraïne.

Een week nadat Johannes Paulus in het 'voetspoor van Paulus' was getreden, waren er in Moskou demonstraties tegen het pausbezoek aan de Oekraïne, die steun kregen van de Russisch- en Grieks-orthodoxe kerken. Orthodoxe gelovigen marcheerden naar het Kremlin en scandeerden: 'Nee tegen het bezoek van de apostel van de globalisering!' De dag nadat aartsbisschop Christodoulos Johannes Paulus in Griekenland had begroet en met hem had gebeden, leek hij zijn symbolische gebaar van verzoening te betreuren. Op 5 mei vloog hij naar Moskou om een gezamenlijke verklaring af te leggen met Alexis, waarin zij het pausbezoek aan de Oekraïne betreurden.

Dat er meer, veel meer achter dat pausbezoek zat, wilde Alexis de wereld graag laten weten. De Oekraïne, of meer precies Kiëv, was niet alleen maar een voormalige sovjetsatelliet met een grote katholieke bevolkingsgroep, het was de bakermat van het christendom in heel Rusland. In Kiëv had Vladimir de heilige zich in 988 tot het christendom bekeerd, het begin van de kerstening van Rusland tot het Byzantijnse christendom. Voor de orthodoxe prelaten en hun gelovigen was het pausbezoek aan Kiëv rondom hun eigen millenniumviering een beledigende geestelijke overval van de Latijnse suprematie.

Ondanks de waarschuwingen en de pleidooien van de 'zusterkerk' kwam Johannes Paulus volgens plan op 23 juni aan voor een vierdaags bezoek dat begon in Kiëv en eindigde in Lviv, waar hij aanwezig was bij twee zaligmakingsceremonies en weer een van zijn geliefde jongerenmassa's te woord stond. Hij nam de gelovigen voor zich in door een paar woorden in het Oekraïens te spreken, een taal waar de meeste Polen op neerkijken en die zij 'hooguit voor beesten' geschikt achten. De euforie van het bezoek verdrong de demonstratie van Russisch-orthodoxe gelovigen in Kiëv en andere plaatsen, met demonstranten die beweerden dat Johannes Paulus een 'wolf in schaapskleren' was. De orthodoxe metropoliet van de Oekraïne, Vladimir van Kiëv, zorgde ervoor dat hij niet in de stad was toen Johannes Paulus er triomfantelijk door paradeerde. In januari had Vladimir Johannes Paulus in een brief geïnformeerd over het unanieme besluit van de 42 leden van zijn Bisschoppensynode om hem te vragen of hij zijn bezoek wilde uitstellen. Hij verklaarde het 'verbijsterend' te vinden dat het pausbezoek gepland was zonder dat zijn Kerk ervan op de hoogte was gesteld, en zonder uitnodiging van zijn bisschoppen.

Johannes Paulus vond dat de orthodoxe christenen in de Oekraïne zich schuldig hadden gemaakt aan de bezetting van honderden katholieke kerken, zowel van de Latijnse als Byzantijnse rite, in het land. Na de val van het communisme waren veel van deze kerken 'terecht' weer door katholieken ter plaatse in bezit genomen. Vladimir zag dat anders. Katholieken van de Byzantijnse rite hadden volgens hem illegaal en met geweld meer dan duizend kerken ingenomen, die momenteel door de orthodoxen worden geclaimd, en om die reden waren er drie Oekraïense bisdommen vernietigd. Vladimir was ervan overtuigd dat een pausbezoek 'alleen maar de bestaande status-quo, die zeer ongunstig is voor onze Kerk', zou bezegelen. Vandaar het verzoek of de paus op een van de voorgestelde data wilde komen. 'Er zal geen ontmoeting plaatsvinden met ons of met andere clerici van onze Kerk als onderdeel van het programma.'

Het bezoek kwam ook op een delicaat moment voor de betrekkingen tussen de Oekraïense orthodoxe Kerk en haar Russische zuster. De Kerk van Moskou wilde de banden met de Kerk van Kiëv aanhalen. Johannes Paulus, die niet afkerig was zich met deze plaatselijke besognes te bemoeien, pleitte enthousiast voor een scheiding tussen de Oekraïense orthodoxe Kerk en de Russische Kerk. Terwijl hij de indruk wekte (naar de orthodoxen) van pauselijke interventie, hield hij in Kiëv een preek voor jongeren waarin hij hun opdroeg niet naar de Verenigde Staten te emigreren maar in de Oekraïne te blijven. 'Blijf in jullie eigen land,' riep hij. 'Kies niet voor een makkelijk leventje in het buitenland.' Wie dergelijke uitspraken doet in het buitenland, moest wel een buitengewone mate van zelfverzekerdheid bezitten, alsmede een opvallende blinde vlek voor ironie.

Redacteur bij de Russische nieuwsdienst van de BBC in Moskou Konstantin Eggert, zelf Russisch-orthodox, deed een scherpe observatie tijdens het bezoek aan de Oekraïne. Het was hem opgevallen dat overal in het land duizenden schreeuwerige posters van de paus hingen, iets wat orthodoxe gelovigen nooit zouden doen bij een bezoek van een patriarch, wat altijd een onopvallende aangelegenheid is. De posters waren verspreid door een katholiek pr-bureau uit het Westen. 'Orthodoxie,' schreef Eggert,

> behoudt elementen van innerlijke democratie die nog stamt uit de eerste dagen van het christendom. De orthodoxe Kerk wordt bestuurd door een synode van bisschoppen, die zichzelf niet kunnen isoleren van hun kudden. De patriarch van Moskou en Geheel Rusland is de primaat van de Russisch-orthodoxe Kerk, maar zijn macht is veel beperkter dan die van de paus, en hij heeft niet het recht dogma's te verkondigen. Ik denk niet dat de afstand tussen mij, als

eenvoudige gelovige, en Zijne Heiligheid Alexis II even groot is als die tussen een rooms-katholiek en de stedehouder van Christus op aarde.

De Russische patriarch had gelijk toen hij zijn mensen vroeg Johannes Paulus te beoordelen op zijn daden en niet op zijn woorden. Een jaar na het bezoek aan de Oekraïne, terwijl de paus alweer bezoeken plande naar Slowakije, Azerbeidzjan en Kazachstan, alsof hij wilde cirkelen in de periferie van de voormalige Sovjet-Unie alvorens zich te storten op Rusland zelf, had Johannes Paulus vier 'apostolische districten' in Rusland – kantoren die zorgden voor rooms-katholieken in Rusland – verheven tot de status van volwaardige rooms-katholieke bisdommen die direct aan Rome waren gelieerd. Tegelijk werd aartsbisschop Tadeusz Kondrusiewicz, hoofd van de katholieke Bisschoppenconferentie in Rusland, verheven tot de rang van 'metropoliet'. Dergelijke toepassing van een titel die zo bijzonder is in de orthodoxe Kerk, gezien Alexis II, maakte van Rusland een filiaal, ofwel een 'provincie' van de katholieke Kerk. Het Vaticaan heeft beweerd dat er meer dan een miljoen katholieken in Rusland zijn die geestelijke ondersteuning nodig hebben. Zou de paus, die krachtige verdediger van de godsdienstvrijheid, aan katholieken in Rusland hun godsdienstvrijheid ontzeggen? Moet men de Russisch-orthodoxe Kerk toestaan dat zij andere christelijke denominaties in dat uitgestrekte land onderdrukt?

Wat men ook vindt van de klachten van de Russische patriarch over Rome, zeker is dat de perceptie belangrijk is wanneer men een dialoog op gang wil brengen en elkaar wederzijds probeert te begrijpen. De aankondiging om rooms-katholieke bisdommen te stichten in Rusland tegen het verzoek in van de plaatselijke 'zusterkerk', werd gedaan op 11 februari. De Vaticaanse krant *Osservatore Romano* legde uit dat deze zet bedoeld was om 'beter te kunnen reageren op de pastorale behoeften' van katholieken in Rusland. Maar de patriarch van Moskou noemde de beslissing een 'onvriendelijke daad' die bewees dat Johannes Paulus uit was op de bekering van orthodoxe gelovigen. Patriarch Alexis II zei dat de 'onnodige' daad 'tegen de orthodoxie' gericht was, ondanks alle vleiende en verzachtende woorden van het Vaticaan.

Al waren de spanningen tussen het Vaticaan en de Russisch-orthodoxe Kerk niet alleen door Johannes Paulus veroorzaakt, zijn zij wel in grote mate door hem verhevigd: zijn daden zijn inderdaad keer op keer in tegenspraak met zijn woorden. Maurice Cowling, een historicus uit Cambridge, heeft geschreven over de neiging van christelijke denominaties in de negentiende eeuw om mensen in verre streken te bekeren: de schijn van expansie, vernieuwing en hoop opgehouden door problemen dichter bij huis te negeren en zich te spoeden naar 'vreemde' en 'heidense' regio's om het Woord te verspreiden.

Februari 2002, de maand waarin de Russische bisdommen werden gesticht, was de maand waarin de pederastencrisis losbarstte in Boston en elders in de Verenigde Staten. Hoewel ik geen direct verband suggereer in de vorm van een opzettelijke afleidingsmanoeuvre, toont deze omstandigheid wel de aanmatiging van een universele herder die zijn ogen richt op oosterse verten, terwijl hij meer dan genoeg op zijn bord krijgt in het Westen.

Johannes Paulus heeft zich niet beklaagd over de afwijzingen van Moskou. In de afgelopen twee jaren bleef hij zijn eer bewijzen aan de Russische president Vladimir Poetin, waarbij hij elke list uit zijn aanzienlijke repertoire gebruikte om van de Russische leider iets te krijgen wat Alexis II hem niet wil geven: toestemming om Moskou te bezoeken. Het meest intrigerende voorwerp in de permanente hofmakerij was een icoon die eigenlijk behoort aan de orthodoxe Kerk. Op 5 november 2003 ontmoette Johannes Paulus Poetin in zijn apostolische paleis en liet hij hem de icoon zien van de Moeder Gods van Kazan, die al enkele jaren in het privé-appartement hing van Johannes Paulus. Johannes Paulus sloeg bij het voorwerp een kruis en kuste het, overhandigde het aan Poetin, die vervolgens hetzelfde deed.

Poetin besefte vrijwel zeker dat dit een openingszet was in een schaakspel dat zou eindigen, zo hoopte Johannes Paulus vurig, met een uitnodiging van Rusland. Want hij bood aan de icoon terug te geven, mits hij het kunstwerk in eigen persoon naar Rusland mocht brengen. Poetin maakte na de bijeenkomst duidelijk dat hij niet gesproken had over een mogelijk pausbezoek aan Rusland.

De icoon had een bijzondere geschiedenis, met vrome resonanties die Johannes Paulus dierbaar waren, alsook met dubieuze aspecten die het tot een slechte keuze maakten als 'geschenk' van verzoening. Het object, dat wonderbaarlijk zou zijn, zou minstens uit 1579 dateren, toen, volgens de orthodoxe legende, de Maagd Maria verscheen aan een negenjarig meisje in Kazan, die haar opdroeg de icoon uit de as te halen van haar huis dat was platgebrand. De afbeelding van de Maagd zou bekend worden als de 'Liberatrix van Rusland', en werd regelmatig ingezet als een beschermend vaandel door Russische legers. Het was ook een belangrijk beeld in het huiselijk leven van Rusland: in talloze huishoudens hing een kopie. Maar in 1904 werd het origineel gestolen uit de Kathedraal van Onze Lieve Vrouwe van

Kazan in Sint-Petersburg. Vanaf dan verdwijnt de icoon meer dan een halve eeuw uit het zicht, om op te duiken in de Byzantijnse kapel bij Fátima, de schrijn die zo'n centrale rol heeft gespeeld in Johannes Paulus' visie op zijn pontificaat en de wereldgeschiedenis.

De icoon was voor drie miljoen dollar aangeschaft door het Blauwe Leger, een rijke conservatieve groepering van Fátima-aanhangers die door de paus erkend wordt als een apostolaat. De uiteindelijke doelstelling van het Blauwe Leger, opgericht in de Verenigde Staten aan het begin van de Koude Oorlog, was het Rode Leger te verslaan en Rusland te bekeren tot het rooms-katholicisme door middel van toewijding aan de rozenkrans: een van de campagnes betrof, in de geest van de atoombom, een 'kettingreactie' van rozenkransen. Op 21 juli 1970 plaatste het Blauwe Leger de icoon in de Byzantijnse kapel bij Fátima, op de feestdag van de Moeder Gods van Kazan. De celebrant was bisschop Andrew Katkoff, rector aan het Russicum, een college in het Vaticaan dat gespecialiseerd is in Byzantijnse studies. Het Blauwe Leger heeft regelmatig de katholieke kerken van de oosterse rite lastiggevallen, die zij beschouwen als 'een brug, een deur naar de bekering van Rusland': de Byzantijnse kapel bij Fátima en het Russicum in het Vaticaan zijn centra voor studie, gebed en devotie, gericht op de bekering van Rusland tot het rooms-katholicisme, dat volgens het Blauwe Leger het uiteindelijke doel was van de Maagd van Fátima.

In 1972 bracht kardinaal Wyszyński een bezoek aan Fátima, waar hij de Moeder Gods van Kazan ter aanvulling een andere icoon aanbood: een kopie van de Zwarte Madonna van Częstochowa. Zoals we hebben gezien, werd de allesomvattende mariale visie van Johannes Paulus, doordrenkt van voorspellingen waar hij zelf onlosmakelijk mee verbonden is, op 24 maart 1984 ontvouwd, toen hij, na hersteld te zijn van de aanslag op zijn leven, en het lezen van het Derde Geheim van Fátima, de planeet wijdde aan het Onbevlekte Hart van Maria. 'De kracht van deze wijding is eeuwigdurend,' zei hij, 'en omvat alle individuen, volkeren en naties. Zij is sterker dan elk kwaad dat de geest der duisternis kan oproepen, en is in feite opgestaan in onze tijd, in het hart van de mens en zijn geschiedenis.' Wie bekend was met de Fátimacultus, begreep dat het speciale doel van deze wijding het volk van Rusland was. In 1981 had het Blauwe Leger de icoon uit Fátima meegenomen en aan Johannes Paulus gegeven, met de uitdrukkelijke intentie dat hij het object persoonlijk mee zou nemen bij een bezoek aan Rusland, na de 'bekering van Rusland'. Leden van het leger hebben op hun websites hun ongenoegen geuit over de terugkeer van de icoon voordat aan deze cruciale voorwaarde was voldaan.

Geen wonder dat de orthodoxe Kerk, die uiteraard op de hoogte is van deze manoeuvres, zo haar twijfels heeft over de ware intenties van de paus. Ondertussen was er een paar weken na het bezoek van president Poetin een probleem ontstaan. Op 29 april 2003 kondigde de Russische minister van Cultuur Michail Sjvydkoj aan dat de icoon in het bezit van Johannes Paulus niet echt was; hij was niet gemaakt in de zestiende eeuw, maar in de achttiende. Op basis van gezamenlijk onderzoek door Russische en Vaticaanse experts, zei de minister: 'De vraag is of dit werkelijk de icoon is die eeuwen geleden uit Kazan werd gestolen, of dat deze later is geschilderd. De conclusie van de deskundigen luidt dat deze icoon in de achttiende eeuw is vervaardigd.' Het Vaticaan heeft zich over deze kwestie niet uitgelaten, maar curiebeambten hebben laten weten dat ook al is de icoon slechts een kopie, dat niets afdoet aan de religieuze waarde ervan.

Het zijn juist die kenmerken die zo tragisch de kansen op meer christelijke eenheid tussen het Oosten en het Westen in het post-sovjettijdperk om zeep hebben geholpen, die verband houden met de redenen waarom de rooms-katholieke gemeenschap een periode beleeft van diepe crisis en verdeeldheid. De paus spreekt maar is niet verwikkeld in een dialoog; hij hoort maar luistert niet; hij studeert maar leert niet. Zijn uitingen van bewondering voor het Oosten doet hij geheel onder zijn eigen voorwaarden, niet onder die van hen. Zijn respect voor het Oosten is gevat in een poëtische, historisch-legendarische metafoor, en niet in de taal van de dagelijkse realiteit. Niets wijst erop dat hij gelooft dat er werkelijk ook maar iets van de orthodoxe Kerken geleerd kan worden, in het bijzonder als het gaat om die religieuze kwesties die betrekking hebben op het dagelijks leven in de hedendaagse wereld van de Kerk: seksualiteit, het huwelijk, scheiding, anticonceptie, homoseksualiteit, getrouwde priesters en een bereidheid te praten over vrouwelijke priesters; en toch zijn dit zaken waar de rooms-katholieke Kerk nog veel te leren en bij te winnen heeft. Bovendien is de reden waarom Johannes Paulus zo weinig vooruitgang heeft geboekt met de orthodoxe Kerken, vergelijkbaar met zijn mislukking om een doorbraak te bereiken met de anglicaanse gemeenschap.

De mislukking van Johannes Paulus om vooruitgang te boeken met de 'zusterkerken' van het christendom vertelt ons veel over de diepe en groeiende kloven in zijn eigen Kerk. Want zoals er twee longen bestaan binnen het christelijke Europa, het Oosten en het Westen, zo bestaan er ook twee complementaire ritmes binnen de Romeinse gemeenschap. Het belang van deze ritmes en het verzuim van Johannes Paulus om daarin de balans en de harmonie te zoeken die daartussen zou moeten bestaan, verdienen het laatste woord: de epiloog.

Epiloog: de nalatenschap van Johannes Paulus II

Johannes Paulus zal de geschiedenis ingaan als de paus die het Poolse volk hielp zich van het communistische regime te bevrijden; die het proces mede op gang bracht waarbij het communisme ten val werd gebracht en er een einde kwam aan de Koude Oorlog, waardoor de wereld er een stuk veiliger op is geworden. Onder alle wereldleiders van de afgelopen 25 jaar valt hij bovendien op als een man van vrede. Tijdens zijn buitengewoon emotionele bezoek aan Lourdes in augustus 2004 huilde hij bij de grot van de Maagd, en bad hij voor vrede. 'Roep met mij,' verzocht hij de gelovigen, 'de Maagd Maria aan om voor onze wereld het langverwachte geschenk van de vrede te krijgen. Moge vergeving en broederliefde wortel schieten in het mensenhart. Moge elk wapen worden neergelegd, en haat en geweld worden vergeten. Dat iedereen in zijn buurman niet een vijand ziet die men moet bestrijden, maar een broeder die men moet accepteren en liefhebben, zodat we samen de wereld kunnen verbeteren.'

Maar wat zal hij blijvend nalaten aan de katholieke Kerk? Hoe zal zijn invloed de komende jaren doorwerken onder de miljarden gelovigen? En welk type paus moet hem idealiter opvolgen, onmiddellijk na hem of na verloop van tijd?

Overal in de wereldwijde Kerk treft men levendige katholieke groepen aan; mensen die werken en willen sterven voor het geloof, onbaatzuchtige dienaren, zusters en leken die zich inzetten voor de armen en de zieken; parochieleden die de wereld willen verbeteren. De geest van Vaticanum II is werkzaam en kan niet worden onderdrukt. Maar er zijn miljoenen katholieken weggevallen omdat ze onder Johannes Paulus II zijn gedemotiveerd en uitgesloten. Zijn grootste en blijvende erfenis is, geloof ik, zichtbaar en voelbaar in verschillende vormen van onderdrukking en uitsluiting, in het vertrouwen in pauselijk absolutisme en antagonistische splitsingen. Nooit eerder zijn katholieken zo verdeeld geweest, nooit eerder bestond er zoveel minachting en agressie onder katholieken. Nooit eerder heeft de lokale Kerk zo te lijden gehad onder het Vaticaan en het pauselijk gezag.

Johannes Paulus heeft verschillende keren op retorische wijze zijn waardering uitgesproken voor de duale rol van de twee grote impulsen binnen de Kerk in de wereld, de universele en de lokale, die in gezamenlijke versterking en wederzijds begrip eensluidend zouden moeten kloppen, niet tegen elkaar concurrerend en in rivaliteit.

Ten behoeve van de eenheid en geconfronteerd met wat hij zag als de fragmentatie vanuit het centrum van de Kerk in het postconciliaire tijdperk, legde Johannes Paulus de nadruk op het universele ten koste van het lokale. Om dit doel te bereiken, wendde hij de machtsmiddelen aan die hem ter beschikking stonden – het petrinische ambt en het bereik van de curie – en trok hij de lokale Kerk strakker naar het pauselijk gezag toe. En op zijn reizen behandelde hij elk land, bisdom en iedere parochie alsof die van hem waren. Johannes Paulus had twijfels noch scrupules over deze ecclesiastische overmoed, omdat hij ervan overtuigd was dat hij van Godswege een mystiek fiat had gekregen; het toeval bestond niet: het was allemaal vanaf het begin zo bedoeld, voorspeld en voorbestemd.

Maar de katholieke Kerk zou altijd en overal in haar volheid moeten bestaan daar waar de eucharistie wordt gevierd: in elke kathedraal, in elke parochiekerk, in elke kapel. Tijdens het langdurige pontificaat van Johannes Paulus is de Kerk met haar parochies, bisdommen en talloze lokale kerkgemeenschappen gereduceerd en verkleind, opgeofferd aan de dominantie van het pauselijke en Vaticaanse centrum.

Er zitten aspecten aan dit centraliserende beleid die toe te schrijven zijn aan Johannes Paulus' karakter, zijn temperament en zijn persoonlijke geschiedenis. Maar toch, als paus staat hij niet buiten de golfbeweging van de geschiedenis. Zijn agenda, zijn successen en mislukkingen maakten deel uit, zoals we hebben gezien, van de geschiedenis van het pauselijk gezag in de moderne geschiedenis sinds de Franse Revolutie, en de oude spanningen tussen en confrontaties met de 'ultramonistische' centralisten en de progressieve decentralisten.

Johannes Paulus' ecclesiastische erfenis is dus een opgeblazen pauselijk gezag dat de 'norm' is geworden. Deze erfenis wordt bovendien gepresenteerd als 'traditioneel' en niet gehouden voor wat ze werkelijk is – een moderne anomalie die sinds halverwege de negentiende eeuw aan kracht won in een tijd waarin het pauselijk gezag moest vechten om zijn macht en zeggingskracht te behouden tegen de opkomende natiestaat, die vaak niet katholiek gezind was.

Het Tweede Vaticaans Concilie luidde een periode in waarin de lokale Kerk weer zou opbloeien, meer onafhankelijkheid en lokaal gezag zou krijgen. Maar in de tijd dat Johannes Paulus tot paus werd gekozen, leek de Kerk volgens velen, ook volgens progressieve geestelijken, op hol geslagen. Er was veel behoefte aan discipline. Dit verklaart tot op zekere hoogte waarom Johannes Paulus, terwijl hij zichzelf voordeed als een paus van het concilie, de teugels van het pauselijk en curiaal gezag strakker aantrok. Terwijl hij veel noodzakelijke correcties aanbracht, beloofde hij voortdurend dat hij de Kerk terug zou leiden naar de principes van het concilie. Maar zijn daden waren in de twee decennia van zijn gezag voortdurend in tegenspraak met zijn woorden.

Aan het einde van het feestelijke jubeljaar, nadat hij de Heilige Deur had gesloten, ondertekende hij zijn apostolische brief van het jubeljaar. In die brief verklaarde hij dat er veel gedaan was om de Romeinse curie te hervormen, 'maar dat er nog veel meer gedaan moet worden'. Gemeenschapszin, schreef hij, moet worden gecultiveerd en uitgebreid op alle niveaus binnen de Kerk; voor dit doel 'moeten medezeggenschapsstructuren waarin het canoniek recht voorziet, bijvoorbeeld de raad van priesters en de pastorale raad, meer dan ooit hogelijk worden gewaardeerd'.

Velen zagen in deze woorden, die aan het begin van het nieuwe millennium werden uitgesproken, een mentale omslag: eindelijk! Zou hij, vlak voor zijn dood, zijn jarenlange centraliserende beleid herzien? Een jaar of twee verder in de nieuwe eeuw werd duidelijk dat Johannes Paulus niet zou veranderen. Zijn woorden waren weer eens in tegenspraak met zijn daden.

Als een vader hoopt dat zijn kinderen hem ooit zullen helpen, geeft hij hun een zekere mate van onafhankelijkheid, laat hij hen vrij. Johannes Paulus II heeft de lokale Kerk haar groei naar verantwoordelijkheid ontzegd. Daardoor is het, in een tijd die overwegend vijandelijk staat tegenover godsdienstvrijheid, moeilijk de volledige gevolgen in te schatten van de verzwakking van de periferie gedurende een pontificaat dat zo lang heeft geduurd. Maar hoe ouder het pontificaat, hoe groter en wijder verbreid de zwakke punten ervan zijn. Er bestaat daardoor geen eenvoudige oplossing voor de schade die tijdens zijn gezag is aangericht. De opvolger van Johannes Paulus zal een slecht functionerende Kerk erven met allerlei problemen en een Kerk die hongert naar verandering. Maar in welke richting?

Een progressieve paus, een pauselijke Michael Gorbatsjov, zou wel eens de voorzitter van een plotseling en rampzalig schisma kunnen zijn aangezien conservatieven weigeren de authenticiteit van progressieve hervormingen te accepteren; een aartsconservatieve paus zal daarentegen waarschijnlijk de 'resten' van een nauwelijks zichtbare Kerk conserveren nadat hij heeft aangezet tot wereldwijde verdere leegloop en apostasie van gelovigen die niet bereid zijn nog meer van hetzelfde te pikken, of erger nog.

Alles in de wereldgeschiedenis van de afgelopen vijftig jaar wijst erop dat het pauselijk gezag, dat onder deze paus nog absolutistischer is geworden, niet stabiel genoeg zal zijn om het centrum overeind te houden wanneer het zichzelf niet hervormt. De Kerk in de Derde Wereld, die in veel regio's groeit, zal zich waarschijnlijk afsplitsen en mogelijk stuurloos verder ronddraaien; de Kerk in Noord-Amerika, die nog steeds de kosten moet optellen van de pederastencrisis in termen van moreel verval en een dalend aantal roepingen, gaat een toekomst zonder priesters tegemoet.

Gelukkig zijn wij katholieken gezegend met een diep geloof in de oerzonde, dat de context vormt waarin wij worstelen om onze idealen te verwezenlijken, waardoor wij zelden geheel gedesillusioneerd raken door onze mislukkingen en we nooit helemaal zonder hoop leven. We geloven per slot van rekening in de werkzaamheid van de Heilige Geest, ook wanneer pausen druk in de weer zijn hoepels uit te steken waar Hij doorheen kan springen.

Johannes Paulus was paus in een bijzondere tijd waarin de wereld en de Kerk ontregeld en versplinterd raakten. Hij reageerde op de talloze problemen en crises door een soort pauselijke superman te worden: hij nam de leiding. Hij zag de Kerk als een piramide en niet als een verzameling gemeenschappen. Hij zag zijn pauselijke rol als die van een *chief executive* die vanuit het hoofdkantoor de filialen aanstuurt. Hij kon hier genoeg voorbeelden van terugvinden in de twintigste eeuw: Pius X, Pius XI en Pius XII. We hadden een andere paus kunnen hebben die nog ergere beslissingen had genomen, met nog rampzaliger mislukkingen op zijn naam. Maar terwijl het gezag van Johannes Paulus zijn einde nadert en de Kerk uitkijkt naar een nieuw pontificaat in de eenentwintigste eeuw, moeten we ons afvragen of de Kerk wel het meest gediend is bij een superman. Johannes Paulus is altijd mens gebleven, een bijzonder mens ook nog. Maar door zijn autocratische oplossingen had hij de neiging te handelen op manieren waardoor die menselijke kwaliteiten werden overschaduwd, en grote groepen gelovigen gedemotiveerd en ontmoedigd raakten.

John Henry Newman, de negentiende-eeuwse anglicaanse bekeerling, theoloog en kardinaal, waarschuwde tegen de gevaren van een autocratisch, langdurend pontificaat. 'Het is een anomalie,' schreef hij, 'waar niets goeds van komt; hij wordt een god, heeft niemand om hem tegen te spreken, kent de feiten niet, doet zonder opzet wrede dingen.' We kunnen alleen maar hopen dat zijn opvolger eerst en vooral een bisschop onder bisschoppen is, een rechter van de laatste instantie, die barmhartig oordeelt over verschillen en onenigheden; een mens die beseft dat hij, ondanks zijn roep tot het leiderschap, een pelgrim is gebleven met de rest van de mensheid.

Verantwoording

Als schrijver ben ik nu al meer dan twintig jaar gefascineerd door het Vaticaan en het pauselijk gezag. Veel vrienden en kennissen hebben bewust en misschien ook onbewust bijgedragen aan het schrijven van dit portret van Johannes Paulus II. Gezien zo'n langdurend pontificaat zie ik veel mensen die invloed op mij hebben gehad en aan wie ik dank verschuldigd ben, over het hoofd; maar ik dank hierbij iedereen, en met name: John Allen, Neal Ascherson, Victoria Clark, Eamon Duffy, John Follain, Cathy Galvin, Michael Gilmore, wijlen Dan Grisewood, Michael Hirst, Nicholas Lash, aartsbisschop Paul Casimir Marcinkus, John Milbank, Gerry O'Collins, Gerald O'Connell, Catherine Pepinster, John Phillips, Catherine Pickstock, John Pollard, Tom Reese, Janet Soskice, Bob Tyrer, Jack Valero, Michael Walsh, Marjorie Weeke, John Wilkins, Philip Willan, David Willey en Tobias Wolff.

Dit boek had nooit tot stand kunnen komen zonder de kalme medewerking van mijn 'Monsignor Sotto Voce', over wie gezegd moet worden: jij bent het niet, en hij is het niet. Ik ben veel dank verschuldigd aan John Wilkins, Eamon Duffy en Michael Walsh voor het lezen van het manuscript van dit boek. Eigenaardigheden in perspectief zijn geheel aan mijzelf toe te schrijven; net als feitelijke fouten. Mijn bijzondere dank gaat ook uit naar Emma Parry en Clare Alexander, mijn agenten in New York en Londen, en aan mijn redacteuren – Andrew Corbin van Doubleday, New York, en Juliet Annan van Viking, Londen, en aan mijn tekstredacteur, David Watson. Zoals altijd kan ik niet dankbaar genoeg zijn voor de steun van Crispin Rope.

Keuze uit het werk van paus Johannes Paulus II

Drama en poëzie

Collected poems. Vertaald, ingeleid en voorzien van noten door Jerzy Peterkiewicz. New York: Random House, 1979, 1982.

Als ik Vaderland zeg. Gedichten en gedachten. Den Haag: Omniboek, 1981.

The collected plays and writings and theater. Vertaling Boleslaw Taborksi. Berkeley: University of California Press, 1987.

De winkel van de juwelier. Toneelstuk, vertaald en ingeleid door Frans van Dooren. Utrecht: Kwadraat, 1996.

Voor-pauselijke boeken

The acting person. Herziene editie, 1977. Vertaling Andrzej Potocki. Dordrecht en Londen: Reidel, 1979.

Sign of contradiction. New York, Seabury Press, 1979. Vastenretraite voor Paulus VI en zijn curie.

Sources of renewal. The implementation of Vatican II. Vertaling P.S. Falla. Londen: Fount, 1980.

Faith according to St John of the Cross. Vertaling Jordan Aumann. San Francisco: Ignatius Press, 1981.

Love and responsibility. Vertaling H.T. Willetts. Londen, Collins, 1982.

Lubliner Vorlesungen, 1954–57. Red. Juliusz Stoyonowski. Stuttgart-Degerloch: Seewald, 1981.

Encyclieken

Redemptor hominis, De verlosser van de mens (1997).

Dives in misericordia, Over de goddelijke barmhartigheid (1980).
Laborem exercens, Over de menselijke arbeid (1981).
Slavorum apostoli, Apostelen tot de Slaven (1985).
Dominum et vivificantem, De Heer en Schenker van het leven (1986).
Redemptoris mater, De Moeder van de Verlosser (1987).
Sollicitudo rei socialis, Over sociale betrokkenheid (1987).
Redemptoris missio, Over de missie van de Verlosser (1990).
Centesimus annus, De honderdste verjaardag van *Rerum novarum* (1991).
Veritatis splendor, De schittering van de waarheid (1993).
Evangelium vitae, Het evangelie van het leven (1995).
Ut unum sint, Dat zij één mogen worden (1995).
Fides et ratio, Geloof en rede (1998).
Ecclesia de eucharistia, Over de Eucharistie in relatie tot de Kerk (2003).

Apostolische constituties, exhortaties, brieven, instructies

Catechesi tradendae. Apostolische exhortatie over de catechese in onze tijd (1979).
Sapientia christiana. Apostolische constitutie over kerkelijke universiteiten en faculteiten (1979).
Inestimabile donum. Instructie over de viering van het mysterie van de eucharistie (1980).
Dominica cenae. Over het mysterie en de viering van de eucharistie (1980).
Familiaris consortio. Apostolische exhortatie over de eenheid van het gezin (1981).
Redemptionis donum. Het geschenk van de verlossing (1984).
Salvifici doloris. Apostolische brief over de christelijke zin van het menselijk lijden (1984).
Reconciliatio et paenitentia. Apostolische exhortatie over verzoening en boete (1984).
Duodecimum saeculum. Apostolische brief over de twintigste eeuw (1987).
Mulieris dignitatem. Apostolische brief over de waardigheid en roeping van de vrouw (1988).
Christifideles laici. Apostolische exhortatie over de roeping en missie van gelovige leken in de Kerk en in de wereld (1988).
Ecclesia dei. Apostolische brief over de vijfentwintigste verjaardag van de constitutie inzake de gewijde liturgie (1988).
Ter gelegenheid van het Mariajaar. Apostolische brief (1988).
Euntes in mundum. Apostolische brief, 'Zij gaan de wereld in' (1988).
Redemptoris custos. Apostolische exhortatie over de beschermer van de Verlosser, Sint-Jozef (1989).

Ex corde ecclesiae. Apostolische constitutie, 'Vanuit het hart van de Kerk' (1990).
Pastores dabo vobis. Apostolische exhortatie, 'Ik geef u herders' (1992).
Tertio millennio adveniente. Apostolische brief over het derde millennium (1994).
Brief aan de vrouwen (1994).
Orientale Lumen. Apostolische brief, 'Licht uit het Oosten' (1995).
Vita consecrata. Apostolische exhortatie over het gewijde leven (1996).
Universi dominici gregis. Apostolische constitutie over de vacature van de Apostolische Stoel en de verkiezing van de Romeinse pontifex (1996).

Boeken en andere geschriften uit de pauselijke periode

Fruitful and responsible love. New York: Seabury Press, 1979. Toespraak uit 1978 over de tiende verjaardag van *Humanae vitae*, met bijdragen van verschillende respondenten.
Words of certitude. Mahwah: Paulist Press, 1979.
Holy Thursday letters to my brother priests. (1979–1994).
The original unity of man and woman. Lezingen over Genesis (1979– 1980).
Blessed are the pure of heart. Boston: Daughters of St Paul, 1983. Lezingen over de bergrede en Paulus (1980–1981).
Massimiliano Kolbe, patrono del nostro difficile secolo. Vaticaanstad: Libreria editrice Vaticana, 1982.
'Wees niet bang!' André Frossard ten huize van Johannes Paulus II. Vertaald uit het Frans door Ed. Herkes. IJsselstein: Amistad, 1983.
Reflections on Humanae vitae. Boston: Daughters of St Paul, 1984. Lezingen over *Humanae vitae*, 1984.
The theology of marriage and celibacy. Catechesis on marriage and celibacy. Boston: Daughters of St Paul, 1986.
Over de drempel van de hoop, onder redactie en met een woord vooraf van Vittorio Messori. Vertaald uit het Italiaans door Arie van Heck. Amsterdam: Veen, 1994.
God, Father and Creator. A catechesis on the creed. Deel 1. Boston: Daughters of St Paul, 1996.
Jesus, Son and Savior. A catechesis on the creed. Deel 2. Boston: Daughters of St Paul, 1996.
The theology of the body. Human love in the Divine Plan. Boston: Pauline Books & Media, 1997.
Gave en geheim. Bij gelegenheid van mijn vijftigjarig priesterjubileum. Vertaald uit het Italiaans door Pietha de Voogd. Baarn: Gooi en Sticht, 1998.

Literatuur

Accattoli, Luigi, *When a pope asks forgiveness*, New York: St. Pauls, Alba House, 1998.

Allen, John L., Jr, *Conclave*, New York: Doubleday, 2002.

Bernstein, Carl, en Politi, Marco, *Johannes Paulus II en de verborgen geschiedenis van onze tijd*, Leuven: Van Halewyck, 1996.

Berry, Jason, en Renner, Gerald, *Vows of silence*, New York: Free Press, 2004.

Carey, George, *Know the truth*, Londen: HarperCollins, 2004.

Collins, Paul, *Papal power*, Londen: Fount, 1997.

Collins, Paul (red.), *From inquisition to freedom*, Londen: Continuum, 2001.

Cooke, Bernard (red.), *The papacy and the church in the United States*, Mahwah: Paulist Press, 1989.

Cornwell, John, *Als een dief in de nacht: de dood van Johannes Paulus I*, Antwerpen: Standaard, 1989.

Cornwell, John, *Hitlers paus: de verborgen geschiedenis van Pius XII*, Amsterdam/Leuven: Balans/Van Halewyck, 1999.

Cornwell, John, *De Paus en het lot van de gelovigen: drama en belofte*, Amsterdam/Leuven: Balans/Van Halewyck, 2002.

Cozzens, Donald, B., *The changing face of the priesthood*, Collegeville: The Liturgical Press, 2000.

Curran, Charles E., *The catholic moral tradition today: a synthesis*, Washington DC: Georgetown University Press, 1999.

Daw, Richard W., *Pope John Paul II*, Washington DC: National Catholic News Service, 1987.

Deedy, John (red.), *The catholic church in the twentieth century*, Collegeville: The Liturgical Press, 2000.
Duffy, Eamon, *Saints & sinners: a history of the popes*, Londen: Yale University Press, 1997.
Dulles, Avery, *The splendor of faith*, New York: The Crossroad Publishing Company, 1999.
Dupuis, Jacques, S.J., *Toward a christian theology of religious pluralism*, New York: Orbis Books, 1997.
Flannery, Austin, O.P. (red.), *Vatican council II (volume1)*, Dublin: Dominican Publications, 1987.
Flannery, Austin, O.P. (red.), *Vatican council II (volume 2)*, New York: Costello Publishing Company, 1982.
Formicola, Jo Renee, *Pope John Paul II: prophetic politician*, Washington, D.C.: Georgetown University Press, 2002.
Fox, Thomas C., *Sexuality and catholicism*, New York: George Braziller, 1995.
Garton Ash, Timothy, *The Polish revolution: Solidarity*, Londen: Penguin, 1999.
Gaton Ash, Timothy, *De vruchten van de tegenspoed*, Haarlem: H.J.W. Becht, 1990.
Garton Ash, Timothy, *We the people*, Londen: Penguin, 1999.
Gillis, Chester, *Roman catholicism in America*, New York: Columbia University Press, 1999.
Gneuhs, Geoffrey (red.), *The legacy of pope John Paul II*, New York: The Crossroad Publishing Company, 2000.
Granfield, Patrick, *The limits of the papacy*, New York: The Crossroad Publishing Company, 1987.
Hastings, Adrian (red.), *Bishops and writers*, Wheathampstead: Anthony Clarje, 1977.
Hastings, Adrian (red.), *Modern catholicism, Vatican II and after*, Londen: SPCK, 1991.
Hebblethwaite, Peter, *Kerk op hol: de recente geschiedenis van de Rooms-Katholieke kerk*, Baarn: Het wereldvenster, 1977.
Hebblethwaite, Peter, *Rome, Schillebeeckx en Küng*, Bloemendaal: Nelissen, 1980.
Hebblethwaite, Peter, *Introducing John Paul II*, Londen: Fount, 1982.
Hebblethwaite, Peter, *Het Vaticaan: de kleinste grootmacht ter wereld*, Baarn: Ambo, 1987.
Hebblethwaite, Peter, *Paul VI: the first modern pope*, Londen: HarperCollins, 1993.

Hebblethwaite, Peter, *Johannes XXIII: de paus van het concilie*, Haarlem: Gottmer, 1985.
Hebblethwaite, Peter, *The next pope*, Londen: Fount, 2000.
Hogan, Richard M., en John M. Levoir, *Covenant of love*, New York: Ignatius Press, 1992.
Johnson, Paul, *The papacy*, Londen: Weidenfeld & Nicolson, 1997.
Kelly, George A., *Keeping the church catholic with John Paul II*, New York: Doubleday, 1990.
Kerr, Fergus, *Immortal longings*, Londen: SPCK, 1997.
Küng, Hans, *The catholic church: a short history*, Londen: Weidenfeld & Nicolson, 2001.
Küng, Hans, *My struggle for freedom*, Londen: Continuum, 2003.
Kwitny, Jonathan, *Man of the century: the life and times of pope JohnPaul II*, Londen: Little, Brown and Company, 1997.
Lash, Nicholas, *Easter in ordinary*, Londen: SCM Press, 1988.
Lawler, Justus George, *Popes and politics*, Londen: Continuum, 2002.
Liebreich, Karen, *Fallen order: a history*, Londen: Atlantic Books, 2004.
MacEoin, Gary (red.), *The papacy and the people of God*, New York: Orbis Books, 1998.
McBrien, Richard P., *Catholicism*, San Francisco: Harper, 1994.
McClory, Robert, *Power and the papacy*, Missouri: Triumph, 1997.
McDermott, John M., (red.) *The thought of pope John Paul II*, Rome: Gregorian University, 1993.
Messori, Vittorio, *Opus dei: Leadership and vision in today's catholic church*, Washington DC: Regnery Publishing, 1997.
Milbank, John, *The word made strange*, Oxford: Balckwell, 1997.
Misner, Paul, *Social catholicism in Europe*, Londen: Darton, Longman and Todd, 1991.
Oddie, William (red.), *John Paul the Great*, Londen: The Catholic Herald and the Catholic Truth Society, 2003.
Paczkowski, Andrzej, *The spring will be ours*, University Park: The Pennsylvania State University Press, 2003.
Pollard, John, F., *The unknown pope*, Londen: Geoffrey Chapman, 1999.
Quinn, John R., *The reform of the papacy*, New York: The Crossroad Publishing Company, 1999.
Rahner, Karl, *Visions and prophecies*, Londen: Burns & Oates, 1966.
Ratzinger, kardinaal Joseph, *Salt of the earth*, San Francisco: Ignatius Press, 1997.
Ratzinger, kardinaal Joseph, en Vittorio Messori, *The Ratzinger Report*, Londen: Fowler Wright, 1985.

Reese, Thomas J., *Inside the Vatican*, Londen: Harvard University Press, 1996.
Riccards. Michael P., *Vicars of Christ*, New York: The Crossroad Publishing Company, 1998.
Rico, Herminio, *John Paul II and the legacy of Dignitatis Humanae*, Washington DC: Georgetown University Press, 2002.
Ruane, Kevin, *To kill a priest*, Londen: Gibson Square, 2004.
Schatz, Klaus, *Papal primacy: from its origins to the present*, Collegeville: The Liturgical Press, 1996.
Shaw, Russel, *Papal primacy in the third millennium*, Indiana: Our Sunday Visitor, 2000.
Sullivan, Francis A., S.J., *Magisterium*, New York: Paulist Press, 1983.
Sullivan, Francis A., S.J., *Creative fidelity*, Dublin: Gill & Macmillan, 1996.
Szulc, Tad, *Pope John Paul II: the biography*, New York: Scribner, 1995.
Thompson, Damian, *The end of time*, Londen: Sinclair-Stevenson, 1996.
Urquhart, Gordon, *The pope's armada*, Londen: Bantam Press, 1995.
Vaillancourt, Jean-Guy, *Papal power of Vatican control over lay catholic elites*, Berkeley: University of California Press, 1980.
Vidler, Alec, R., *Prophecy & papacy*, Londen: SCM Press, 1954.
Walsh, Michael, *John Paul II*, Londen: Faunt, 1994.
Walsh, Michael, *The conclave*, Norwich: Canterbury Press, 2003.
Weigel, George, *Witness to hope*, New York: Cliff Street Books, 1999.
Weigel, George, *The courage to be catholic*, New York: Basic Books, 2002.
Whale, John (red.), *The pope from Poland: an assessment*, Londen: Collins, 1980.
Whitehead, Kenneth D. (red), *John Paul II: witness to truth*, South Bend: St. Augustine's Press, 2001.
Wilkins, John, (red.), *Understanding Vveritatis splendor*, Londen: SPCK, 1994.
Willey, David, *God's politician*, Londen: Faber and Faber, 1992.
Williams, George Hunstton, *The mind of John Paul II*, New York: The Seabury Press, 1981.
Williams, Oliver F., en John W. Houck, *Catholic social thought and the new world order*, Notre Dame: University of Notre Dame Press, 1993.
Wills, Garry, *Papal sin: structures of deceit*, New York: Doubleday, 2000.
Woodward, Kenneth L., *Making saints*, New York: Simon & Schuster, 1990.

Register

Aivazov, Todor 95
Alexander VI, paus 171
Alexis II, patriarch van Moskou 292, 293, 295, 296
Ali Ağça, Mehmet 94-96
Allen, John 279
Amato, Giulio 187
Andropov, Joeri 78, 93, 162
Antonius, sint 114
Arafat, Yasser 175, 216, 220
Argenti, Giovanni 183
Argenti, Mateo 183
Arns, Evaristo 88
Arrupe, Pedro 101
Ascherson, Neal 82
Augustinus van Hippo, sint 182, 260, 262
Aziz, Tariq 263, 264
Aziz, Tipu 170

Baggaley, Rachel 245
Balthasar, Hans Urs von 72
Barak, Ehud 176
Barba Martín, José 255
Bardecki, pater Andrzej 41, 56, 59
Barragán, Javier Lozano, kardinaal 243
Barrales Arellano, Saúl 255
Barth, Karl 59
Baziak, Eugeniusz, aartsbisschop 45, 49, 53
Bellillo, Katia 188
Benedictus XI, paus 171
Benedictus XV, paus 141
Benedictus, sint 290
Benelli, Giovanni 67
Berlusconi, Silvio 218, 220, 221, 280
Bernanos, Georges 74
Bernardin, Joseph, kardinaal 12, 206
Bernstein, Carl 10, 21, 55, 109, 135
Berry, Jason 252, 253, 255
bin Laden, Osama 214, 218, 220, 222, 285
Birmingham, pater 228
Bismarck, Otto von 104
Björklund, Anders 170
Blair, Tony 264

Bocelli, Andrea 220
Boland, Raymond, bisschop 229
Botean, John Michael, bisschop van Canton, Ohio 264
Bozzo, pater Gianni Baget 221
Brezjnev, Leonid 81, 91-93
Brunelli, Lucio 167, 168
Brzezinski, Zbigniew 78, 92
Bush, George sr. 259
Bush, George W. 215-217, 260, 262, 280-285
Buxton, Pia 139
Buzzonetti, Renato 171, 267, 272

Calasanz, José de 226
Calvi, Roberto 108, 162
Campbell-Johnston, Michael 89
Cardenal, pater Ernesto 88, 136
Carey, George, aartsbisschop van Canterbury 136, 137, 156, 202, 205, 206
Carter, Jimmy 78, 109
Casaroli, Agostino, kardinaal 110
Cassidy, Edward, kardinaal 156, 194, 202
Cesarini, David 195-197
Clemens XIV, paus 171
Clinton, Bill 135, 234
Clohessy, David 233
Coelestinus V, paus 158
Cole, Tom 285
Collins, pater Paul 209, 210
Conley, pater John 46
Cottier, pater Georges 193
Cowling, Maurice 295
Cozzens, Donald B. 229
Curran, pater Charles 120
Cyrillus, sint 287, 290
Cherubini, Stefano 226
Chroesjtsjov, Nikita 288

Danneels, Godfried, kardinaal 213, 225, 246
Derrida, Jacques 68
Deskur, Andrzej Maria, kardinaal 53, 74, 77, 167, 168, 233
Dezza, Paolo 101
Diodorus I, partiarch van Jeruzalem 176
dos Santos, Lucia 96, 97, 180
Dowling, Kevin, bisschop van Rustenburg 246, 247
Doyle, pater Thomas 232
Duffy, Eamon 20, 151
Dulles, Avery, kardinaal 12, 72, 210
Dupuis, Jacques 200, 201, 204
Duvalier, Jean-Claude ('Baby Doc') 10
Dziwisz, Stanislaw 17, 65, 75, 77, 94, 157, 177, 210, 273, 275, 277-279

Eccles, sir John 119
Edelman, Gerald 119
Eder, George, aarstbisschop 204
Eggert, Konstantin 294
Ellis, John 283
Emmerich, zuster Anne Katharina 276
Escrivá de Balaguer, Josemaría 38, 115-117
Espinosa Alcalá, Alejandro 255
Etchegaray, Roger, kardinaal 194, 263

Fagiolo, Vincenzo, kardinaal 157
Farley, Margaret 246
Feeney, pater Leonard 199, 200, 203

Fitz-Gerald, Michael, aartsbisschop 200
Follain, John 156
Fox, pater Matthew 79
Franco, Francisco 50, 115
Frank, Hans 28

Galileo Galilei 118
Galtieri, generaal Leopoldo 102
Gantin, Bernard, kardinaal 193
Gantz, Menachem 264
Garrigou-Lagrange, pater Réginald ('de Rigide') 36-39, 44, 47
Garton Ash, Timothy 82, 110
Gauthe, pater Gilbert 227
Gavin, monseigneur Tom 102
Geffen, Nathan 245
Geoghan, pater 228
Gerardus van Majella, sint 114
Gibson, Hutton 276, 277
Gibson, Mel 275-279
Gierek, Edward 59, 81, 82, 91
Giuliani, Rudolph 220
Glemp, Jozef, primaat van Polen 110
Gomułka, Władysław 57
Gorbatsjov, Michael 113, 303
Górecki, Henryk 25
Graham, Billy 283
Gramick, zuster Jeanine 147-149
Grande, Rutilio 89
Greene, Graham 20, 21, 285
Gregorius XII, paus 158
Gregory XVI, paus 129
Groër, Hans Hermann, kardinaal-aartsbisschop van Wenen 106, 225
Gromyko, Andrej 80
Guitton, Jean 168
Gumpel, pater Peter 198
Gutiérrez, Gustavo 88

Haas, Wolfgang 106
Haider, Jörg 198
Hamao, Fumio, kardinaal 268
Hankins, Catherine 245
Hartmann, Nicolai 64
Hawkins, Jackie 138
Hebblethwaite, Peter 72, 166
Hitchcock, Penelope 245
Hitler, Adolf 24, 28, 50, 104, 172, 183, 192, 285
Hlond, August, kardinaal 24
Hoessein, Saddam 261, 262, 264
Hollings, pater Michael 256
Houthakker, Hendrik 122, 123
Hoyos, Darío Castrillón, kardinaal 231
Hume, Basil, kardinaal 70, 102
Hummes, Cláudio, aartsbisschop van São Paulo 241, 242
Huntington, Samuel P. 291
Husserl, Edmund 64

Ikrimah Sabri, sjeik 177
Ingarden, Roman 64
Innocentius X, paus 226
Irigaray, Luce 154

Jaruzelski, generaal Wojciech 10, 92, 93, 108, 110-113
Jean-Babtiste Marie Vianney, sint 43
Jefferson, Thomas 132
Johannes Paulus I, paus (Albino Luciani) 70, 71, 116, 162, 171, 172, 180

Johannes Paulus II, paus (Karol Wojtyła) *passim*
Johannes van het Kruis, sint 30, 31, 36, 39, 40
Johannes XXIII, paus (Angelo Giuseppe Roncalli) 9, 50, 51, 98, 104, 115, 141, 159, 161, 172, 184, 195, 196, 259, 262, 276
Judas, sint 114
Jurado Guzmań, Arturo 255

Kaiser, Robert 234
Kane, zuster Mary Theresa 84
Kania, Stanisław 91-93
Kasper, Walter, kardinaal 211-213, 216, 218
Katkoff, Andrew, bisschop 297
Kazibwe, Speciosa Wandir 241
Keenan, James 225, 226
Kennedy, John F. 284
Kerry, John 281, 284
Kessler, Edward 204
Kingsley, Charles 209
Kluger, Jerzy 24
Koch, Ed 19
Kondrusiewicz, Tadeusz, aartsbisschop 295
König, Franz, kardinaal-aartsbisschop van Wenen 106, 200, 204
Kratzl, Helmut, hulpbisschop van Wenen 204
Krenn, bisschop van Sankt Pölten 205
Krol, John, kardinaal-aartsbisschop van Philadelphia 40, 78
Küng, Hans 36, 37, 80, 161, 205
Kwiatowska-Krolikiewicz, Halina 28
Kwitny, Jonathan 10

Laghi, Pio, kardinaal 260, 281
Lajolo, Giovanni, kardinaal 282
Lau, Yisrael, rabbijn 176
Law, Bernard, kardinaal 209, 229, 234
Lefebvre, Marcel, aartsbisschop 80
Lehmann, Karl, bisschop van Mainz (later kardinaal) 157, 172, 194, 208, 211, 213, 219
Leicht, Robert 211
Lenin, Vladimir Ilyich 24, 288
Leo IX, paus 226
Leo XIII, paus 31, 36, 46, 124-126, 171
Liebreich, Karen 226
Locke, John 132
Longley, Clifford 243
Loren, Sophia 220
Louis de Montfort, sint 32, 50
Lubac, Henri de 37, 38, 62, 72
Luciano, Albino *zie* Johannes Paulus I, paus
Lukas, sint 25, 212
Lustiger, Jean-Marie, kardinaal 110
Lyttle, Dave 245

M'Bow, Amadou-Mahtar 86
Macchi, monseigneur Pasquale 171
Maciel, pater Marciel 251-257
Magee, pater John 71, 74, 75
Maggiolini, Alessandro, bisschop van Como 221
Maliński, Mieczysław 33, 43
Manning, Henry Edward, kardinaal 160
Maradiaga, Andrés Rodríguez, kardinaal 207, 225
Marcinkus, Paul Casimir, aartsbisschop 71, 102, 108, 162

Marcos, Ferdinand 10
Marinelli, monseigneur Luigi 164
Maritain, Jacques 72
Martínez, Eduardo, kardinaal 247, 248
Martini, Carlo Maria, kardinaal 161, 205, 221
Marto, Francisco 97, 180
Marto, Jacinta 97, 180
Marx, Karl 88, 125
Mastai-Ferretti, Giovanni Maria *zie* Pius IX, paus ('Pio Nono')
McAleese, Mary 270, 271
McBride, Sean 86
McDonald, zuster Marie 248
McEveety, Steve 277, 278
McGreevey, James 281
McNamarra, Eileen 235
Methodius, sint 287, 290
Michałowska, Danuta 27
Michelini, Alberto 278
Michelini, Jan 277, 278
Michnik, Adam 111
Mill, J.S. 131
Montini, Giovanni Battista *zie* Paul VI, paus
Mortara, Edgardo 158, 196
Mostyn, Trevor 174
Murphy-O'Connor, Cormac, kardinaal-aartsbisschop van Westminster 213
Murray, John Courtney 130
Mussolini, Benito 124, 126, 183, 197

Navarro-Valls, Joaquín 164, 184, 211, 218, 219, 231, 233, 249, 277-279, 285, 292
Nazarbajev, Noersoeltan 217
Neuhaus, pater Richard John 131, 172, 173, 203, 219, 256, 257, 261, 263, 273
Newman, John Henry, kardinaal 117, 208, 303
Nicholson, Jim 261
Niehans, Paul 172
Noonan, Peggy 277
Novak, Michael 124, 143, 219, 260-264
Nugent, pater Bob 147-149

O'Boyle, Patrick, aartsbisschop van Washington 52
O'Collins, Gerald 200, 201
O'Donohue, zuster Maura 247, 248
O'Malley, Sean, aartsbisschop van Boston 235
O'Shaughnessy, Hugh 285
Oestinov, Dmitri 93
Onaijekan, John Olorunfemi, aartsbisschop 219
Orwell, George 147
Ottaviani, Alfredo, kardinaal 130

Pacelli, Eugenio *zie* Pius XII, paus
Padre Pio 40, 41, 47
Paetz, Juliusz, emeritus aartsbisschop van Poznań 233, 234
Paitoni, pater Valeriano 241, 242
Paulus VI, paus (Giovanni Battista Montini) 20, 54-56, 58, 59, 66, 67, 70, 72, 74, 76, 79, 80, 90, 100, 101, 104, 105, 129, 142, 153, 167, 171, 172, 195, 198, 200, 235, 288
Pavarotti, Luciano 220
Perez Olvera, José Antonio 255

Pérez, Fernando 255
Perutz, Max 118
Petrus, sint 86, 176, 226, 287, 289, 291
Piatelli, Abramo, rabbijn 205
Pierre, Christophe, aartsbisschop 241
Piłsudski , Józef 24
Pinochet, Augusto 10
Pius IX, paus ('Pio Nono') 73, 104, 115, 125, 158-160, 175, 196, 208
Pius X, paus (Guiseppe Melchiore Sarto) 148, 171, 209, 303
Pius XI, paus (Achille Ratti) 50, 55, 56, 104, 118, 124, 126, 127, 172, 283, 303
Pius XII, paus (Eugenio Pacelli) 39, 50, 74, 91, 104, 130, 137, 141, 159, 172, 174, 175, 180, 183, 194-199, 236, 253-255, 303
Politi, Marco 10, 21, 55, 109, 135, 249
Półtawska, Wanda 47
Popieluszko, pater Jerzy 111
Porgione, francesco *zie* Padre Pio
Poupard, Paul kardinaal 193
Putin, Vladimir 270, 296, 298

Quinn, John, emeritus aartsbisschop van San Francisco 209, 210

Rahner, Karl 200
Ratti, Achille *zie* Pius XI, paus
Ratzinger, Joseph, kardinaal 19, 76, 100, 101, 120, 129, 137, 146, 147, 149, 182, 185, 193, 201, 204, 206, 210-213, 228, 256, 262, 273, 291
Re, Giovanni Battista, kardinaal 208
Reagan, Ronald 21, 109, 283, 285, 286
Rees, Martin 118
Reese, Thomas J. 90
Reese, Tom 202
Renner, Gerald 252, 253, 255
Robin, Marthe 167
Romero, Oscar, aartsbisschop 88, 89
Roncalli, Angelo Giuseppe *zie* Johannes XXIII, paus
Rostrup, Morten 245
Ruini, Camillo, kardinaal 161, 265
Rumsfeld, Donald 260
Rutelli, Francesco 187

Sacks, Oliver 119
Sadik, Nafis 135, 136, 138
Salazar, Antonio de Oliviera 50
Sapieha, Adam, kardinaal 33, 34, 36, 38, 40, 42, 43, 45
Sarto, Giuseppe Melchiorre *zie* Pius X, paus
Scheler, Max 45, 46, 61, 66
Schillebeeckx, Edward 80
Šeper, Franjo 67
Shanley, pater 228
Sini Luzi, Enrico 166
Sipe, Richard 233
Słowacki , Juliusz 29
Sodano, Angelo, kardinaal 180-182, 206, 210, 211, 214, 233, 263, 265, 273
Stalin, Josef 12, 183, 192, 217, 288, 289
Stanisław Kostka, sint 30, 60, 89
Stein, Edith 196
Steinfels, Peter 229
Stephanopoulos, Constantin 292

Stickler, Alfons Maria, kardinaal 41, 157
Stroba, Jerzy, bisschop 63
Stroessner, Alfredo 10
Sturzo, don Luigi 126
Sullivan, pater Francis 137
Sweeney, Garrett 106
Szulc, Tad 10

Taisiir al-Tamini, sjeik 176
Tanquerey, pater Adolphe Alfred 30, 31
Taradash, Marco 187
Tarnowski, Karol 44
Tauran, Jean-Louis 218, 219, 263
Teresa, Moeder 77, 133, 268, 271
Thomas van Aquino, sint 36, 37, 39, 44, 46, 61, 63, 125, 126, 182, 260
Toaff, Elio, rabbijn
Tonini, Ersilio, kardinaal 157
Townes, Charles 117, 118
Tran Ngoe Thu, monseigneur Vincent 76
Trujillo, Alfonso López, kardinaal 244, 245
Tucci, Roberto, kardinaal 216, 218
Tymieniecka, Anna-Teresa 21, 22, 55, 63-66, 122, 123
Tyranowski, Jan 30-34, 41
Tzirer, Edith 34, 176

Urbanus VIII, paus 115

Vaca, Juan 252
Valéry, Paul 64
Villot, Jean, kardinaal 67, 71, 80
Vincent de Paul, sint 74, 236
Vitillo, pater Robert J. 248, 249
Vladimir, sint 293, 294
Vlazny, John, aartsbisschop van Portland 238

Wałęsa, Lech 91, 92, 108-112
Walsh, Michael 10
Weber, Johan, bisschop van Oostenrijk 225
Wegan, Martha 256
Weigel, George 10, 12, 99, 109, 125, 135, 136, 219, 233, 261, 263
West, Nigel 75, 95
White, John Kenneth 283
Whitehead, Kenneth 283
Willey, David 156, 267, 272
Williams, George, Huntston 63, 66
Williams, Rowan, aartsbisschop van Canterbury 270
Williams, Shirley 138
Wills, Gary 182, 253
Wojtyła, Edmund 23, 27
Wojtyła, Emilia 23, 24, 26
Wojtyła, Karol sr. 24, 25, 32
Wojtyła, Karol *zie* Johannes Paulus II, paus
Wojtyła, Olga 24
Wooden, Cindy 277
Woodward, Kenneth 116, 117
Worlock, Derek, aartsbisschop van Liverpool 18, 71
Wright, John, kardinaal 67
Wyszyński Stefan, kardinaal 42, 49, 53, 57, 58, 73, 74, 91, 104, 180, 297

Zevi, Tullia 205